afgeschreven

D0277015

Joe Dunthorne

Het feest is voorbij

Vertaald door Theo Scholten en Onno Voorhoeve

2011
Uitgeverij Contact
Amsterdam/Antwerpen

De vertalers ontvingen voor deze vertaling werkbeurzen van het Nederlands Letterenfonds.

De dichtregels op blz. 26 zijn afkomstig uit sonnet XVIII van William Shakespeare, vertaald door Albert Verwey (Mees, 1933).

Oorspronkelijke titel *Wild Abandon*
Oorspronkelijke uitgever Hamish Hamilton
Auteursfoto Angus Muir
Omslagontwerp Bart van den Tooren
Omslagillustratie Alejandro Forero Cuervo
Typografie binnenwerk Perfect Service
Drukker Bariet, Ruinen
ISBN 978 90 254 3667 4
D/2011/0108/953
NUR 302
www.uitgeverijcontact.nl

Voor mijn zussen

I

'Eerst wordt de lucht donker.'

'Uiteraard.'

'Daarna komen ze uit de grond, en als je een bepaald soort mens bent trekken ze je mee naar beneden, waar je lichaam wordt verteerd.'

Ze kwamen bij het hek van de kraal. Kate maakte het open en liet haar broertje eerst naar binnen.

'En volgens mij ben jij zo'n soort mens,' zei hij.

Terwijl hij vooruitrende, zijn laarzen soppend in de modder, schoof ze de grendel weer op zijn plaats. Ze liep verder en zag hem onder het lage dak van het hok duiken en met zijn vrije hand een klap tegen de houten dwarsbalk geven. Haar broertje was elf en werd elke dag blakend van energie wakker. Alles wat hij die eerste paar uur zag – grafstenen van huisdieren, stapels houtblokken, rijp – verdiende een high five.

'Ik ga jullie kop d'r af melken,' liet Albert de geiten weten. 'Ik ga jullie doodmelken.'

Hij leek inderdaad wel wat op een klein Mager Heintje, vond ze, met zijn donkerblauwe poncho met capuchon, en die emmer om verse zielen in te doen. Ze stapte ook het hok binnen en ging op een laag krukje naast Belona zitten, haar lievelingsgeit, een vier jaar oude Alpine met witte poten en een zwarte kommavormige sik, die met een touw om haar nek tegen de achterwand stond. Ze stampte met haar hoeven terwijl ze uit haar voerbak at. Belona stond bekend om haar bokkigheid 's ochtends; dat verklaarde voor een deel Kates affiniteit met haar.

Albert praatte onder het melken. '... dus ze heeft een hele grote foto van wat er in het middelpunt van het heelal te zien is, en dat zijn eigenlijk een paar ogen – twee grote boze ogen...'

Kate probeerde niet te luisteren. Ze kneep, trok, perste met haar vingers van wijsvinger tot pink en concentreerde zich op het geluid van melk op metaal; het geluid werd langzaam doffer naarmate de emmer zich vulde. Ze hield haar oor tegen Belona's zij en luisterde naar het gegorgel in haar buik. Het rijzen en dalen van de ademhaling van de geit.

'... en onderzoek heeft uitgewezen dat je wel dag met je handje kan zeggen tegen de zwaartekracht en de tijd en de universiteit en...'

'Albert.'

Hij hield op met praten, maar ze wist dat het georeer in zijn hoofd gewoon doorging, ononderbroken. Ze begon in een ritme te komen, tweehandig, en haar vingers werden eindelijk warm. Ondertussen bespeelde haar broertje zijn geit alsof het een flipperkast was.

'Eén-nul,' zei hij, terwijl hij zijn emmer en zijn krukje oppakte en naar de andere kant van het tussenschot liep. Hij zette een voerbak voor Babette neer en ze begon meteen te eten.

Belona stribbelde wat tegen; haar poten schokten en ze trapte tegen de emmer. Met haar knokkels streelde Kate de kwastjes die aan de kaak van de geit hingen, boog zich naar voren en fluisterde iets tegen haar.

'Wat zeg je?'

'Niets.'

'Ben je verliefd op Belona? Mag best, hoor. Papa en mama vinden het niet erg. Die hebben nergens een probleem mee. Die willen gewoon dat je een liefdevolle relatie hebt.'

Belona gaf een trap tegen de emmer, waardoor de helft van de melk in het stro en de modder terechtkwam. Kates kaak verstrakte.

Haar broertje had jarenlang woorden afkomstig van internationale bezoekers van de gemeenschap verzameld en beschikte over een heel arsenaal aan exotische beledigingen. Hij maakte een afkeurend tonggeluidje en voegde haar iets lelijks toe in het Bengali.

Het begon net licht te worden. Er hing een geur van hooi en stront. Hoeven klepperden op de stenen. Vanuit het donkere kot kon ze zien dat de regen nog steeds in de kraal neerviel en de gaten vulde die door hun laarzen waren achtergelaten.

Terug op het erf goot Albert zijn emmer leeg in een gedeukte melkbus. Spatjes modder en vuil camoufleerden zich tussen de sproeten op zijn gezicht. Zijn rechteroorgat, zag ze, zat vol zand. Ze had vaak geprobeerd hem ervan te overtuigen dat iemand die in een leefgemeenschap was grootgebracht de plicht had om stereotypen te bestrijden door, net als zij, een uitzonderlijke mate van hygiëne te betrachten. Albert was niet geïnteresseerd. Hij wilde een lichaam dat stonk, controleerde regelmatig zijn oksels en voorhuid – wachtend op de grote dag – en rook aan zijn vingertoppen als een sommelier aan een goed glas wijn.

Ze wachtte even en zei toen 'tik', wat het signaal was. Hij keek haar aan, knipperde met zijn ogen, zei 'tak', en begon te rennen. De lege emmer kletterde op de stenen.

Ze sprintten slippend over het grind naar de voorkant van het huis en door de open dubbele deur naar binnen, de brede trap op, zij aan zij, een modderspoor over de overloop, nog een trap op en toen de grote gemeenschappelijke badkamer in. Ze was hier te oud voor, maar ze betwijfelde of hij zonder haar ooit schoon zou worden. Ze kleedden zich zo snel mogelijk uit.

Kate ging op het bankje zitten en trok haar modderlaarzen uit, daarna haar sokken. Ze knoopte haar spijkerbroek los en liet hem op haar voeten vallen. Albert zat op één knie en was druk in de weer met zijn veter, die hij eindelijk had leren strikken, maar te goed. Kate draaide zich om en trok in één keer haar trui en T-shirt uit, en onthulde daarmee drie puistjes midden op haar borstbeen, en haar borsten, ook al probeerde ze die door haar lichaamshouding te verbergen en droeg ze een verhullende beha. Toen Albert zag dat zijn zus al in haar ondergoed stond, begon hij als een bezetene te duwen en te trekken, schopte tegen zijn schoenen en bleef met zijn capuchon achter zijn hoofd haken, een forel aan de lijn, spartelend op de tegels. Ze ging weer op het bankje zitten en trok gebukt en wel haar lange thermo-onderbroek en gewone onderbroek uit. Kates haar, dat tot op haar schouders hing, had de kleur van roest, hoewel het op het doosje 'vampierrood' was genoemd. Ze verfde haar schaamhaar ook. Ze maakte haar beha los, stapte over Albert heen, die zich net van zijn schoenen wist te bevrijden, ging onder de douchekop staan en draaide het kraanwiel naar stuurboord. Het applaus van water stroomde over haar heen. Slib en modder en hooi kolkten met de klok mee naar de afvoer.

'Stap maar weer over op klittenband,' zei ze.

Het wezen antwoordde in het Maleisisch.

Eindelijk kreeg Albert zijn trui uit en wurmde zich uit zijn broek en onderbroek. Kate keek naar zijn magere porseleinwitte lijf, de voltallige bezetting van zichtbare ribben, heupbeenderen scherp als vuursteen, rode knieën, pikkie als een geknapte ballon.

'Koud, koud, koud,' zei hij, en hij kwam overeind en dook onder het water. Kate deed met de gratie van een matador een stap naar achteren en stak haar armen omhoog om aanraking te vermijden. Hij wipte van de ene voet op de andere in de stoom. Zijn kippenvel verdween. Het water aan hun voeten kreeg de kleur van de vloeistof boven op Patricks zelfgemaakte yoghurt.

'Tik tak,' zei Albert. 'Hoe lang hebben we nog?'

'Een minuut, minder misschien.'

De gemeenschap maakte gebruik van een boilertje van veertig liter op zonne-energie dat er gauw de brui aan gaf en nu, eind april, zichzelf zou overtreffen als het vier mensen schoon kreeg.

Wanneer de douche 'omsloeg' en ijskoud heuvelwater begon te spuiten, was het gegil van bezoekende backpackers tot achter in de tuin te horen. Kate en Albert wisten dat er alleen tijd was voor het hoogstnoodzakelijke. Geen scrub, geen conditioner.

'Niet lang meer,' zei Kate. 'Je weet wat je te doen staat.'

Albert boog zijn hoofd. Ze kneep een handvol shampoo van eigeel en havermout uit de fles, kletste dat op zijn hoofd, wreef het snel in en nam hem onder vuur met de douchekop.

'Jij bent klaar. Nu ik.' Kate liet haar hoofd goed nat worden, nam een klodder van de grijze shampoo en smeerde die erop. 'We hebben een probleem,' zei ze. 'Geen schuim. Zoek de contrabande.'

Verstopt tussen de hoge lotions en crèmespoelingen op een hoekplankje tegen de achterwand van de cabine vond Albert een reisflesje Pantene dat een van de wwoofers mee naar binnen had gesmokkeld. De shampoo bloeide op tot schuim op haar hoofd. Haar broertje keek toe hoe het langs haar rug en billen en benen naar beneden gleed. Ze voelden de watertemperatuur dalen.

'Hoe lang nog?' vroeg hij.

'Seconden.'

Ze begonnen samen af te tellen.

'Vijf, vier...'

Kate nam gauw haar oksels onder handen.

'... drie, twee...'

Ze stapten onder de douche vandaan, zeepblind, en zochten op de tast de kledingstang, met uitgestrekte armen als ondoden. Op het moment dat de ijskolom neerdaalde, sloegen ze een handdoek om zich heen. Kate stak een arm naar binnen en draaide de kraan dicht.

Ze gingen hijgend op het met kurk beklede bankje zitten, ingepakt en wel, Kates handdoek boven haar borsten omgerold. Hun ruggen maakten natte vlekken op het bloemetjesbehang.

Na een tijdje spreidde Albert zijn handdoek midden op de badkamervloer uit.

'Albert, doe nou niet, alsjeblieft.'

Hij rolde zich op tot een bal op de handdoek, met zijn hoofd tussen zijn knieën. Kippenvel verspreidde zich over zijn armen en benen. Ze telde de tanden van zijn ruggengraat.

'Wat ben ik?'

'Te oud hiervoor.'

'Wat ben ik?'

'Irritant.'

Hij bibberde een beetje. 'Néé. Wat ben ik?'

'Een bom?'

'Nee. Nog een keer raden.'

Voor Kate waren deze momenten ná het douchen het eigenlijke probleem. Hij zag eruit en gedroeg zich nog steeds als een kind, maar op de een of andere manier zag ze de vettige hand van de puberteit al op zijn schouder. En ze wist wel zeker dat ze de badkamer niet met haar broertje wilde delen als het eenmaal zover was. Dit moest de laatste keer zijn; ze kon het niet meer opbrengen.

'Een tumor?'

'Nog een keer.'

'Een zak met botten?'

'Nee.'

'Een lege dop?'

'Nee, meneer.'

'Een mislukt experiment?'

'Nee.'

En je kon je natuurlijk afvragen wat de jongens op school zouden zeggen als ze wisten dat dit gebeurde. *Zeep jij je in met je broer samen? Doen ze dat zo in een commune? Gestoord...*

Donder op, waag het niet om over mij te oordelen, dacht ze, en ze nam zich voor om die woede straks mee naar school te nemen. De afgelopen zeven maanden had ze lessen gevolgd aan het Gorseinon College, waar ze zich voorbereidde op het eindexamen Engels, politicologie, geschiedenis en sociologie, omdat er geen volwassenen in de gemeenschap waren die ze 'specialistisch' genoeg vond om haar les te geven. Voor die tijd had ze al haar scholing in de gemeenschap gehad – met haar broertje samen – en zoals wel vaker voorkomt bij kinderen die thuisonderwijs hebben gehad, lagen ze behoorlijk voor op hun door de overheid opgeleide leeftijdsgenoten. Ze was naar school toe gegaan in de verwachting dat die geheel bevolkt zou zijn met seksuele roofdieren en intelligentie hatende sukkels en had als gevolg daarvan met bijna niemand gesproken. Haar eerste semester had in het teken gestaan van het snel van de ene les naar de andere lopen met een nietsontziende zwembadpas, het meebrengen van vegetarische lunches in intimiderend tupperware en héél hard werken. Als gevolg daarvan had er ook niemand met haar gesproken. Aan het begin van het tweede semester had ze een voorwaardelijk aanbod van Cambridge en Edinburgh en een onvoorwaardelijk aanbod van Leeds gekregen, wat haar sterkte in de overtuiging dat ze er goed aan had gedaan om geen vrienden te maken. De keerzijde was dat ze niemand had tegen wie ze daadwerkelijk kon zeggen: Donder op, waag het niet om over mij te oordelen.

'Ach nee, wacht eens even,' zei Kate, puffend aan een denkbeeldige pijp. 'Ben je... een zwerfkei?' Hij was altijd een zwerfkei. Hij zei niets. Hij vond het niet leuk als ze het te snel raadde.

'Oké. Ben je de laatst overgebleven mens?'

'Nog niet.'

'Of ben je een zwerfkei?'

'Ja!' zei hij, en hij ging staan en stak zijn handen in de lucht. Zijn tepels waren net sproeten. 'Ik ben een zwerfkei!'

Ze raapte zijn handdoek op en sloeg die om hem heen.

'Geweldig. En nu wegwezen.'

Albert deed de deur open en rende de gang in. Ze trok haar ochtendjas aan en ging haar haren te lijf met de handdoek. Er kwam een *tak tak tak*-geluid uit de kamer naast haar, de slaapkamer van haar ouders. Ze wist wat dat betekende: de gemeenschap had pas weer een van haar open dagen gehouden om aan nieuwe leden te komen. Bij die gelegenheden werd de boerderij overspoeld door allerlei vage en vrolijke rugzaktoeristen en vaak ook een undercoverjournalist die zich voordeed als onderwijzer. Om fulltime lid te worden moest je je opgeven als vrijwilliger (en kutklusjes doen: gereedschap schoonmaken, compost keren, eindeloos wieden), daarna kreeg je een eerste kort sollicitatiegesprek, dat, als je werd goedgekeurd, gevolgd werd door een verblijf van minimaal twee weken (aanbevolen werd zes weken), daarna een afkoelperiode van minstens een maand, en dan nog een tweede, uitgebreider sollicitatiegesprek om te beslissen over fulltime geschiktheid. Het was een onmiskenbare machtstrip voor de commissie, met name voor Kates vader, Don Riley, die, nog steeds niet verzoend met het feit dat hij op zijn achttiende was afgewezen door Oxford, een groot behagen schepte in het bedenken van vragen.

V: Als de stroom uitvalt, en het is binnen en buiten koud, hoe droog je dan je kleren?

(A: Waslijnen in de tunnelkassen.)

V: Als je voor de gemeenschap een maaltijd zou moeten bereiden met producten van het seizoen, wat zou je dan maken?

Arlo Mela stond erom bekend de enige te zijn geweest die, na hooggegrepen culinaire beloften tijdens het sollicitatiegesprek, daadwerkelijk een fenomenale chocolademillefeuille had weten te bereiden.

'Nieuwe leden moeten realistische verwachtingen van ons hebben, en van zichzelf,' was de manier waarop haar vader het verwoordde. 'Pas op voor vreemden die bouillabaisse beloven.'

De combinatie van een meedogenloos selectieproces en een grote kans op geestesziekte onder de sollicitanten had in de loop der jaren interessante correspondentie opgeleverd. De gemeenschap stuurde een stijve, bureaucratische standaardreactie op alle scheldbrieven. *Dank u voor uw openhartige terugkoppeling…* Hun vader had echter een dunne huid als het om kritiek op de gemeenschap ging – hij vatte alles op als een persoonlijke aanval – en schreef graag reacties, ook al verstuurde hij ze nooit. De typemachine zorgde voor maximale ontlading van spanning. *Tak tak.* Op vergelijkbare wijze wist ook iedereen het als hun moeder boos was, omdat er dan een stapel versgehakt hout in de schuur kwam te liggen.

De gemeenschap had een gastenboek en een scheldboek, en dat laatste bevatte de beste citaten uit twintig jaar incidentele hatemail. Tot de hoogtepunten behoorden een tekening van de schuur in vlammen en een uitgebreide lijst met beledigende anagrammen van namen van bewoners. Beide boeken lagen ter inzage in de toegangshal om de verwachtingen van nieuwe bezoekers te reguleren.

Maar toen Kate de slaapkamer van haar ouders binnenliep, zag ze dat het haar moeder was die, helemaal aangekleed, aan haar bureau in de hoek op de beige Smith Corona zat te tikken. Haar donkere haar hing tot aan haar oksels en viel uiteen boven haar schouders. Ze droeg een wollen trui met de kleur van margarine. Kate zag haar wijsvinger een letter op het toetsenbord zoeken, erboven hangen, en toen neerkomen. Zodra tot haar doordrong dat haar dochter achter haar stond, hield Freya op met typen en legde haar handen op het bureau.

'Wat is er aan de hand?' zei Kate, en ze masseerde haar moeders verkrampte schouders. Ze las de brief, als die zo genoemd kon worden. Er stonden maar twee woorden, 'Beste' en 'Don'.

Kate draaide zich om naar haar vader, die rechtop in bed zat, met zijn rug tegen het hoofdbord. Hij had altijd twee kussens onder zijn rechtervoet, want hij zei dat die moest 'afwateren'. Hij had een grote schipbreukelingenbaard, slecht onderhouden, een trofee van onbemiddelbaarheid. Zijn kinderen hadden geen idee of hij een krachtige of een slappe kin had.

'Pap, waarom ben je niet op?'

'Ik bén op,' zei hij, wat hetzelfde was wat Kate zei wanneer ze nog niet op was. Hij was in zijn pyjama.

Het was niet ongewoon dat haar ouders het met elkaar aan de stok hadden, het was wel ongewoon dat dat stilletjes gebeurde. Zelfs als Kate op de een of andere manier door de oorspronkelijke ruzie heen had geslapen (wat niet zo makkelijk was, met dat dunne wandje dat hun kamers scheidde), dan nog zou ze verwacht hebben dat haar moeder een deur verder was gegaan en haar wakker had gemaakt, gewoon om het te vertellen. Sinds Kate in de puberteit zat, sprak haar moeder in volstrekte openheid met haar – dat gold zowel voor de relatie tussen haar ouders (*Mam, wil je het alsjeblieft geen relatie noemen. Jullie zijn getrouwd*) als voor de gemeenschap in het algemeen. Haar moeder was degene die Kate verteld had dat Patrick Kinwood, van wie ze altijd had aangenomen dat hij geen cent te makken had en misschien zelfs een ex-dakloze was, regiomanager van een wenskaartenketen was geweest en dat hij, aangezien de gemeenschap een betaal-naar-draagkrachtsysteem hanteerde, verreweg het grootste bedrag per maand inbracht. Dergelijke onthullingen maakten deel uit van de reden waarom Kate en Freya echte vriendinnen waren. Echt bevriend zijn met haar eigen moeder begon voor Kate pas een probleem te worden toen ze andere Zuid-Welshe moeders en dochters tien passen bij elkaar vandaan door de stad had zien lopen.

'Wat is er met jullie aan de hand?' zei Kate.

'Er is niks aan de hand,' zei Don, die tegen het achterhoofd van zijn vrouw sprak.

Freya draaide zich niet om.

'Oké, dan stop ik dit in de doos met verdrongen herinneringen.'

Kate liep naar haar eigen kamer en begon zich aan te kleden voor school. Ze probeerde ervoor te zorgen om niet als hippie te worden bestempeld en vermeed dus de geijkte stigma-uitlokkers – lange jurken, gebreide vesten, armbanden – waarvan ze er, beschamend genoeg, heel veel had. In de gang klonk het schurende geluid van iets zwaars dat over de houten vloer werd gesleept.

Ze droeg een smalle spijkerbroek die geen fietsknijpers nodig had, zwarte ademende sportschoenen, een flanelletje onder een houthakkershemd dat warm was maar makkelijk kon worden opengemaakt dankzij drukknoopjes wanneer ze de hoge heuvels moest beklimmen, en een geel regenjack met een puntcapuchon waar haar vriendje een zwak voor had omdat het, zoals hij zei, de indruk wekte dat ze niet aantrekkelijk was, zodat andere jongens op het verkeerde been werden gezet. Ze deed haar kamerdeur weer open en trof daar een muur aan, onvakkundig opgetrokken uit schoenendozen, bagage en de rieten verkleedmand.

'Albert, ik ben al laat.'

'Dit is geen uitgang,' zei de muur.

'Je weet dat ik het niet leuk vind om te gaan, maar het moet.'

'Excuses voor het ongemak.'

'Ik ga dit nu omvergooien, oké?'

Toen ze de dragende schoenendoos wegduwde, viel het bouwsel de gang in. Albert stond een stukje naar achteren, in zijn ochtendjas, met de sombere blik van een kraker die de projectontwikkelaar ziet binnenkomen. Ze klom over de rotzooi heen en liep de trap af. Haar broertje klom over de leuning en ging aan de handreling hangen. Zijn voeten bungelden. Ze stond onder hem, op de onderste trede.

'Als je gaat, maak ik er een eind aan.'

'Je zou helemaal niet doodgaan. Je zou waarschijnlijk niet eens je benen breken.'

'Ik draai me in de lucht om zodat ik op mijn hoofd terechtkom.'

Ze zag dat de onderkant van zijn linkervoet nog steeds zijn begroeiing van wratten droeg. Hij had haar bezworen dat ze verdwenen waren. Ze nam het zich nogmaals voor: niet meer samen douchen.

Ze liep door de hal, zonder acht te slaan op een Portugese wwoofer die op de tegelvloer zat te huilen met de telefoon aan haar oor.

'Je moet me alles vertellen!' schreeuwde Albert toen zijn zus de voordeur opendeed. 'Het is niet eerlijk als jij dingen weet en ik niet!'

Terwijl ze naar buiten liep, hoorde ze haar broertje roepen dat hij nu daadwerkelijk dood was. Zijn meest ambitieuze poging om te verhinderen dat ze naar school ging was een getypte brief geweest, zogenaamd van haar rector, die begon met:

Beste Kate,
Ik baal echt van jou.

Ze begreep wel waarom het moeilijk voor hem was. Nu zij er niet meer was, was er nog maar één ander jong iemand in de gemeenschap met wie hij lessen kon volgen, en dat was Isaac, die zes was. Het was nu heel anders dan toen Kate zo oud was als haar broertje en de gemeenschap vol zat met slimme, meertalige kinderen met schitterende namen. (Sta op, Elisalex De Aalwis.) Met klassen van wel tien jonge mensen van allemaal verschillende leeftijden was de stof afgestemd op de intelligentste leerling, maar met eenvoudiger alternatieven. Hun scholing had een hoogtepunt bereikt met Arlo's inmiddels beruchte lessen over Italiaanse architectuur uit het cinquecento, die gepaard waren gegaan met discussies op hoog niveau over de villa's van Palladio en een ambitieuze poging om La Rotonda na te bouwen met lego. Een andere populaire les was Patricks inleiding op de middelpuntvliedende kracht geweest, die aanschouwelijk was gemaakt met behulp van onverschrokken jonge vrijwilligers met munten in hun zakken. Maar sindsdien was het aantal jonge mensen in de gemeenschap afgenomen, en de lessen behelsden tegenwoordig niet veel meer dan dat Albert en Isaac aan de eettafel rustig hun werkboekje zaten in te vullen.

Als eerste jonge persoon in bijna twee jaar tijd was Isaac hogelijk gewaardeerd om zijn gunstige invloed op het leeftijdsprofiel van de gemeenschap. Dat was de voornaamste reden waarom zijn moeder en hij hun proeftijd hadden overleefd en een sollicitatiegesprek hadden gekregen. Niemand had haar echt vertrouwd. In haar bagage zat een draagtas van Yeo Valley die de complete backlist bevatte van een pamflettenreeks getiteld 'Het paradigma verschuift niet uit zichzelf'. Het zat Kate dwars dat haar broertje geen andere vrienden had, maar ze kon ook niet haar eigen leven opgeven om hem bezig te houden.

Kate haalde haar fiets uit de schuur, het mandje al volgeladen met boeken.

Na het ontbijt zaten Albert en Isaac naast elkaar in kleermakerszit op het Kirmantapijt in het klaslokaal, elk met een kladblok. Albert probeerde uit de vrije hand een perfecte cirkel te tekenen. Isaac kloof op zijn potlood alsof het een maïskolf was. Hij had een pony tot halverwege zijn voorhoofd en een paar welgemikte sproeten. Door zijn opvallende witblonde haar, alleen maar mooier omdat het slecht geknipt was, en zijn weelderig rode lippen hadden volwassenen de neiging stil te vallen in zijn gezelschap.

Patrick ging voor de tv staan om zijn les te geven. Hij droeg een groene fleecetrui die zowaar, voor het eerst in meer dan tien jaar, niet naar bongwater rook. Patrick was achtenvijftig maar maakte een oudere indruk. Hij had een sympathieke, vormeloze neus, waterige ogen en grote vuurrode oren die heet genoeg leken om er sokken op te drogen. Na vijf dagen met een helder hoofd was hij blij dat hij de gelegenheid had om zijn intellectuele energie met anderen te delen. Het kwam tegenwoordig nog maar zelden voor dat de jongens een officiële les kregen, dus die waren ook opgetogen.

'Oké, jongens,' zei Patrick. 'Hebben jullie wel eens een reclame gezien?'

'Natuurlijk,' zei Albert. 'We zijn niet achterlijk.'

'Ik heb er een gezien over mensen die in vliegtuigen werken,' zei Isaac.

'Ik heb er een gezien over deze voortreffelijke soep,' zei Albert.

Patrick deed zijn handen naar voren. 'Dus jullie hebben er niet veel gezien?'

Isaac schudde zijn hoofd, terwijl hij het potlood in zijn mond geklemd hield.

'Mooi. En daarom is onze gemeenschap zo te gek. Maar belangrijk om te onthouden is dat reclames niet per se slecht zijn, je moet alleen weten hoe je ermee om moet gaan. We beginnen met iets makkelijks.'

Patrick drukte op play van de videorecorder. Er verscheen een goedkope reclamespot voor een meubelzaak in Pontypridd. Te zien was hoe een stel zich in de showroom achterover liet vallen op een witte driezitsbank, waarbij ze hun benen in de lucht gooiden.

Deze hele week, en alleen deze week, 50 procent korting op alles.

Te zien was hoe de bank uit een vrachtwagen werd getild, waarna het beeld versprong naar het stel dat gezellig samen op diezelfde bank zat, maar dit keer in hun eigen huis.

Kom gauw langs, en bespaar een boel op bank of stoel!

Patrick drukte de pauzeknop in, trok het reclamefilter voor de tv en zette het geluid uit. Albert en Isaac bleven naar de oplichtende vormen en kleuren achter het vierkante stuk douchegordijn zitten kijken.

'Daar zal ik jullie even over na laten denken,' zei Patrick.

Ze wachtten in stilte.

'Oké, wat denken jullie?'

Isaac keek naar Albert, die zei: 'Ik denk dat als we meubels nodig hadden, dat het dan nu een goed moment zou zijn om ze te kopen, vanwege de korting.'

'Helemaal waar. Wat denk jij, Isaac?'

'Ik weet het niet. Het was hard.'

'Goed zo. Waarom was het hard?'

'Zodat we het kunnen horen.'

'Goed zo. Waarom willen ze dat we het horen?'

Isaac vertrok zijn gezicht en begon de punt van zijn potlood in zijn schoenzool te duwen.

'Oké, prima. Oké. Laten we het over verkooptaal hebben. "Bespaar een boel op bank of stoel." '

Patrick zei het met de stem van een spelshowpresentator en Albert moest lachen.

'Ja, dat is grappig,' zei Isaac.

'In die reclame zie je dat blije stel met witte tanden en glanzend haar. Ze hebben die bank op de kop getikt en ze zijn helemaal gelukkig.' Patrick deed net of hij een bank op z'n kop tikte en grijnsde vervolgens, met bruingerande tanden. 'En daarmee wordt eigenlijk gezegd dat als jij ook zo'n zacht stuk meubilair koopt, je net zo kunt zijn als zij.'

'Ze zijn gewoon een voorbeeld,' zei Albert. 'Hoe kunnen we nou net zo zijn als zij?'

'Dat kan niet,' zei Isaac.

'Precies,' zei Patrick, en hij hield één vinger tegen het puntje van zijn neus en wees met de andere hand naar Isaac. 'Heel goed. Het speelt in op een verlangen. Mensen denken dat ze net zo zullen zijn als zij als ze die bank kopen, maar dat kan niet.'

'Wie denkt dat?' zei Albert.

'Domme mensen,' zei Patrick.

'Dat geloof ik niet. Weet je het zeker?'

'Honderd procent.'

'Wie zijn dat dan?' zei Isaac.

Patrick deed zijn mond open en toen weer dicht. 'Laten we er nog maar een proberen. Deze is een beetje anders.'

Hij schoof het reclamefilter opzij en pakte met twee handen de afstandsbediening. Stoppen met de wiet had een vreemd effect op zijn relatie met kinderen gehad. Hij had bij zichzelf een verlangen ontdekt om kennis uit zijn eigen leven door te geven. *Kennis uit zijn eigen leven*. Dat was een heel nieuw idee. Hij was twee onbedwelmde dagen bezig geweest om de video te maken. Hij had eigenlijk moeten helpen met het vastzetten van de hekken, maar zijn schouder, die bij het minste of geringste uit de kom schoot – als hij in bad zijn arm uitstak naar de clandestiene shampoo, bijvoorbeeld – had hem binnengehouden. Hij had uren aan reclamespots opgenomen, terwijl hij probeerde het verre *dop-dop-dop* van de palenrammer te negeren. Het was twintig jaar geleden dat Don en hij zich over de kaart van hun stuk grond van twintig hectare hadden gebogen – en die met balpen hadden opgedeeld. Ze hadden tonnen zandsteen achter in hun kleine Bedford-bestelbus geladen en ermee over de velden gereden. Langzaam, met ontbloot bovenlijf, hadden ze greppels gegraven, stenen gestapeld in Tetris-stijl, en bijna niets tegen elkaar gezegd, behalve in de pure taal van lichamelijke arbeid. Ze waren elke dag zonverbrand en geadeld thuisgekomen, en eigenlijk had iedereen ze nogal irritant gevonden, met hun 'welverdiende rust na gedane arbeid'-gedoe, alsof ze na een dag 'echt werken' naar het grote huis konden terugkeren om gewoon, ja, als stenen, neer te ploffen, door iedereen bewonderd en vrijgesteld van de afwas.

Hij drukte weer op play. Het scherm werd grijs en daarna verscheen het logo van Channel 4. 'Daar gaan we.'

Het was een lange autoreclame – dertig seconden – met een complexe electro-soundtrack. Te zien was een man in een zilveren auto die in atomen uiteenviel en zich herschiep tot een rodelteam geleid door dezelfde man, dat ook weer uiteenviel en zich herschiep tot een sneeuwluipaard die tegen een onmogelijk steile helling op klom, de man een glinstering in het oog van het dier, waarna hij uiteenviel en zich herschiep tot twee balletdansers, de man en een prachtige Oost-Europees uitziende vrouw, ronddraaiend op een meer. Je zag ze vervolgens een moeilijke lift uitvoeren en weer veranderen in de auto in een Scandinavisch landschap, met de man achter het stuur, maar nu zat de balletdanseres naast hem en ze veegde glimlachend sneeuw van zijn schouders. De auto heette de Avail.

Patrick zette de videorecorder op pauze. Hij had het niet gezien, maar Isaac en Albert waren opgestaan.

'Godverdomme,' zei Albert.

'Vet,' zei Isaac.

Ze omhelsden elkaar.

'Wat jullie goed moeten onthouden, is dat iedere reclame wil dat je iets denkt; wat wil deze reclame dat jullie denken?'

'Die auto is een schitterende auto,' zei Albert.

'Wat een auto,' zei Isaac, en hij sloeg zijn arm om Alberts middel.

'Zie je wat het met jullie gedaan heeft?'

Don keek toe vanuit de deuropening. Hij droeg een trui waarvan de mouwen waren opgerold. Hij had moddervegen op zijn voorhoofd en wangen. Er zat zelfs een takje in zijn baard, wat Patrick wel wat overdreven vond.

'Wat zijn jullie aan het doen, Pat?' zei Don, terwijl hij met half toegeknepen ogen naar het bevroren beeld op het scherm keek.

'Mediastudies.'

'Het is hartstikke mooi, pap,' zei Albert, en hij rende naar zijn vader toe en gaf hem een klein kopstootje in zijn maag.

'O-ké,' zei Don. Hij kneep zachtjes in zijn zoons schouder. 'En waar leren jullie iets over?'

In 2002 had Don het reclamefilter uitgevonden nadat Kate, toen zeven, een dansje had geleerd van een reclame voor yoghurt. Pat herinnerde zich nog Dons toespraak tijdens de vergadering die avond, toen hij had verteld dat hij de deuntjes kon fluiten van, zo schatte hij, bijna tweehonderd reclames, waarbij hij had gezongen ('*I'd like to teach the world to sing in perfect harmony*'), en leuzen had aangehaald met een perfecte intonatie ('Het enige wat je weggooit is de verpakking') en toen gezegd had: 'Zou het niet beter zijn als onze kinderen zich de woorden van gedichten, of liedjes, of verhalen eigen zouden maken? "Zal 'k u gelijken bij een zomerdag? / Ge zijt veel milder en veel lieflijker. / De storm slaat bloesems met te hard een slag / En al te ras is zomers zoetheid ver." ' Dit was in de tijd dat zijn toespraken echt iets voorstelden. Hij zei dat hij niet wilde beweren dat ze de tv maar helemaal weg moesten doen, en om meteen spijkers met koppen te slaan onthulde hij toen zijn reclamefilter, klaar om op de tv te worden gelijmd. Het bestond uit een vierkant stuk douchegordijn aan een rail en was doorschijnend genoeg om te zien wanneer de reclames voorbij waren, maar mistig genoeg om de inhoud ervan te verbergen.

'Het leek me wel goed om ze te leren hoe ze reclames moeten begrijpen,' zei Patrick, die zag hoe Dons ogen zich vernauwden, 'wat ze proberen te bereiken – en op die manier hun macht weg te nemen.'

Beide mannen wisten dat Don, met modder op zijn onderarmen en zand in zijn gezicht, het overwicht had. 'Alles wat we ervaren – hoe we die ervaringen ook proberen te sturen – beïnvloedt ons,' zei Don, terwijl hij zijn hand op Alberts hoofd legde, 'en vooral jonge breinen, op manieren die we niet kunnen begrijpen.'

Isaac keek van de een naar de ander.

'Maar op een gegeven moment zullen ze toch de confrontatie met reclame aan moeten gaan,' zei Patrick. 'En dan moeten ze weten hoe ze ermee om moeten gaan.'

'Dat is nou juist het punt, Pat – ik wil daar niet zomaar van uitgaan. Alles wat we zien is een keuze.'

Een ader drong zich naar de oppervlakte in Patricks hals. Er stonden nog zes andere reclamespotjes op de band. Hij had de les zo gepland dat er aan het eind een paar grappige zouden komen om het allemaal niet te zwaar te maken: eentje met een pratende luiaard en eentje met een leger van dansende bacteriën.

Kates eerste les was geschiedenis. Leanne – ze spraken de leerkrachten bij de voornaam aan – was een struise vrouw die haar grijze haar in een vlecht droeg en een zwak had voor trapezium- en parallellogramvormige broches van lokale kunstenaars. Haar stijl van lesgeven kwam erop neer dat ze het hele uur aan het woord was, met de impliciete boodschap dat het de leerlingen vrij stond om op elk gewenst moment mee te doen of af te haken. Vandaag had ze het over Von Stauffenbergs mislukte moordaanslag op Hitler. Toen ze iets zei over een aktetas met een bom erin, hield ze haar eigen tas omhoog om het de klas beter te laten begrijpen. Toen ze nazipropaganda voorlas, stond ze zichzelf een accent toe.

Kate kon zich niet concentreren. Haar gedachten dwaalden steeds af naar haar moeder achter de typemachine, bezig een brief te schrijven aan iemand die in dezelfde kamer zat.

Later, in de middagpauze, kwam ze erachter dat ze haar voorverpakte lunch in de koelkast had laten liggen. Ze weet het aan Albert, die ze een pijnlijke hoofdlanding op de onderste tree toewenste. In de wetenschap dat haar boterhammen, die een hele ochtend onopgeëist waren gebleven, nu onder jurisdictie van de gemeenschap vielen, ging ze naar de kantine. Daar had ze Geraint voor het eerst ontmoet. Ook die keer was het haar broers schuld geweest: in het kader van zijn campagne om haar consequent te laat op school te laten komen, had hij alle tupperware en vershoudfolie verstopt. Het was wel aangenaam ironisch dat zijn poging om haar leven te saboteren tot de ontmoeting met haar vriendje had geleid.

Ze herinnerde zich die dag nog goed: het was niet alleen haar eerste keer in de kantine geweest, maar ook haar eerste keer in *een* kantine. Haar eerste indruk ervan kwam grotendeels overeen met wat ze verwacht had: blauwe dienbladen en geel voedsel – patat, knoflookbrood, kalkoenburger. De enige warme vegetarische optie was bloemkool met kaas geweest, dus die had ze gekozen, met waterige worteltjes. Ze had betaald en vervolgens gekeken waar ze kon gaan zitten, in het besef dat ze dit moment ook kende – dat ongemakkelijke op zoek gaan naar een plaats, half achteloos rondkijkend. Het had iets geruststellends om eindelijk deel te nemen aan die algemeen bekende rituelen. Niemand had haar uitgenodigd om erbij te komen zitten. De enige andere die alleen zat was Kit Lintel geweest, welbekend op school, maar niet welbemind. Kit deed aan parkour, of zoals hij het noemde: 'de kunst van het bewegen', in het vierkante trappenhuis van de parkeergarage bij school, en je kon hem vaak kaarsrecht op de hoek van een hoge muur zien staan met zijn armen uitgespreid als Christus de Verlosser. Ze ging aan een lege tafel zitten.

Het kostte haar moeite om door de toupet van kaas op de bloemkool heen te snijden. Het zag er vreselijk uit, maar toen ze eenmaal een hap in haar mond had, moest ze bekennen dat hier enig talent aan te pas was gekomen. Verbeeldde ze zich nootmuskaat? Ze maakte halfbewust een *mmm*-geluid. Het genieten van de bloemkool met kaas was het moment geweest waarop de feitelijke kantine zich had losgemaakt van de kantine in haar verbeelding. En toen had ze haar aanstaande vriendje naast zich zien staan, met een bord vol rundergehaktlasagne met patat en sla.

'We hebben samen sociologie,' zei hij, terwijl hij zijn dienblad neerzette. 'Ik zie je wel eens fietsen, naar school.

Dan rij ik langs met mijn auto. Ik ben Geraint.' Een man van eenvoudige mededelingen. Zijn stem had dat fluctuerende in toonhoogte van de Llanelli Welsh, als een licht beschadigde cassette.

'Hoi,' zei ze, met haar hand voor haar mond, nog kauwend.

Dat was het. Dat was het enige wat hij nodig had gehad. Hij begon te eten. Ze had zichzelf tot dan toe nooit als een langzame eter beschouwd. Hij goot de lasagne naar binnen. Zijn tanden tikten het voedsel in het voorbijgaan aan, zoals je een langeafstandsloper aanmoedigt. Ze zag zijn keel op en neer gaan toen hij zijn vruchtensap dronk. In het algemeen verafschuwde ze carnivoren, zelfs degenen die alleen scharrelvlees aten, maar er was iets aan Geraint (wist hij eigenlijk wel dat lasagne vlees bevatte?) wat hem anders maakte.

Het was die dag tot een logistiek lastige stevige vrijpartij gekomen, dwars over de kuipstoeltjes van zijn Punto. Ze hadden niets van elkaar geweten en dat was ideaal. Vanaf dat moment vraten ze elkaar een of twee keer per week op, en dan vroeg hij na afloop of hij haar thuis mocht brengen en dan zei zij nee. Dat was het patroon. Ze wilde niet dat hij zag waar ze woonde, want ze wist dat hij dan anders over haar zou gaan denken. Toen hij uiteindelijk bleef aandringen op een reden zei ze: 'Omdat mijn broer je zou proberen te vermoorden', wat niet helemaal gelogen was. Sinds Albert een slakachtige zuigzoen op haar hals had ontdekt, had hij dreigementen geuit: 'Zeg wie je bloed opzuigt, ik zal niet rusten voor ze een staak door hun hart hebben.'

Patrick zat boven op het platte dak. Zijn benen bungelden over de rand en hij zat met zijn rug tegen het vrijstaande bad, dat het grootste deel van het jaar een fluwelige groene vijver was, soms vergeven van de kikkerdril. Naast hem lag een videoband met het opschrift *Is reclame slecht?* Er hing een aureool van bladluizen om zijn hoofd. Hij bleef daar heel lang zitten, en terwijl zijn handen gevoelloos werden van de kou liep hij in gedachten de stadia na die hem tot hier gebracht hadden.

Acht dagen geleden had Don hem na het eten apart genomen, was met hem bij de kachel gaan zitten en had wat opbouwende feedback gegeven op de maaltijd die Patrick zojuist had bereid. Dat kon hij op zichzelf nog wel door de vingers zien, omdat – volgens Patricks psychologie van de koude grond – Don alleen neerbuigend werd als het slecht ging in zijn persoonlijke leven. Het was Patrick opgevallen dat Don in periodes dat zijn huwelijk onder druk stond mensen op een agressieve manier aanspoorde om bijvoorbeeld hun recyclingproces te stroomlijnen. Maar aangezien dit keer niemand Don en Freya ruzie had horen maken, was het onduidelijk wat de katalysator was geweest. Er waren geen grote problemen: de gemeenschap stond er financieel goed voor (voornamelijk dankzij Patrick, dat wel) en Dons stilzwijgende leiderspositie was allang niet meer het aanvechten waard. Dus toen Don zijn hand op Patricks schouder had gelegd met de woorden: 'Ik dacht dat je misschien wel geïnteresseerd was in wat feedback op je tajine', had Patrick gevraagd of er misschien iets was waar *híj* over wilde praten, waarop Don zijn wenkbrauwen had gefronst alsof hij het niet begreep.

Na die feedbacksessie, waarin Don geopperd had dat Patricks smaakpapillen misschien waren aangetast door alle wiet die hij rookte, was Patrick, trillend van een puur soort vernedering zoals alleen Don die teweeg leek te kunnen brengen, over het erf, langs de werkplaats en door de tuinderij teruggelopen naar zijn geodetische koepel, die – met zijn vele panelen – voor Patrick opeens de droefgeestige aanblik bood van een deels leeggelopen voetbal, in een hoek geschopt en vergeten. Eenmaal binnen was Patrick met zijn one-hitter op de bank gaan zitten tot die te heet was geworden om nog zonder handschoenen vast te houden, wat zijn gebruikelijke manier was om te ontstressen.

De volgende ochtend was hij met zijn ogen niet zichtbaar open naar de droogkast onder de trap gelopen, waar hij zijn verse milde eigen kweek te drogen legde, en had ontdekt dat er niets meer lag. Dat was niet zo erg, want hij verwachtte die middag een bezoekje van Karl Orland. Karl was een singer-songwriter en steelgitaarman die zijn manier van leven financierde door zakjes wiet te verkopen. Maar Karl Orland kwam niet. Patrick had gehoopt dat een van de wwoofers of dagvrijwilligers een paar grammetjes had die hij kon kopen. Hij ging rond om het te vragen, waarbij hij ervoor zorgde de mensen alleen in een besloten ruimte te benaderen, want hij wilde niet dat Don hem zag 'praten met andere mensen' en dan zou denken dat dat het gevolg was van een van zijn verbetersuggesties. Maar de hele boerderij stond droog, er was zelfs geen pijpsmeer.

Die avond had Patrick zijn met houtsnijwerk versierde rookkistje leeggehaald en genoeg restjes gevonden voor een joint. De volgende ochtend rookte hij de peuken uit zijn staande CN Tower-asbak. Die avond schraapte hij de hoorn van zijn ijspijp uit en kauwde op de teerachtige smurrie. En toen was er niets meer. Oké, dacht hij, dan rook ik een paar dagen niet. Tenzij Karl nog komt.

De eerste twee dagen was het goed gegaan en ervoer hij een hernieuwde energie, iets van oog-handcoördinatie en een vleugje kortetermijngeheugen. Hij bleef wel bij Don uit de buurt, want hij vreesde dat die in de gaten zou hebben dat hij nuchter was en dat hij hem dan bemoedigend tegen zich aan zou drukken.

Op de ochtend van de derde dag waren er op de zolder in Patricks hoofd tl-lampen aangegaan. Afgedankte herinneringen. Kartonnen dozen, eentje met het opschrift 'mijn versie van de gebeurtenissen' en eentje met 'kennis om door te geven'. Hij besloot dat Don hem al veel te lang het gevoel had gegeven dat hij de kinderen niets waardevols te leren had. Dus begon hij lesplannen te maken. 'Inleiding tot het politieke spectrum'. 'Klassedenken in het moderne Engeland'. 'De uitvinding van de puber'. 'Is reclame slecht?'

Op de ochtend van de vierde dag was hij boos wakker geworden. Hij was al jaren niet meer boos geweest. Hij vond jonge mensen – daarmee bedoelde hij wwoofers, mensen van in de twintig – verschrikkelijk.

Op de ochtend van de vijfde dag begon er voor het eerst – het ergste van al zijn symptomen – seksueel verlangen te knagen. Hij was in zijn groene fleecetrui en rubberlaarzen de koepel uit gelopen, en toen hij langs de zaaibedden kwam, zag hij Janet, met een oorlogswerkhemd en vingerloze handschoenen aan, het haar opgestoken met eetstokjes, omgeven door een groepje enthousiast ogende jonge vrijwilligers. Ze had een van haar eigen kettingen om.

Janet was een van de oprichters van de gemeenschap en had een succesvol postorderbedrijf – Modeplichtig – dat exclusieve, zelfgemaakte proto-gothic recyclingsieraden verkocht: oorbellen van dagboeksleuteltjes, kettingen gemaakt van verbrijzeld autoruitglas, antieke medaillons met fotootjes van kijkoperaties in de dunne darm. Haar werk werd internationaal verkocht. Modetijdschriften vonden het prachtig dat ze de helft van het jaar in een commune woonde

en het tijdschrift *Elle* had over haar geschreven, zoals Patrick
zag wanneer hi haar van tijd tot tijd op internet opzocht:
'Van hort ot haute couture, haar beide manieren
van l eerst door de seizoenen.' Ze had in di-
dat de gemeenschap 'haar geestelijk
wam er een groupie op bezoek, ge-
nder haar modieuze bevel de ge-
e maken. De afgelopen tien jaar
emeenschap doorgebracht en
haar atelier was. De helft van
wa et jaar dat ze niet in Bristol
zat, gin on had Patrick een exem-
plaar va in de eerste paar regels
waren gen het feit dat ze in april
steeds me tief en gezond, haar
werk en pr idjes uitdelend uit
het assortim Deze laatste keer
was ze terug n van mislukte
relaties met po n uit haar di-
recte omgeving wa , die in Clifton woonde
en een exponent was – en er trots op was een exponent te zijn – van de zegevierende vrijemarkteconomie. Dat was althans Patricks theorie. Hij kon het niet uitstaan dat hij een theorie nodig had. De zes maanden per jaar dat Janet weg was, waren nooit helemaal genoeg om haar te vergeten. Zelfs met het getemperde libido dat zijn bong in stand hielp houden, vond hij in het voorjaar toch steeds weer groene scheuten van seksueel verlangen. Het hielp niet dat ze hem cadeautjes gaf – dit jaar een zegelring met een brandijzer in plaats van een familiewapen.

PS13
fés
ze
spot
goed heb begrepen
allemaal dingen
maken hebben,
toch bij elkaar ho-
zo'n marketing-
concept sto-
hele

Die ochtend hoorde hij haar in het voorbijgaan tegen de wwoofers zeggen: 'Zo'n late vorst is acuut dodelijk voor overgeplante tomaten, aubergines en pronkerwten en betekent voor uien, broccoli en boerenkool de intensive care...' Cloches, dekens, achtergelaten jassen, kleden en stukken zeildoek lagen boven op elkaar op het erf, klaar om de groenten te isoleren. Hij zag haar warme adem condenseren terwijl ze de jonge mensen aan het werk zette.

Het kwam dus goed uit om afleiding te hebben in de vorm van zijn belangrijke les over reclame aan Albert en Isaac – tenminste, totdat Don zich ermee had bemoeid en met zijn ideologische spierballen was gaan rollen, waarna Patrick naar het platte dak was vertrokken om af te koelen. Dat was een paar uur geleden. Zijn handen waren nu zo koud dat hij ze niet goed meer dicht kon krijgen.

Hij hoorde Don op dit moment niet uit het raam klimmen. Wel voelde hij even later een hand op zijn schouder toen Don zich liet zakken en naast hem op de rand van het bitumen dak ging zitten.

'Ik vroeg me al af waar je was. Het spijt me echt als ik je daarstraks in verlegenheid heb gebracht, Pat – als ik dat gedaan heb, is het niet mijn bedoeling geweest – maar ik denk gewoon soms dat het beter is voor de kinderen om daar niet aan blootgesteld te worden.'

Patrick staarde voor zich uit naar de boerderij. Hij wilde niet dat Don zijn onbloeddoorlopen ogen zag. Het was essentieel om hem die voldoening niet te geven. Dus haalde Patrick, in nabootsing van zijn oude ik, zijn pijpje tevoorschijn, een geelkoperen one-hitter, en keerde Don zijn rug toe. Patrick droeg alle parafernalia nog steeds bij zich. Hij slaagde erin om met zijn verkleumde handen een zakje open te maken dat nu gevuld was met kersentabak. Hij trok er wat vanaf, stopte het in de pijp en drukte het aan.

'Ik zag dat één van die dingen een autoreclame was,' zei

Don. 'Een dure Saab. Dezelfde auto als waar die nieuwe vrijer van Janet in rijdt.' Don maakte een retorisch *hmmm*-geluid, legde toen zijn hand op Patricks dij en probeerde een warm spottend lachje, maar het ging hem niet zo goed af, dat warme. Iedereen in de gemeenschap wist wanneer Janets vriend de oprijlaan op reed, omdat zijn auto, zoals Don had opgemerkt, klonk als de MGM-leeuw. De geodetische koepel lag vlak naast de oprijlaan, en het geluid van de motor liet Patricks boekenkast trillen wanneer hij langsreed.

'Ja,' zei Patrick recht voor zich uit starend. 'Het is dezelfde auto.'

'Het Is Gezien,' zei Don met zijn Big Brother-stem, terwijl hij zijn ogen wijd opensperde. 'Zo veel andere vrouwen hier, Pat. Ik zeg het nog een keer: laat de wiet een tijdje liggen. Herontdek dat gekke libido. Gooi die beroemde PK-charme weer eens in de strijd.'

'Die is niet beroemd,' zei Patrick. Hij haalde diep adem waarbij hij zijn schouders naar achteren duwde om zijn longen te openen.

'Er zitten een paar wwoofers bij,' zei Don, en hij wees naar een vrijwilligster in een driekwart spijkerbroek die bezig was onconventioneel gevormde komkommers te selecteren. 'Woef.'

'Je slaat de plank mis.'

'Nog steeds gek op Janet, en hoe lang al? Als je niet zo veel shit zou roken, zou je het zelf ook in de gaten hebben.'

Voor Patrick was bijna niets zo ergerlijk als Don die ergens gelijk in had.

'Niet waar.'

'Nou ja, het is niet zo raar dat je nog steeds gek op haar bent, Pat. Ze is geweldig.'

'Dat was lang geleden.'

'Is er niet een uitdrukking over oude liefde die niet roest, of zoiets?'

Patrick beklopte zich om te voelen of er een aansteker in zijn borstzak zat. Hij viste hem eruit met zijn wijsvinger. Hij schermde de pijp met één hand af, stak hem aan en zoog alles in één keer naar binnen alsof het wiet was. Zijn longen brandden.

'Ik heb het gevoel dat het niet makkelijk voor je is om Janet met zo iemand te zien,' zei Don. 'Zie je een beetje van je oude ik in hem?'

Patricks borst bonsde. Hij hield het nog een paar seconden vol en liet toen de rook ontsnappen in de vorm van een megafoon, die hij bij Don vandaan blies.

'Het zal wel makkelijker zijn om over een reclame voor de auto van haar vriend te praten dan om over haar te praten.'

'Ik ga nu,' zei Patrick, en hij klopte zijn pijp uit tegen de rand van het dak, stopte hem in zijn zak en stond op. Hij wankelde een beetje van de duizeligheid. Als hij zou vallen, had hij meer dan genoeg hoogte om zijn bijna haarloze schedel te laten openbarsten. Achter hem klonk het geluid van een auto die met te veel gas het erf op reed.

Don pakte Patricks hand beet.

'Ik heb je.'

Na de kantinelunch met Geraint, die haar opnieuw had verbluft met het charisma van zijn eetlust, gingen ze samen naar sociologie. Op de een of andere manier was hun leraar erachter gekomen dat Kate een ongewone opvoeding had gehad. Dat was geen goed nieuws. Ze waren bezig met Emile Durkheim, die de samenleving als een collectief bewustzijn beschouwde. Durkheim zei dat een collectief overeengekomen moraal in stand werd gehouden door mensen die zich afwijkend of onconventioneel gedroegen, en dat zonder mensen die de grenzen van het gedrag opzochten de samenleving ineen zou storten, en hoe kon er een kerngezin bestaan zonder het tegenovergestelde, en wilde Kate daar misschien nog iets aan toevoegen?

'Ik denk dat mensen het prettig vinden om te weten dat ergens iemand een andere manier van leven uitprobeert,' zei Kate, 'zodat ze dat zelf niet hoeven doen.'

'Nog voorbeelden uit je eigen leven?'

Ze voelde Geraints blik in haar nek.

Toen ze na de les naar het fietsenhok liep regende het hard.

Geraint kwam aangereden in zijn witte Fiat Punto met rode vierpuntsgordels. Hij had hem laten reinigen. De regen gutste van de capuchon van haar regenjack. Hij stapte uit de auto en terwijl de regen de schouders van zijn kobaltblauwe MELK IS HEERLIJK-T-shirt donker kleurde, zei hij: 'Je hebt geen keus. Ik geef je een lift naar huis.'

Hij hielp haar het voorwiel van haar fiets te halen. Nadat hij de bank naar beneden had geklapt, wurmden ze de fiets in de auto, en hij zei geen woord toen er een veeg kettingsmeer op een van de hoofdsteunen kwam. Tegen de tijd dat ze zelf in de auto zaten was hij doorweekt. Hij haalde een cd-tas uit het handschoenenkastje en gaf die aan haar.

Ze reden weg en ze bekeek zijn muziekverzameling, velde een oordeel over hem, voelde zich daar meteen schuldig over en nam het haar ouders kwalijk dat ze haar zo kritisch hadden gemaakt. Vervolgens zette ze Sean Paul op. Geraint knipte tamelijk knullig met zijn vingers en was mogelijk ontzettend leuk. Er liep een snoer van ontstoken poriën rond zijn hals, als een kettinkje. Zijn gezicht glom van de nattigheid. Hij reed, vond ze, op een welgestelde manier, met zijn handen zachtjes op het deels leren dikstammige stuur – handen die niet grepen maar plat rustten, behalve de toppen van zijn vingers, die gebogen waren, zoals je je handen op de schouders van een vreemde zou leggen tijdens een polonaise.

'Waar kwam die vraag vandaan, bij sociologie?'

Het had geen zin om het nog langer te verbergen. Als ze het dan toch ging zeggen, dan maar recht voor z'n raap: 'Ik ben opgegroeid in een commune. Ik ben nooit naar school geweest.'

Ze had gehoopt op een heftigere reactie; hij hield de auto op de een of andere manier op de weg.

Niemand in de gemeenschap gebruikte ooit het woord 'commune', ze gebruikten het woord 'gemeenschap'. Het woord 'commune' had een speciale en gevaarlijke kracht, en bij veel kracht hoorde veel verantwoordelijkheid. Geraint ging rechter in zijn stoel zitten en probeerde nonchalant te doen. Ze kwamen langs het kleine vliegveld van Gower op het moment dat er een tweedekker opsteeg. De schapen langs de weg oogden grijs.

'Ik ben een keer naar een groot feest geweest van een commune in Brecon. Totaal gestoord. Een gozer stak zichzelf in brand. Jullie zullen ook wel heel wat gekken krijgen?'

Terwijl hij reed schetste zij een portret van Blaen-y-llyn met de brede penseelstreken die ze van jongs af aan had geleerd te vermijden – de clichés die verwacht werden van plaatselijke journalisten (of in ieder geval van degenen onder hen die hun research via internet deden): ja, synthetische drugs; ja, grensopzoekende seks; ja, chanten en naaktheid en naamloze figuren die wakker werden in hun groentetuin. Dat laatste was één keer echt gebeurd, maar Kate vertelde het verhaal alsof ze bijna dagelijks mannelijke bezoekers slapend onder een cloche aantroffen. Het voelde goed om Geraints alertheid te zien toenemen terwijl ze hem deze dingen vertelde. Toen ze klaar was, zat hij er helemaal in, en reed ondertussen veel te hard door Gowerton.

'Dus, wacht eens even... woon jij in het Rave-huis?'

'Ja. Het Rave-huis.'

Die naam was bedacht na Kates vijftiende verjaardag, toen op haar verzoek de doorgaans gezonde verjaardagstraditie van een dagje naar Three Cliffs Bay, zwemmen, eten en een potje slagbal met de hele gemeenschap was verruild voor het huren van een fatsoenlijke geluidsinstallatie voor buiten. Het begon allemaal vrij rustig – er werd muziek gedraaid uit een doos met oude platen die ze op zolder hadden gevonden – maar op een gegeven moment was er een groepje tieners van camping Hill End op het geluid afgekomen. Die tieners hadden hun oudere broers en zussen gebeld, en om een uur of twee 's nachts was er een konvooi gepimpte auto's de oprijlaan op komen rijden, aan elkaar vastgeketend door hun koplampen. Kate vond het geweldig dat haar verjaardag werd opgeluisterd door de aanwezigheid van oudere jongens en meisjes. Ze sprak met haar ouders af dat als het feest naar de schuur zou verhuizen, ze zo lang door mochten gaan als ze wilden. Er volgde bijna twaalf uur onmodieuze maar onmiskenbaar *heavy* drum and bass, met de volwassenen als gijzelaars in het grote huis. Ze ging met een van de oudere jongens naar het platgetrapte gras op een open plek achter de schuur. De erectie van de jongen, zacht geworden door de drugs, werkte als een soort beginnerserectie. Bovendien vermoedde ze dat de vibraties van de subwoofers ook hielpen. Dat ze het fijn had gevonden om haar maagdelijkheid te verliezen maakte haar, had ze later ontdekt, tot een zeldzaamheid. Rond lunchtijd de volgende dag waren de ravers in slaap gevallen: in tunnelkassen, in het bed van Don en Freya, tussen de babyleafsla, en naast het kampvuur, hun haren te heet om aan te raken. In de loop van de weken daarna begonnen er verhalen op internet te verschijnen over eindeloze losbandigheid, over ouderlijke afwezigheid, over vleesloze barbecues in... het Rave-huis.

Zonder dat Kate er erg in had, had Geraint een omweg gemaakt langs Three Crosses. Hij stopte voor een halfvrijstaand huis, een stukje van de weg af gelegen, met klimplanten tegen de gevel.

'En waar denk je dat ik woon?' zei hij somber.

Ze bekeek het huis. Ze ergerde zich opnieuw aan zichzelf – aan haar opvoeding – omdat ze bezwaar had tegen de zevenhoekige kunststof serre, en zei dus: 'Ik vind jullie serre echt mooi.' Het huis had een garage, die openstond, met daarin een ouderwetse Jeep die er bijna militair uitzag.

'Mijn vader houdt van oude fourwheeldrives,' zei hij.

Terwijl zij zich nog afvroeg hoe ze moest reageren, reed hij weer verder naar de gemeenschap. Een kwartier later, toen ze er bijna waren, minderde Geraint bij het begin van de oprijlaan vaart om het krakkemikkige houtgesneden bord met BLAEN-Y-LLYN en de brievenbus in Amerikaanse stijl te bekijken.

'Waarom zei je dat je broer me wilde vermoorden?'

'Vraag het hem zelf maar.'

Geraint reed langzaam de smalle, met bomen afgezette oprijlaan op en gaf blijk van een totaal gebrek aan inzicht in welke kuilen vermeden moesten worden en welke je moest nemen. Kate wees door de bomen aan de linkerkant naar de geodetische koepel, die in zijn eentje achter de tuinderij lag.

'Daar woont Patrick. Dat is een soort oom van me, zeg maar. Mijn plaatsvervangende vader.'

Geraint zei niets. Ze kwamen langs de windturbine, die op de bovenste verdieping van de getrapte permacultuurtuin stond. Ze kwamen langs drie autowrakken, achtergelaten door gasten die te arm waren geweest om ze te laten repareren of te lui om ze te verkopen, en nu reddeloos verroest, waarschuwingstotems voor degenen die dwaas genoeg waren om zich tot hier te wagen.

Geraint schakelde terug naar zijn één toen de oprijlaan opeens een stukje steil omhoogging, waarna hij uitkwam op het met grind bedekte erf. In het verleden, toen er genoeg jonge mensen waren geweest om dat mogelijk te maken, was deze ruimte qua vorm en afmetingen ideaal geweest voor partijtjes slagbal of honkbal. De slagman stond bij de dubbele voordeur van het grote huis, die nog steeds de sporen droeg van een paar onbesuisde zwaaien naar achteren, en als de slagman begon te rennen, kwam hij langs de appelboom bij het eerste honk en liep dan van het tweede naar het derde honk langs de lange zijde van de werkplaats voordat hij zijn sliding maakte naar het thuishonk voor de ramen van de keuken, waar een overwinningsdansje het meeste publiek had. De afspraak was dat als je de bal helemaal naar de schuur of naar de pottenbakkerij sloeg, een flink stuk achter respectievelijk het eerste en het tweede honk, dat dat dan een boundary was. Als een bal ooit bij Patricks geodetische koepel terechtkwam, helemaal achter in de tuin achter het derde honk – wat nooit gebeurde – dan won de slagman automatisch alles.

Maar dat soort dagen waren er eigenlijk niet meer. In de tuinderij waren twee wwoofers, jongens, grimmig met blauw-grijze dekens in de weer. Het leek alsof ze de doden toedekten. Janet, die normaal gesproken altijd wel voor glamour zorgde, was zwetend bezig de bedden aan de voorkant van het huis te wieden, een pompon van groen in elke hand. Op het platte dak, deels aan het gezicht onttrokken door het vrijstaande bad, zat Kates vader, hand in hand met Patrick, die naast hem stond.

Kate probeerde zich voor te stellen wat Geraint dacht. Het viel haar op dat het grote huis niet eens zo groot leek. De oneffen witgepleisterde muren, psoriatische schilferigheid hier en daar, ruwstenen vensterbanken, mos op de dakpannen: het was in wezen een cottage. Een cottage waar één keer tweeënveertig mensen hadden geslapen. Ze zag zijn gezichtsuitdrukking veranderen terwijl zijn verwachtingen op de realiteit stuitten.

'De naam "Rave-huis" is misschien een beetje misleidend geweest,' zei ze.

'Dus jij woont met deze mensen samen?'

'Sommigen zijn alleen maar op bezoek, maar: ja.'

'Wat is jouw kamer?'

Ze wees naar haar kamer op de eerste verdieping, waar haar 'Vlees is moord'-poster nog net door het raam zichtbaar was.

Zijn ogen werden groter. 'En wie is dat daar?'

Ze keek. Albert stond met zijn armen langs zijn zij voor het raam van zijn slaapkamer en staarde naar Geraint met doodsogen, iets wat hij geoefend had.

'Mijn broer. Hij heeft je gezien. Je kunt beter gaan.'

'Hoe oud is hij?'

'Elf. Maar verbazend sterk.'

Geraint lachte, keek naar Kate, en toen hij weer naar het raam keek was Albert verdwenen.

'Ik zou de achterklep maar opendoen,' zei ze.

Toen ze uitstapte en naar de achterkant van de auto liep, hoorde ze door de open voordeur het gestommel van Alberts voetstappen op de trap. Geraint startte de motor.

Op het moment dat ze de fiets uit de auto trok, stapte Albert naar buiten. Hij hield een paars waterpistool vast, een Glock, recht omhoog met twee handen, zoals de FBI deed in televisieseries.

'Rijden, rijden! Hij vermoordt je!' zei Kate, en tot haar grote genoegen reed Geraint inderdaad weg, een beetje voor de grap, maar ook, had ze de indruk, een beetje gemeend – met spinnende wielen en grind dat opspatte tegen Kates enkels, de blits makend met de minieme draaicirkel van zijn Punto, met de achterklep wijd open. Albert begon te rennen, op zijn sokken, en hield het pistool voor zich uit. Hij had niet echt de overtuiging om te schieten – dat, of het pistool was niet geladen – maar in een moment van iets wat leek op verwarring, van een noodzaak om iets te doen, wat dan ook, van sneller rennen dan de auto reed, nam Albert een soort duik, een rolsprong, in de open kofferbak van de auto. Het was geen levensgevaarlijke stunt, strikt genomen, maar Kate was toch onder de indruk. Zijn voeten hingen boven de bumper toen de auto de helling af dook en uit het zicht verdween, en ze hoorde de openstaande achterklep tegen de takken slaan. Even later hoorde ze de motor stationair draaien en vervolgens afslaan. Daarna klonken er geen geluiden meer.

Uiteindelijk kwam Albert zonder pistool weer boven. Hij liep het erf op en bleef vlak voor haar staan.

'Sorry, maar ik moest hem doodmaken.'

'Ik kom er wel overheen.'

'Ik vond het niet leuk, maar hij is dood nu, dus...'

'Waar is je pistool gebleven?'

'Heb ik bij het lijk achtergelaten.'

Ze bewonderde haar broer, hoorde het geluid van Geraints auto die weer wegreed, pakte toen haar fiets en voorwiel op, draaide zich om en droeg ze naar de schuur.

'Je hebt gelogen,' zei hij. 'Je zei dat al je vrienden mutanten waren. Deze had een gezicht.'

'O ja?'

'Het is gewoon een eikel. Zeg maar tegen hem dat ik mijn Glock terug wil.'

Ze hoorden de telefoon gaan in de hal. De telefoon ging om de haverklap. Alberts mond vertrok. Hij was de enige in de gemeenschap die er moeite voor wilde doen om op te nemen. Hij werd erg bewonderd om zijn stijl van telefoneren. *Goedemiddag, u bent verbonden met Albert Riley, wie kan ik voor u aan het toestel vragen?* Hij was altijd bereid wind en regen te trotseren om op zoek te gaan naar een vrijwilliger, ook al stonden ze tot hun middel in het water om te proberen het filter van de hydro-elektrische pomp schoon te maken.

'Dat moet een belangrijk iemand zijn,' zei ze met opgetrokken wenkbrauwen. 'Alleen belangrijke mensen bellen midden op de middag.'

Hij wreef met zijn handpalm over het puntje van zijn neus en zei: 'Marina zegt dat de dingen die je op school leert nutteloos zijn in de wereld die komt.'

'Het is voor jou-ou,' zei ze. Ze zette haar fiets in de schuur neer en ging op weg naar het grote huis.

'Zeg wat je vandaag geleerd hebt,' zei hij, en hij wierp een blik op de voordeur. De telefoon ging nu voor de achtste keer over.

'Mensen die prijzen uitdelen bellen vaak rond siëstatijd.'

'Heb je iets over zelfverdediging, wapens of survival geleerd?'

'Nou, er was wel iets over bommen.'

'Zeg op.'

Albert wipte van de ene voet op de andere. De telefoon

was zijn domein, zijn contact met de buitenwereld, en hij verdedigde hem fanatiek. Je zag hem regelmatig op zijn sokken over het erf sprinten en de hal in glijden, de trappaal beetpakken om zijn koers te wijzigen, over de tegels schaatsen en dan de hoorn van de haak pakken om, nauwelijks buiten adem, een van zijn telefoonzinnen uit te spreken: *Goedemorgen, Blaen-y-llyn, als u met één van ons spreekt, spreekt u met ons allemaal.* En soms hijgde hij alleen maar in de telefoon.

'Het zou een internationaal gesprek kunnen zijn,' zei ze. 'Het is ochtend in Montreal.'

Hij slikte.

'O, nou, zo te horen is er niemand thuis,' zei Kate, die een telefoonvormige hand tegen haar oor hield. 'Dan geef ik deze gratis helikopter maar aan iemand anders.'

Hij begon achteruit te lopen. 'Dit is nog niet afgelopen.'

Albert draaide zich om en zette het op een rennen. Hij verdween naar binnen en greep de telefoon toen die net voor de zestiende keer overging.

'Ja, hallo?'

Kate kwam ook binnen en ging halverwege de trap zitten om hem aan het werk te zien. Hij klemde de hoorn tussen oor en schouder.

'Ik ben bang dat hij het erg druk heeft. Misschien kan ik helpen. Ik ben zijn elf jaar oude zoon.'

Hij stond erom bekend dat hij telefonische boodschappen woordelijk kon overbrengen en dat hij alles wist van gasten uit heden en verleden. Hij wist wie er weer bij oma woonde, wie er verliefd was geworden en naar Suriname was vertrokken, wie er kindergeneeskunde studeerde. Dat was zijn verantwoordelijkheid.

'We zijn meestal met ongeveer twintig mensen: zeven

grote, drie kleine en tien wwoofers – wat staat voor World Wide Opportunities on Organic Farms – en die slapen op zolder.'

Hij was heel bedreven in het afpoeieren van tv-redacteuren en journalisten. Een van de redenen waarom ze zo vaak gebeld werden, was dat Blaen-y-llyn als eerste genoemd werd op een website met een alfabetisch overzicht van leefgemeenschappen in Wales. Op het kurken prikbord boven de telefoon hing een print met antwoorden op veelgestelde vragen. Albert was erachter gekomen dat de meeste mensen met een paar saaie details konden worden ontmoedigd. Hij luisterde en boog zich toen naar voren om iets van het blaadje af te lezen, sprekend met de eentonige stem die mensen krijgen wanneer ze iets heel vaak hebben gezegd.

'Blaen-y-llyn is een leefgemeenschap en boerderij waar we ons eigen voedsel verbouwen en ons bezighouden met een kleinschalig groentepakketproject voor North Gower. Het geld van de pakketten wordt gebruikt voor de aanschaf van luxeartikelen zoals...' – hij keek naar zijn zus – '... kogelvrije vesten. We houden kippen en geiten en hadden ook ploegpaarden, maar die zijn vervangen door machines. We maken soms dieren dood en eten ze dan op. Mijn moeder is een eenpersoonsabattoir.'

Albert keek naar zijn zus en likte zijn lippen. Hun moeder Freya, een autodidactische maar vaardige slager, was verantwoordelijk voor al het slachten op de boerderij. Ze kon een kip de nek omdraaien met de koelheid van iemand die een jampot openmaakt. Ze hield zich op de hoogte van de laatste trends in het slachtbedrijf. Toen Kate vegetariër werd, had haar moeder haar toevertrouwd, misschien uit schuldgevoel, dat ze nooit gekózen had voor haar rol als opperbeul.

'Twintig hectare in totaal, verdeeld over fruit, groente,

graangewassen, levende have, weiland en onze beroemde boomgaard.'

De boomgaard was één appelboom, geplant op de dag dat hun ouders getrouwd waren. Kate keek om en zag Patrick langzaam de trap af komen. Hij maakte een wankele indruk. Ze glimlachte naar hem.

'De gemeenschap is opgericht tijdens de recessie begin jaren negentig. Meer informatie op onze website.'

Patrick ging naar de wc onder de trap. Toen hij voorbijkwam rook ze dat hij gerookt had. Ze zag beneden zich, in de kieren tussen de planken, het licht aangaan. Dit toilet had een laag plafond, dus jongens moesten zitten om te plassen.

'Ja, we hebben breedbandinternet, reclamevrije televisie en een aantal hele slechte dvd's die mijn vader goed vindt. De tv is klein en staat in een hoek en alle meubels zijn zo neergezet dat hij niet overheerst in de kamer.'

Patrick kwam weer naar buiten. Er klonk geen geraas. De gemeenschap spoelde alleen door voor een grote boodschap.

'Mijn lievelingsfilm?' zei Albert met een zorgelijk gezicht.

Patrick pakte het kladblok dat naast de telefoon lag, schreef iets op en hield het omhoog.

'*Eat Drink Man Woman*. Wilt u nog meer vragen?'

Kate zag dat er kleine vochtvlekjes aan de binnenkant van Patricks broekspijp zaten. Een van de aspecten van haar relatie met Patrick was dat hij haar vertelde over de afschuwelijke manieren waarop zijn lichaam veranderde, en dat het haar ook te wachten stond, en snel ook.

'Gaat het, Pat?' zei Kate.

'Er is een aanmeldingsformulier dat u kunt downloaden. De uiteindelijke beslissing wordt genomen door de hele gemeenschap op basis van' – Albert tuurde weer naar de veelgestelde vragen – 'volkomen subjectieve criteria.'

Pat knikte en pakte toen de autosleutels van de gemeenschappelijke Volvo die boven de telefoon hingen.

'Mijn leraren zijn afgestudeerd aan universiteiten met een uitstekende naam.'

Als eenpersoonsinformatiedienst had Albert speciale privileges, zoals dat hij tijdens het eten van tafel mocht gaan zonder zich te excuseren.

'Mijn favoriete vak is huishoudkunde.'

Een van Janets vroegere vriendjes, een allergoloog, had Albert ooit verteld dat het in de moderne maatschappij belangrijk was om een verzorgde stijl van telefoneren te hebben, en hij hield vast aan dat geloof en herhaalde het soms tegenover de mensen die belden: 'Het is belangrijk om een verzorgde stijl van telefoneren te hebben in de moderne maatschappij.'

'Ons beleid is geen toegang voor videocamera's. Foto's worden ook niet zo op prijs gesteld.'

Albert wikkelde het snoer om zijn vinger, op de manier van een vriendin in gesprek met een andere vriendin. Patrick knikte even naar Kate en verdween door de voordeur naar buiten.

'Het klinkt als een heel interessant project, maar mijn vader zegt dat uw bedrijfstak inherent slecht is.'

Het was een tijd stil.

'Echt waar? Dat is een van mijn lievelingspresentatoren. In dat geval mag u wel het mobiele nummer van mijn vader hebben.'

Als hij agressieve producers op afstand moest houden, was het handig voor Albert om een van de twee prepaidnummers van de gemeenschap te kunnen geven. Die mobiele telefoons waren alleen voor noodgevallen en stonden daarom bijna nooit aan.

'Te gek!' zei hij. Vervolgens noemde hij het adres van de gemeenschap.

Hij had in de loop der jaren al een aantal A5-foto's met handtekening ontvangen.

Patrick reed met de gemeenschappelijke Volvo door de motregen. Hij had de verwarming op zijn hoogste stand staan; er kwam een koekjesachtige lucht uit de roosters. Hij zette zijn favoriete swingjazzcassette op, voor 90 procent Benny Goodman, maar zelfs dat leek oppervlakkig en kleurloos. Hij was al vijfenhalve dag niet stoned geweest.

In Parkmill stopte hij bij de bushalte voor Shepherd's IJssalon. Het was aan het eind van de middag. Hij keek voor en achter zich de straat af, maar zag niemand. Zijn huid trok samen terwijl de lucht de cabine in werd geblazen. Hij drukte op eject en probeerde een paar radiozenders. Classic rock, populair, klassiek, koor, lokaal. Alle muziek is klote, dacht hij, ook al meende hij het niet. Patrick kende maar één iemand die niet van muziek hield: Don, die zei dat hij het manipulatief vond. Voor het soort mensen dat de gemeenschap bezocht, was niet van muziek houden net zoiets als niet van buitenlanders of niet van homoseksuelen houden. Het had Patrick altijd deugd gedaan dat hij van Dons geheime schande af wist.

Toen het donker begon te worden zag hij ze op hun crossfietsen over het parkeerterrein rijden. Hij knipperde twee keer met zijn koplampen en draaide het raampje omlaag.

'Jongens!' riep hij met zijn fameuze longen. 'Jongens!'

Ze stopten met slippende banden en kwamen toen naar het raampje toe gereden. Ze hadden alle drie hun capuchon op en een sjaaltje voor hun mond en neus, op de Zapatista-manier.

'Hoe gaat ie, opa,' zei een van hen.

'Hoe gaat ie, jongens. Willen jullie wat doen voor een oude man?'

'Ik ga je niet pijpen.'

Met die sjaaltjes kon Patrick hun mond niet zien bewegen. Hun ogen glinsterden in de kou. Hij gaf een briefje van twintig en keek hen na terwijl ze wegfietsten, kont omhoog, zadels heen en weer tikkend als metronomen.

In het klaslokaal plukte Isaac aan de snaren in de open kast van de staande piano. Hij luisterde met een half oor naar Kate, die aan haar broer vertelde wat ze die dag op school had geleerd. Zij en Albert zaten in kleermakerszit tegenover elkaar op het kleed, en Kate had wat primaire bronnen tevoorschijn gehaald: reproducties van pamfletten van de Weisse Rose en foto's van de belangrijkste leden; eentje zag eruit als een Morrissey-fan.

'Het eerste wat je moet weten is dat niet iedereen in Duitsland voor de nazi's was tijdens de oorlog,' zei Kate.

'Wat een gelul,' zei Albert.

'Gelul,' zei Isaac. Hij had een PowerBall die, als je hem langs de bassnaren van de piano liet gaan, een soort walvisgezang voortbracht.

'De Weisse Rose was een groep die in opstand kwam tegen de gevestigde denkbeelden in de Duitse samenleving, met gevaar voor eigen welzijn.'

'Ze klinken als papa en mama,' zei Albert.

'Daar lijken ze absoluut niet op.'

'Papa en mama verwerpen de normen en waarden van onze samenleving,' zei Albert.

'"Normen en waarden"?' zei Kate.

'Vraag maar aan Marina,' zei Albert.

Isaac klom door het houten weefgetouw dat in de hoek tegenover de piano stond. Hij vond het leuk om zich tussen de draden te wurmen en dan net te doen alsof het een maaidorsmachine was die elk moment kon worden aangezet en waaruit hij dus zo snel mogelijk moest zien te ontsnappen.

'Onze gemeenschap verandert mensen voortdurend,' zei Albert. 'Die macht hebben wij, ook al hebben we niet veel tijd meer.'

'Hou op, idioot. Van wie heb je dat?'

'Als mensen hier komen, dan beseffen ze,' zei Albert, en hij klonk alsof hij iemand citeerde, 'dat ook zij hun manier van leven kunnen veranderen.'

'Kom op! Je moet niet zomaar alles overnemen wat mensen tegen je zeggen.' Ze had niet gemerkt dat Isaac uit het weefgetouw was ontsnapt en achter haar stond te luisteren.

'Echte vorming gebeurt niet in het klaslokaal.'

'Luister, Albert, voordat je het zelfstandig denken helemaal uitschakelt,' – ze bracht haar stem terug tot een fluistertoon – 'moet je goed beseffen dat gemeenschappen zoals die van ons de status-quo juist hándhaven. Heb je je ooit afgevraagd waarom Patrick in zijn eentje in de koepel woont? Hij is depressief; ze hebben hem daar in quarantaine gezet.' Ze kwam erachter wat ze vond door te praten. 'En al die "vrijwilligers", dat zijn gewoon toeristen. En Marina, mijn god, weet je nog waarom ze haar lid hebben laten worden?' Ze begon te wijzen en te hakken om haar woorden kracht bij te zetten, zonder dat ze er erg in had dat dit de retorische tics van haar vader waren. Het voelde goed om al die dingen te zeggen. 'Die reisde alle gemeenschappen af – een reis zonder einde – en ze heeft nog nooit een slag gewerkt of huur betaald. Papa en mama mogen haar niet eens! Daarom hebben ze haar in de werkplaats gestopt! Het is gewoon een soort sociale woning...'

Kate maakte haar zin niet af. Albert staarde. Er was iets achter haar. Ze draaide zich om en zag Isaac op de pianokruk staan met een uitdrukking op zijn gezicht alsof hij duizelig was. Ze stond op en ging voor hem staan.

'Hé, knulletje,' zei ze.

Isaac zwaaide naar haar, ook al stonden ze maar een armlengte van elkaar af.

'Wij zijn net als de Weisse Rose, hè?' zei Albert.

Kate bleef Isaac aankijken: 'Ja, broer en zus die een vuist maken tegen de maatschappij, en Isaac is de professor, hè, Isaac?'

Isaac zag eruit alsof hij ergens aan dacht. Hij keek naar de grond.

'Wat bedoel je dan, van mijn moeder?'

'Niets. Ik heb niets over je moeder gezegd.'

'Je zei dat niemand haar mag.'

'Dat heb ik niet gezegd. Isaac, ik vind dat we een spelletje moeten doen, wat vind jij?'

'Waarom mag je haar niet?' zei Albert. 'Ze is hartstikke tof.'

'Ik mag jullie ouders wél,' zei Isaac.

Kate pakte Isaacs handen vast en probeerde een cliché te bedenken. 'Alle mensen hier zijn je ouders.'

'Jullie ook?'

'Tuurlijk.'

'Oké, ik zal het eens proberen,' zei Albert. '"Ga naar je kamer, Isaac."'

'Ha ha!' lachte Isaac, en hij hield zijn ribben vast.

'"Nu is het welletjes geweest, jongeman,"' zei Albert tegen Isaac met een vermanende vinger.

'Ha ha!' Hij lag in een deuk.

'Albert,' zei Kate.

Hij begon met zijn vuist naar Isaac te schudden. '"Geen kik meer, begrepen? Ik zou je een pak voor je broek moeten geven."'

'Albert, waar heb je dit vandaan?'

'*Dennis the Menace*,' zei hij, terwijl hij opstond. Hij wees naar Isaac. '"Ondankbaar stuk vreten. Ik wou dat je nooit geboren was."'

'Oké, zo is het wel genoeg,' zei Kate.

Isaac wreef over de bovenkant van zijn hoofd.

Ze keerde hem haar rug toe en bood hem een ritje aan. Hij sprong erop.

Ze zei: 'Waar wil je naartoe?'

Het was een half jaar geleden dat Isaac en Marina hun sollicitatiegesprek voor fulltime lidmaatschap hadden gehad. Ze waren daarvoor zes weken bij de gemeenschap op proef geweest en het was gebruikelijk dat er dan een afkoelperiode van een maand in acht werd genomen voordat er een definitieve evaluatie volgde. Maar vlak voordat ze zouden vertrekken, begon Marina luidkeels over de gemeenschappelijke telefoon te informeren of de camping in de buurt misschien korting gaf bij een verblijf van vier weken, wat sterk het idee gaf dat ze nergens naartoe konden om af te koelen. Normaal gesproken, als een sollicitant toegaf dat hij niemand had waar hij terecht kon, was dat een slecht teken. Maar in dit geval besloot de gemeenschap de procedure te laten voor wat hij was, voornamelijk vanwege Isaac, die met zijn jeugd en zijn affiniteit met Albert het begin van een nieuwe generatie van jongeren in de gemeenschap leek te vertegenwoordigen.

Aan één kant van de ronde eettafel in het midden van de keuken zat het kernteam dat het gesprek leidde, Freya, Arlo en Don, in die volgorde. Marina zat tegenover hen. De tafel had wel plaats geboden aan twintig man, dus hij oogde leeg. De andere stem uitbrengende leden, zij en Patrick, zaten op de blauwe bank tegen de achterwand en keken toe, maar droegen niet bij. Janet was er niet, die werkte in Bristol aan een nieuwe collectie. Van waar Kate zat kon ze ook Isaac en Albert onder de tafel zien zitten. Ze kropen in kringetjes rond en telden ieders tenen.

'Zo, ik zou het wel interessant vinden om te weten wat je plannen voor de toekomst zijn,' had Freya gezegd. 'Wat je doelen zijn, op de lange termijn?'

'Nou, ik concentreer me eigenlijk vooral op wat het beste voor Isaac is,' had Marina gezegd, en haar zoon maakte een *woef-woef*-geluid toen hij zijn naam hoorde. 'Het mooie van Blaen-y-llyn' – Dons ogen trokken samen terwijl hij haar uitspraak woog – 'is dat het hier fantastisch is, heel open, en hij kan hier dingen leren en vrienden maken.'

Marina had een rond gezicht met grijze golvende gordijnen en wangen als appels, die, voor iemand die over dat soort dingen fantaseerde, de lekkerste stukjes zouden zijn als ze zou worden bereid. Ze was groot maar stevig – het woord is 'kloek' – en droeg een bodywarmer.

'En hoe lang zou je bij ons willen blijven?' zei Freya.

'Nou, zo lang als het kan. Ik bedoel, ik denk dat we aan het eind van het jaar allemaal opnieuw de balans op moeten maken, dus we kunnen waarschijnlijk maar beter geen dingen voor de eeuwigheid vastleggen...' Ze glimlachte en begon te lachen op een manier die duidelijk maakte dat ze hoopte dat haar ondervragers op dezelfde astrologische golflengte zaten, maar vond twee onbewogen gezichten tegenover zich, plus Arlo, afgeleid door zijn nagels.

'Hoezo dat?' zei Don.

'Ik denk gewoon dat er behoorlijk wat gaat veranderen, eind 2012,' zei Marina, die ging verzitten in haar stoel, 'zowel op fysiek als op spiritueel gebied. Rond die tijd.'

Don knikte nu en legde zijn vingertoppen tegen elkaar.

'Heeft dit met de Mayakalender te maken?' zei Freya.

'Ik weet dat het heel maf kan klinken. Dat begrijp ik volkomen. Maar het gaat niet echt over de Maya's, ook al vinden mensen het leuk om dat te denken. Er zijn sterke wetenschappelijke aanwijzingen.'

'Dat vind ik interessant,' zei Don, en hij leunde wat naar voren.

Kate had een feilloze radar voor sarcasme in haar vaders stem.

'Nou, het punt is, als je je voorstelt dat deze tafel de Melkweg is, ons melkwegstelsel,' zei Marina, die haar handen op het hout legde, 'dan is het tegenwoordig vrij algemeen aanvaard om te zeggen dat er in het centrum daarvan een zogenaamd superzwaar zwart gat zit. Dat van ons heet Sagittarius A-sterretje. Het is ongelooflijk compact. Het is echt waanzinnig...' Kate zag haar vader hierom glimlachen. 'Het is drie miljoen keer zo zwaar als de zon, maar onzichtbaar voor ons – de zwaartekracht ervan is zo groot dat zelfs licht er niet uit kan ontsnappen. Wetenschappers weten alleen maar dat het bestaat door de manier waarop alles eromheen erin gezogen wordt.' Er zat een gat in het midden van de tafel van toen er een parasol in had gestaan, en Marina keek er heel nadrukkelijk in. 'Want dat zwarte gat is, zoals ze dat noemen, "uitgehongerd". Met zijn *hongerige* zwaartekracht zuigt het dingen naar zich toe en slokt ze op...'

Don besloot zich te gaan amuseren.

Marina stond op van haar kruk. 'Stel je voor dat deze pepermolen de aarde is, en dit' – ze pakte een mok met 'Vrolijk kerstfeest' erop – 'is onze zon. We weten allemaal dat de aarde een jaar nodig heeft om om de zon heen te draaien, maar het probleem is dat de baan van de aarde geen perfecte cirkel is, hij is excentrisch' – ze bewoog de pepermolen een paar keer in een ellips om de mok heen – 'en het duurt 26.000 jaar voordat we weer op precies hetzelfde beginpunt uitkomen, oké?'

Freya zat ingespannen te luisteren.

'Absolúút,' zei Don.

Arlo, dat was wel duidelijk, had niet zitten opletten en probeerde het nu alsnog te volgen.

'En de Maya's wisten daar natuurlijk alles van, samen met nog een heleboel andere culturen, de Soefi's bijvoorbeeld. En uiteindelijk...'

Marina maakte een zwaai met de pepermolen om de mok heen terwijl ze een paar stappen langs de gebogen rand van de tafel naar Freya toe deed. De uitdrukking op Dons gezicht was er nu een van iemand die op iets heel grappigs is gestuit, zoals een kat die op een koe staat.

'... uiteindelijk, na 26.000 jaar...'

Kate zag dat Isaac en Albert iets wat ze op een tafelpoot hadden gevonden zaten te bekijken en te bespreken. Uit de tijd dat ze zelf nog klein was wist ze van de timmermanshiëroglyfen aan de onderkant van de tafel.

'... komt er een verduistering. Maar het is een speciaal soort verduistering.' Marina zette de mok neer en schoof vervolgens, met diepe ernst, de kerstmok – de zon – tussen de molen en het zwarte gat in het midden van de tafel. 'We kennen allemaal zonsverduisteringen en maansverduisteringen, maar volgend jaar, aan het eind van die cyclus van 26.000 jaar, krijgen we een galactische verduistering. Dan komt de zon tussen ons en dat monster, Sagittarius A-sterretje, in het centrum van het melkwegstelsel, in te staan. En als dat gebeurt, nou ja, niemand weet het helemaal zeker – er wordt veel gespeculeerd – maar als de grootste kracht in het melkwegstelsel wordt geblokkeerd, en vergeet niet, hij is miljoenen keren krachtiger dan de zon, dan gaat er heel wat veranderen, daar kun je wel van uitgaan.'

Don zat nu te grijnzen, hij genoot ervan, wilde niet dat de voorstelling zou eindigen. 'Maar je hebt toch wel een theorie over wat jíj verwacht?'

Ze keek hem aan. Hij had zijn mond open, in afwachting.

'Ik vind het echt intrigerend,' zei hij, en hij wist nog net zijn gezicht in de plooi te houden.

'Nou,' zei ze ten slotte. Ze leek zich wat ongemakkelijk te voelen nu ze stond en probeerde zich weer in de richting te begeven van waar ze had gezeten. 'Niemand weet het zeker, maar ik hou rekening met een verandering in de zwaartekracht – en ik bedoel zwaartekracht in de breedst mogelijke zin – de zwaartekracht van de geest, van de ziel, relaties, morele en spirituele zwaartekracht. Een losmaking. Een wereld op zijn kop. Sommige mensen denken dat de wereld ophoudt met draaien, andere verwachten dat Zuid-Wales het mediterrane klimaat krijgt dat het verdient.' Dat leek Arlo wel wat. 'Het enige wat ik geloof is dat er iets groots gaat gebeuren en dat degenen die er klaar voor zijn om zich aan te passen de wereld nieuw zullen moeten maken. Het wordt een test. Een échte test. Want wat is een test als je er niet voor kunt zakken?'

Don klapte enthousiast. Hij stond bekend om zijn harde

geklap. Freya wreef over haar oogleden. Onder de tafel gaven Albert en Isaac elkaar een hand.

'Briljant,' zei Don. 'Absoluut briljant.'

Zijn vrouw wilde hem niet aankijken. Marina, die nog steeds stond, schuifelde terug naar haar kruk.

'Echt een mysterieuze iteratie,' zei Don, en hij keek om zich heen. 'Mensen kunnen ontzettend saai zijn als het over dit soort dingen gaat, maar jij hebt er echt schwung aan gegeven, vind ik. En ook die wetenschappelijke gegevens. Heb je die zelf bedacht, Marina, of kan ik het terugvinden op internet?'

Ze keek naar hem, toen naar de tafel, stak vervolgens haar hand eronder en zei: 'Kom, Isaac, we gaan.'

Ze pakte haar zoon bij de hand en nam hem mee naar boven naar Janets kamer, waar ze logeerden. Door het plafond heen hoorden ze eerst het geluid van een deur die dichtsloeg, daarna dat van Marina die luidruchtig hun spullen inpakte. Don hield verontschuldigend zijn handen op.

Het was misschien deels om zijn menselijke kant te laten zien dat haar vader vervolgens zei dat ze wat hem betrof toch mochten blijven omdat Marina 'geen kwaad kon' en Isaac cruciaal was voor de ontwikkeling van de gemeenschap. Patrick zei dat het niet oké was om mensen uit te nodigen fulltime bewoner te worden alleen maar omdat ze aan bepaalde criteria voldeden. Arlo zei op zijn gebruikelijke intuïtieve manier dat hij ze aardig vond en dat ze hun zouden moeten vragen om te blijven. Freya zei dat het duidelijk was dat ze alleen maar in de gemeenschap verbleven om ondertussen op zoek te kunnen gaan naar iets beters. Terwijl die discussie verderging, zag Kate Albert, met twee armen om een tafelpoot, ernstig luisteren naar de geluiden boven hem. Hij bracht zijn halve stem uit op Isaac.

Met tweeënhalf vóór en twee tegen was het aan Kate om de doorslag te geven. Haar broertje had niet meer met haar gesproken sinds ze met school begonnen was, en ze wist dat als ze nu tegen hem stemde, hij waarschijnlijk nooit meer met haar zou praten. Terwijl zij haar afwegingen maakte, ging hij op zijn knieën zitten en legde plechtig zijn hoofd op de bank, met gesloten ogen, op de manier van iemand die wacht tot hij wordt onthoofd.

Het was donker toen de Zapatista's weer verschenen en de ruit aan de bestuurderskant van hun adem besloeg. Patrick draaide het raampje omlaag. Een van de jongens haalde een ziplockzakje tevoorschijn, dat hij theatraal tussen wijs- en middelvinger hield.

'Eersteklas hydro,' zei hij. Zijn stem werd gedempt door zijn sjaal. 'Het kostte vijfentwintig, geen twintig.'

Patrick knipperde met zijn ogen. 'Ik bewonder je ondernemingszin.'

Hij had altijd al aan een lichte vorm van paranoia geleden, en een van de mooiste dingen van cannabis roken was dat het hem iets gaf om zijn paranoia aan te wijten.

'Ik lieg niet. We krijgen nog vijf pond van je.'

De twee andere jongens hielden de straat voor en achter hen in de gaten.

'Jullie denken dat jullie me een oor aan kunnen naaien,' zei Patrick, die vijf pond van andermans geld uit de asbak viste en aan de jongens overhandigde.

Ze gaven hem het zakje en hij snoof eraan – het stonk – en liet het toen in zijn schoot vallen. Op weg terug naar Blaen-y-llyn stelde hij zich voor dat iedereen, vooral Janet, zich afvroeg waar hij met de auto naartoe geweest was terwijl zij in de kou bezig waren de kwetsbare groenten te isoleren. Hij dacht aan haar marineblauwe oorlogswerkhemd met opgerolde mouwen, haar stevige biceps.

Toen hij de oprijlaan van de gemeenschap op reed schakelde hij de koplampen uit, in de hoop dat zijn terugkeer onopgemerkt zou blijven. Hij zette de auto in zijn vrij om hem stilletjes over de oprit te laten rollen en parkeerde vlak voor de opgaande helling naar het erf. Misschien hadden ze de auto nodig gehad om een cruciale zak wereldwinkeldekens te halen en zouden er door hem deze zomer geen asperges zijn. Hij stapte uit en zag dat parallel aan hem, aan de andere kant van het pad, de Avail geparkeerd stond, het maanlicht weerkaatsend met zijn chic golvende oppervlakken. Hij stelde zich voor dat Janets vriend – met een berg dekbedden op de achterbank van zijn auto – als een held onthaald was.

Hij nam een sluiproute naar de koepel en kwam langs savooiekool en andijvie afgedekt met houtje-touwtjejassen en schapenvachten. Eenmaal binnen hield Patrick het zakje bij de lamp naast zijn bed. De wiet was compact, er zaten kleine oranje haartjes aan en hij was bedekt met kristallen alsof hij in de suiker was gedoopt. Hij vond het maar niets dat de cannabiscultuur iets machoachtigs had gekregen: gespierde superskunk. Het mooie van Karl Orland, zijn vaste dealer, was dat hij de genoegens van een milde en sprietige bleke hennep wist te waarderen. Enfin, hij moest het er maar mee doen.

Normaal gesproken bewaarde hij bhang-lassi's voor de zonnewende, maar omdat hij al tweehonderd uur nuchter was, leek het hem niet meer dan terecht om een inhaaldosis te mixen. Hij gooide alles in een vijzel en vermaalde het met wat bruine suiker. Het zou tijd schelen als hij nu een grote hoeveelheid mixte en dat in porties over de komende dagen zou verdelen. Hij pakte zijn campinggaspitje en verhitte het mengsel buiten, zodat zijn koepel er niet naar ging stinken. Op een gegeven moment liep er iemand voorbij. Hij kon in het donker niet zien wie, maar wist dat het een vrouw was toen ze zei: 'Hier is iemand een feestje aan het bouwen.'

Marina zat op een bank in de keet met het pottenbakkerswiel tussen haar benen. Soms liet ze Albert de snelheid ervan regelen, maar meestal zat hij naast haar en keek alleen maar, zoals nu. Isaac was al naar bed. De ruimte werd verlicht door een tl-buis die aan twee kettingen hing; het was buiten pikdonker. Ze maakte haar handen nat in een kom naast haar en kwakte een homp klei op de schijf. Ze drukte op de pedaal en de schijf begon te draaien. Vervolgens duwde ze de klei naar het midden, waar ze hem, met haar handen in de vorm van een gebroken cirkel, omhoog liet komen. Albert moest soms lachen om de ruwe vormen die de klei aannam, maar hij wist nooit goed waarom hij dan eigenlijk moest lachen.

Een van de meest imposante dingen aan Marina was dat ze een theepot kon draaien en ondertussen gewoon kon praten. Het gaf haar iets van een tovenaar, met handen die het werk deden, de klei betoverden, terwijl ze met Albert over de toekomst sprak.

'Wat ben je aan het maken?'

'Een cadeautje voor jou.'

'Yes! Is het een helm?'

'Nee.'

'Is het een soort kogelvrij vest?'

'Niet echt.'

Op de middelste plank aan de muur tegenover hen stonden de workshopstukken die bezoekers hadden achtergelaten: mokken, botervloten, kerststaltaferelen, een vierpersoonsband. Albert had gezien hoeveel genoegen Marina aan haar driemaandelijkse selectie beleefde – de catharsis van kromme vazen, misvormde dieren en slechte gelijkenissen van vrienden die in een puinzak aan diggelen vielen. Op de plank erboven stonden haar eigen sierlijke melkkannen en kommen.

Alle fulltimeleden werd gevraagd achttien uur per week te besteden aan werk dat bijdroeg aan het functioneren van de gemeenschap. De meeste wrijving rond dit idee kwam niet voort uit mensen die te weinig uren werkten, maar uit een wisselende definitie van wat een nuttige bijdrage was. Marina beschouwde haar uren in de pottenbakkerij als onderdeel van haar quotum, enerzijds omdat ze Albert en Isaac een nuttige vaardigheid bijbracht en anderzijds omdat ze, waar de gemeenschap gemiddeld minimaal drie stuks aardewerk per week brak, voorraden hielp aanvullen.

Albert stond op van de bank. Hij boog zich naar voren en keek neer op de draaiende schijf in een poging zichzelf te hypnotiseren terwijl de vorm zich opensperde.

'Trouwens, mijn zus vindt je een leugenaar,' zei hij. Hij staarde nog steeds in de ronddraaiende toegangspoort.

'Dat is niet zo aardig,' zei Marina, geconcentreerd.

'Je moet haar de waarheid laten zien. Is het een kom? Het ziet eruit als een kom. Ik heb niet echt een kom nodig.'

'Het is geen kom.'

Haar handen bewogen gestaag. De toppen van haar vingers waren grijs. Er spatte wat klei op Alberts broek.

'Kommen zijn wel aardig, maar niet geweldig.'

Het was meer taps toelopend dan een kom, en hoger. Ze haalde haar voet van de pedaal en de draaischijf stopte. Ze keek even naar Alberts mond, pakte toen een stuk ijzerdraad en sneed de klei aan de voet door. Ze tilde de kegel op en liet hem zien dat er aan beide kanten een gat zat. Daarna zette ze de vorm op een plateau naast zich.

'Wat is het?' zei hij.

'Raad eens.'

Hij kauwde op zijn lip. 'Een geluidsdemper?'

'Ik zal je een hint geven: ik ga hem rood-wit gestreept schilderen. Het is om te zorgen dat je stem beter wordt gehoord.'

Hij begon angstig te kijken.

'Het is een megafoon, Albert.'

'O leuk!'

'Maar hij is eigenlijk voor de sier. Een symbóól van je recht om gehoord te worden.'

'Ik heb altijd al een megafoon willen hebben.'

Toen hij de bhang had gemaakt, voegde Patrick er wat pistache aan toe en roerde het geheel door de lassi. Kleine stukjes wiet en noot draaiden rond als hekpalen in een wervelstorm. Hij zag de yoghurt een groene, ziek ogende kleur aannemen.

Het was al laat inmiddels, na twaalven, en hoewel hij moe was wilde hij niet gaan slapen voordat hij stoned was. Hij dronk een derde van de lassi op en ging toen een wandeling maken in de tuin. Het was een ijzig koude, heldere nacht, en na een half uur voelde hij hoe zijn geest zich herschikte tot een vertrouwde constellatie. Bepaalde herinneringen trokken zich terug. Lichten gingen uit op zijn innerlijke zolder. Hij strekte zijn rug en voelde het bloed rond zijn hersenen klotsen.

Hij ging weer naar binnen, wond de radio op tot vol vermogen en zette hem aan op Radio 3. Muziek was weer fijn. Hij ging in zijn luie stoel zitten. Na een tijdje hield de radio ermee op, en hij merkte dat hij niet in staat was hem weer op te winden. Vastgenageld in zijn stoel voelde hij zijn geest te veel toeren draaien terwijl hij naar het zevenhoekige dakraam keek.

Hij dacht aan de koepel, die als cadeau voor hem was gebouwd. In de begintijd op Gower had Patrick de kamer gehad die nu van Kate was, door een dun wandje gescheiden van die van Don en Freya. Kate lag als baby in een ledikant aan het voeteneind van het bed van haar ouders, waar ze sliep en, wat beter de lading dekte, niet sliep. Patrick had geen andere keus gehad dan in haar ritme mee te gaan en hazenslaapjes te doen in de één of twee uur durende tussenpozen van stilte – een proefmenu van slaap.

Op Kates eerste verjaardag had Don een toespraak gehouden waarin hij gezegd had: 'Ik denk niet dat het eerlijk is om Patrick op te zadelen met dat geklets van ons en die sirene van Kate, en hij is over een tijdje jarig, dus ik dacht – ik weet dat hij geïnteresseerd is – we zouden wel eens aan een koepel kunnen beginnen.'

Er is geen waarneembaar verschil tussen iets wat met liefde is gemaakt en iets wat met kwaadwilligheid is gemaakt, behalve dat kwaadwilligheid volgens schema werkt. Zes maanden later verhuisden ze hem met zijn boeken en zijn specerijen, en kocht Don een zakje wiet voor hem als dank omdat hij het grote huis rookvrij had gehouden voor Kate, en dat was het moment geweest waarop hij weer echt begonnen was met roken. Met herlevende paranoia begon hij zich af te vragen of de koepel in werkelijkheid niet was gebouwd als een middel om hem uit het grote huis te krijgen.

Patrick betaalde de grootste maandelijkse bijdrage aan de kas van de gemeenschap en was om die reden geneigd te denken dat ze hem alleen maar gedoogden vanwege zijn geld. Hij was zich er ook scherp van bewust dat als Don Patrick ooit zou horen suggereren dat zijn rijkdom hem recht gaf op een betere behandeling dan iemand anders, Don onmiddellijk zijn klauwen uit zou slaan, ideologisch gesproken. En dat betekende dat Patrick nog nooit – niet één keer in twintig jaar – had laten doorschemeren dat hij vond dat zijn positie als financiële steunpilaar hem het recht gaf om zich niet vervreemd te voelen.

Zijn beste poging om zijn ongenoegen te uiten dateerde van een paar weken geleden. Dronken van de cider op de lentenachtevening, in die vreselijke laatste dagen voor Janets meest recente terugkeer, toen ze met het overgrote deel van de gemeenschap rond het kampvuur zaten, had hij geopperd dat de geodetische koepel, met zijn geïsoleerde positie voorbij de knollen achter in de tuin, een symbool was voor hoe mensen hem persoonlijk zagen, zeker gezien de doorgaans vernietigende, ietwat nostalgische houding die de mensen ertegenover aannamen ('Tja, hij zal er wel futuristisch uitgezien hebben toen ze hem bouwden'). Hij had gedacht dat die opmerking er luchtig uit zou komen en dat ze er met een grapje op zouden reageren – 'Ja, Pat, we houden je daar gewoon in een soort quarantaine, weet je wel' – maar de reactie van zijn toehoorders was er een geweest van vierkant ontkennen – 'Hoe kun je dat nou zeggen?' – zoals mensen doen wanneer iemand de spijker op zijn kop slaat.

Hij begon een sterke overtuiging te koesteren dat er achter zijn rug over hem werd gepraat. Je kon altijd wel ergens mensen horen praten, en hij hoorde dan vaak een dubbele plofklank die klonk als zijn naam, waar hij al naar gelang de psychische gesteldheid van die dag zelf een context bij bedacht. In een goede bui: 'Dat was een uitstekende kedgeree die Patrick vanmorgen gemaakt heeft.' In een slechte: 'Ligt het aan mij of was die kedgeree van Patrick vanmorgen voorgekauwd?'

Wanneer hij zich zo voelde zocht hij troost in muziek en in kunst, en dat leverde ook weer een probleem op. Het was onmogelijk om kunst in de koepel op te hangen omdat alle muren rond liepen en waren opgebouwd uit driehoeken. Toen Patrick al die jaren geleden uit het grote huis vertrokken was, had hij baby Kate in haar nieuwe slaapkamer een nevelig, met olieverf en acryl geschilderd zeegezicht en acht uitbundig onnauwkeurige lijntekeningen – *Studies voor om het even welk vrouwelijk naakt* I-VIII – van Marcel Le Lionnais cadeau gedaan. Op de dag voor Kates derde verjaardag had Don ze aan Patrick teruggegeven. Hij kwam ermee naar de koepel, de kunstwerken onder beide armen, en zei dat ze 'wat veel van het goede' waren voor Kate, 'in dit stadium van haar ontwikkeling'.

Aangezien Patrick de kunstwerken niet kon ophangen, had hij besloten gebruik te maken van een van de onhandige ruimtes die achter elk stuk niet-koepelspecifiek meubilair te vinden waren. Rechthoekige banken, rechthoekige boekenkasten, rechthoekige kleerkasten: alles wat niet ontworpen was om tegen een holronde muur te worden geplaatst creeerde loze ruimte. En dus haalde Patrick, in een innovatieve bui, de kunstwerken uit hun lijst en stopte ze in met karton verstevigde plastic hoezen, die hij vervolgens in een kribvormige posterstandaard zette die hij bij een kunsthandel in Mumbles had gekocht. Die paste achter de futonbank, zodat hij nu, zij het niet echt comfortabel, gebruik maakte van de loze ruimte. Als hij op de bank knielde, met zijn gezicht naar de muur, kon hij de kunstwerken op zijn gemak doorbladeren. Dit werd al gauw iets waar Patrick zich pas echt ellendig en alleen door ging voelen: de acht lijntekeningen die nu een soort duimboek vormden en het effect creëerden van een exploderende naakte vrouw, met opzwellende ledematen, rukkend aan zichzelf, gevolgd door het onmiskenbaar troosteloze en eentonige grijs-zwart-blauwe zeegezicht. Dat laatste beeld gaf Patricks gevoelens op het moment dat hij van zijn bescheiden kunstcollectie probeerde te genieten goed weer.

De enige wanddecoraties waren Patricks snaarinstrumenten. Toen ze de koepel hadden gebouwd, had Don beugels aan de muur bevestigd voor Patricks gitaar en banjo. Dat was een kleine daad van oprechte attentheid geweest. In de loop der jaren had de gemeenschap nog andere snaarinstrumenten voor Patrick gekocht, elk nieuw instrument kleiner, en stiller, dan het vorige. De voorlaatste kerst was het de samisen geweest, een driesnarige Japanse gitaar.

De akoestiek in de koepel was om gek van te worden. Als Patrick met zijn Spaanse gitaar op een krukje midden in de ruimte zat, werd er een ongewenste, jaren tachtig-achtige galm aan zijn getokkel toegevoegd, waardoor zijn composities als restaurantmuziek klonken. Het lukte hem nooit om een ongepolijste, kale sound te krijgen. Bovendien klonk een groot deel van zijn platenverzameling binnen deze muren zo overgeproduceerd dat het niet om aan te horen was, waar Patrick Don ook de schuld van gaf.

Vanaf dat Kate een jaar of veertien was, had Patrick met veel plezier haar favoriete emo-indierock bewerkt en gespeeld zodat ze kon oefenen met zingen. Hij was een van de zeer weinige mensen aan wie ze haar stem wilde laten horen, en bovendien vond ze dat ze eigenlijk beter klonk met de ingebouwde nagalm van de koepel. Het andere voordeel was dat Patrick geen buren had die hen konden horen. Hij vond het een voorrecht om, voor zover hij wist, de enige te zijn met wie ze over haar nieuwe vriendje sprak.

Nu, terwijl hij naar het verhoogde, ingebouwde bed boven in de koepel zat te staren, moest Patrick denken aan de nacht die hij en Janet daar hadden doorgebracht. Niet lang nadat Albert was geboren, was er een feest geweest. Janet had haar eigen bed afgestaan aan twee vrienden die op bezoek waren en de vloer in het klaslokaal was bezaaid geweest met mensen die kop-aan-kont lagen, dus toen had Patrick tegen haar gezegd – op een absoluut argeloze manier – dat er nog ruimte over was in de koepel. Het was ijskoud en het regende toen ze, nog dronken, over het erf renden. Ze staken de houtkachel aan en kropen met kleren aan in bed en tegen elkaar aan. Wat er in de zwaar geïsoleerde koepel gebeurde, was dat de warmte opsteeg en het bovenste deel veel warmer werd dan het onderste. Er zat een raam boven de hoogslaper voor frisse lucht, maar als het regende, zoals die nacht het geval was, moest dat dicht blijven omdat de regen anders naar binnen kwam.

De volgende ochtend, toen de zon door het dakraam naar binnen scheen, werden ze wakker in een tropisch weersysteem. Kletsnat van het zweet, met een droge mond en de hersenen los in hun schedel, met stoomdeeltjes in het schuin invallende zonlicht en condens op de golvende heuvels van het dekbed – wat deed denken aan North Gower in de vroege ochtend – trokken ze snakkend naar adem, lachend, hoestend, hun trui uit en gooiden daarna nog meer kleren van de hoogslaper naar beneden, tot het alleen nog maar nodeloos preuts zou zijn geweest, gezien hun nacht samen en de volstrekt sauna-achtige omstandigheden, om niet al hun kleren uit te trekken en hijgend boven op het beddengoed te gaan liggen.

Hun natte haar, lijven die glommen van het zweet, borsten die rezen en daalden. Patrick deed het raam open en liet de lichte ellipsvormige regen op hen neervallen. Het voelde – in alle opzichten, op één na – postcoïtaal aan. En zo, volkomen ongedwongen, kusten en omhelsden ze elkaar en vielen weer in slaap.

Iets in deze ervaring had volgens Patrick de mogelijkheid dat het nog wat zou worden tussen hen de nek omgedraaid. Ze hadden zich de ongemakkelijkheid en de verlegen prietpraat van goede vrienden die met elkaar naar bed zijn geweest eigen gemaakt, maar zonder ooit zover te zijn gekomen. Het zou een rare stap terug zijn geweest om voor te stellen dat ze aan enigerlei vorm van hofmakerij zouden beginnen, maar hij voelde zich ook niet in staat om de stoute schoenen aan te trekken en met haar te bespreken wat er bijna gebeurd was en of het misschien niet ook echt kon gebeuren. Na verloop van tijd was het onmogelijk geworden om met Janet over die ochtend te praten. Hij begon te vermoeden dat ze het zich niet eens meer zou herinneren.

Patrick wist zich uit zijn stoel overeind te hijsen en naar de keukenkast te lopen. Tussen de andere kruiden had hij een pot gedroogde paddo's staan die hij het afgelopen najaar had geplukt. Hij had iets nodig om zijn avond een andere wending te geven en dacht dat deze misschien wel een paar innerlijke ramen zouden openen. Hij ging weer zitten, kauwde op drie kleine hoedjes, spoelde ze weg met de rest van de lassi, waarvan hij vergeten was dat hij die had willen bewaren, en probeerde aan iets positiefs te denken.

Dat was het moment waarop hij het gebrul van een heel groot dier hoorde.

Boven, in het grote huis, zaten Freya en Don rechtop in bed, allebei met een boek en hun eigen lamp. Zij had haar haar opzij in een paardenstaart gedaan, zodat ze haar hoofd tegen het hoofdbord kon laten rusten. Hij was *Ways of Seeing* aan het herlezen en lachte af en toe met zijn mond dicht, wat

Freya voelde als een reeks vibraties in het matras. Hij had twee kussens onder zijn rechtervoet voor de afwatering.

Hij deed het boek dicht, keek naar zijn vrouw, boog zich toen stilletjes naar haar toe en kuste haar op de wang. Stilletjes, omdat Don na achttien jaar huwelijk, twee jaar geleden, begonnen was om elke keer wanneer hij genegenheid zocht, of aan haar wilde geven, onwillekeurig kusgeluidjes te maken (het geluid klonk niet echt als een kusje; het klonk alsof er een klein luchtdicht zakje werd geopend). Het was op een dag gewoon begonnen. In het donker van de slaapkamer hoorde ze snel achter elkaar twee ietwat nattige vacuümgeluidjes en dan wist ze dat hij elk moment contact kon maken. Aan de ontbijttafel hoorde ze, voordat zijn lippen haar nek raakten, dat tuitmondjesgesmak. Het klonk een beetje als het geluid dat mensen maken om de aandacht van een kat te trekken. Ze had zijn kussen voordien nooit afstotelijk gevonden, maar er was iets met dat zichzelf aankondigende in die geluidjes – een komiek achter de coulissen, die zijn eigen intro doet – waar ze helemaal gek van werd. Ze had het wel zo eerlijk gevonden om het hem te laten weten: 'Wat je doet voordat je me een kus geeft' – ze was niet in staat het te imiteren, dus maakte ze een soort kauwend geluid – 'dat is afschuwelijk, kun je daarmee ophouden?' Zijn kleine ogen verwijdden zich. Hij was zich er niet van bewust geweest dat hij dat deed.

Natuurlijk zou hij ermee ophouden, zei hij. Vanaf dat moment was het zo dat hij verstijfde en vloekte wanneer hij het geluid maakte. Hij vocht tegen zijn onderbewuste. Uiteindelijk, na weken van strijd, was Don in staat een kus te geven en te ontvangen zonder inleidende zoentjes.

Maar er bleef toch iets van hangen: een schim van het geluid, de impuls maar zonder zijn hoorbare pendant. Ze raakte overgevoelig voor Dons onderdrukking van het geluid en wist, wanneer ze in het donker in bed lag, nog net zo precies wanneer ze de aanraking van zijn lippen en het schuren van zijn baard kon verwachten. Dit was in veel opzichten nog erger dan het oorspronkelijke kus-kusgeluid. Het geluid was weg maar het idee leefde voort, uitvergroot, nog gekker makend complex, een proces tussen hen.

Ze las keer op keer dezelfde regel van haar gedicht. Die regel luidde: 'Zo gaat dat met amputaties.' Ze had de laatste tijd gemerkt dat als Don eerder dan zij in slaap viel, zij wakker bleef, volledig in beslag genomen door de zachte panfluittonen die uit zijn neusgaten kwamen. Vroeger zei ze altijd dat ze de akkoorden die zijn holten speelden zo leuk vond, maar nu ze haar wakker hielden was dat voorbij. Wanneer ze niet sliep maakte ze zich zorgen om haar zoon.

Steeds vaker zag ze Albert naar de werkplaats of de pottenbakkerij verdwijnen, die allebei ver genoeg uit de route lagen om het moeilijk te maken voor Freya om even langs te wippen – en te kijken wat hij deed – zonder een goede reden te hebben om dat te doen. Het was Dons idee geweest om Marina en Isaac uit het grote huis te laten vertrekken (aangezien Janet binnenkort haar kamer weer zou opeisen) en hun intrek te laten nemen in de logeerkamer achter in de werkplaats. Hij deed het voorkomen alsof ze op die manier onafhankelijker zouden zijn – 'Dan kunnen jullie je eigen gezinseenheid vormen' – terwijl ze toch deel bleven uitmaken van de gemeenschap, maar in werkelijkheid wilde hij Marina op afstand houden. Don klaagde dat ze 'te intens' was, maar wat voor een volwassene aanvoelde als overintens, voelde voor een kind aan als iemand die echt luisterde.

Hoewel het verleidelijk was om haar gepraat over een galactische verduistering meteen als onzin af te doen, zoals

Don had gedaan, wilde Freya toch liever eerst het idee begrijpen, om het dan definitief te kunnen afwijzen. Ken uw vijand, zeg maar. Haar onderzoekingen op internet wezen uit dat er inderdaad superzware zwarte gaten bestonden en dat ons spiraalvormige melkwegstelsel er inderdaad een in het centrum had: Sagittarius A*. Het was onzichtbaar, spectaculaire foto's van de Chandra-ruimtetelescoop lieten zien waar het niet was. In een artikel op een blog van de NASA dat geschreven was voor jeugdige astronomen, zo vermoedde ze, stond dat dit superzware zwarte gat 'hongerig' was en 'alles en iedereen opslokte' en dat 'dit soort monsters' in staat waren het tijdruimtecontinuüm om te buigen. De NASA ging niet zover dat het einde der tijden erbij werd gehaald, maar het zou Freya niet helemaal verbaasd hebben als dat wel was gebeurd. Dit was wetenschap die dong naar de aandacht van de jeugdige verbeelding. Maar toen ze op 'galactische verduistering' zocht, kwam ze de echte gekken tegen: gaiamind.org en prophetsmanual.com.

De gemeenschappelijke desktopcomputer stond op de zolder en er was een knop naast gemonteerd die per keer dertig minuten toegang tot het internet toestond. Voor Albert betekende dit dat hij zijn dertig minuten toegang heel serieus voorbereidde en naar boven ging met een lijstje: *zonnevlammen (12 min.), galactische evenaar (10 min.), messenvest (8 min.)*. Waar Freya zich zorgen over maakte was niet alleen dat hij in dezelfde dingen geloofde als Marina, maar dat haar overtuigingen de poort open zouden zetten naar de immense, tomeloze mafkezerij van cyberspace.

Dit alles bij elkaar had bij Freya de overtuiging doen postvatten dat ze Albert een tijdje bij de gemeenschap vandaan moest houden. Dat ze zelf ook even van Don verlost wilde zijn was gewoon een gelukkige symmetrie. De gemakkelijkste en goedkoopste oplossing was om naar het rondhuis te gaan, een wandeling van twintig minuten door het bos – niet echt een vakantiebestemming, maar het zou hem (hun) even een adempauze geven. Het rondhuis was gemaakt van adobe, wat eigenlijk gewoon modder was. Het was oorspronkelijk gebouwd als experimenteel studieproject: een groepje studenten dat wilde afstuderen in duurzaam bouwen had het in vier dagen tijd opgetrokken. Vervolgens hadden ze er twee nachten in geslapen, waarna ze geprobeerd hadden het weer te slopen. Het was een bewijs geweest voor de robuustheid van adobebouw dat het meer moeite kostte om het kapot te maken dan om het te bouwen; de studenten gaven er al gauw de brui aan en lieten het bouwsel grotendeels intact achter. Daarna werd het de slaapdependance van de gemeenschap, hoewel het nu al heel lang niet meer was gebruikt.

Het was een vrij normaal verzoek aan Don: twee weken time-out, voor Albert en voor haar. Een maand misschien. Ze waren het er per slot van rekening allebei over eens dat er iets moest gebeuren. Toch merkte ze dat ze niet in staat was het onderwerp aan te snijden. En dat verklaarde voor een deel waarom ze vanochtend, na een nacht van gekmakende slapeloosheid, had besloten dat het een goed idee zou zijn om hem er een brief over te schrijven. Ze was gekomen tot *Beste Don*, daarna was haar dochter binnengekomen en dat was het moment geweest waarop Freya zich realiseerde dat ze zich als een labiel, slapeloos iemand gedroeg, niet als een vrouw die met haar man communiceerde over een bezorgdheid die ze deelden.

Freya liet haar dichtbundel op het dekbed vallen. Haar leesbril viel van haar neus en bungelde om haar nek. Ze wendde zich tot haar man, maar hij begon al te praten voor ze iets kon zeggen.

'Ik heb tegen Patrick gezegd dat hij Janet eindelijk eens moet vergeten,' zei Don. 'Geen slachtoffer zijn. Geen geknies. Stoppen met de wietduivel. Hij zat nog steeds aan die pijp te lurken – een of ander stevig mengsel.' Door zijn toon en door de stand van zijn kin terwijl hij sprak, wist ze dat hij iets zei wat hij al geoefend had in de drukbezochte gehoorzaal in zijn hoofd. Hij praatte schuin omhoog naar de gordijnrail. Soms hield hij de première van een bewering bij Freya, en dan hoorde ze hem de daaropvolgende dagen hetzelfde tegen andere bewoners zeggen, misschien in licht geredigeerde vorm, afhankelijk van het publiek. Een goeie, sterke uitspraak kon wel negen of tien keer worden gebruikt voordat hij het archief in ging. 'Je leeft in een gemeenschap met een constante toestroom van jonge, aantrekkelijke, links georiënteerde mannen en vrouwen. Maak er wat van, Pat, zei ik. Zestig is niet te oud. Al die geweldige vrouwen die hier naartoe komen, intelligent, vrij van geest, zeker over hun lichaam. Ga er eens naartoe. Het voelt goed om een ander een goed gevoel te geven. Wees actief. Zweet je problemen eruit. Laten we die hekpalen weer gaan slaan. Maar ik denk dat hij bang is dat zijn schouder uit de kom schiet. Waar ik bang voor ben is dat hij mentaal uit de kom schiet.'

'Don.'

Hij draaide zich naar haar toe. Hij had de glans van een onopgevangen nies in zijn snor. Hij zag iets in haar blik en deed zijn boek dicht, legde het op het dekbed en klopte op het achterplat. 'Ja,' zei hij.

'Ik maak me zorgen om Albert. Ik denk niet dat het goed voor hem is om zo veel tijd bij Marina door te brengen.'

'Ik ben het met je eens, Frey. Dat weet je.'

'Ik zat te denken dat ik misschien een tijdje met hem naar

het rondhuis zou kunnen gaan. Twee weken of zo. Een soort vakantie.'

Don knipperde twee keer met zijn ogen. Ze voelde het matras bewegen terwijl hij meer overeind ging zitten. 'Maar het rondhuis is maar half afgebouwd.'

'Het leek me dat we dat er wel bij konden betrekken. Ik kan hem laten zien hoe het adobewerk afgemaakt kan worden. Dat is leerzaam.'

Hij keek de kamer rond. 'Wanneer heb je dit bedacht?'

'Ik loop er al een tijdje mee rond.'

'Je zegt dus dat je echt uit het huis weg wilt, met Albert samen?' Het volume van zijn stem schoot uit.

'Het leek me dat we het daarover konden hebben.'

'En dat allemaal vanwege Marina? Laten we nou niet overdrijven. Waarom gaat een van ons niet gewoon met Albert praten? Reguleren, niet verbieden. We zouden...' – ze zag de haren op zijn hals golven door het bewegen van zijn adamsappel – '... het Persoonlijk Instrument erbij kunnen halen.'

'Dat meen je niet.'

'Ik denk echt dat het zou kunnen helpen.'

'Ja, dat zal best.'

'Waarom doe je nou zo?'

Ze bleven een tijdje zitten zonder iets te zeggen. Het Persoonlijk Instrument was een leermiddel dat, volgens haar man, jonge mensen aanmoedigde om 'actief keuzes te maken tussen goed en kwaad'. Hij had het zelf gemaakt. Alle jonge bewoners moesten kort na hun dertiende verjaardag uitgerust met deze constructie over het terrein rondlopen. Don wees er graag op dat de ervaring een equivalent was van de *vision quest* in bepaalde indianenculturen. Het was beangstigend om het gat te zien dat tussen Dons zelfbeeld en de werkelijkheid gaapte. Ze sloeg haar kant van het dekbed terug en zwaaide haar benen over de rand van het bed. Hij zag hoe ze zich aankleedde en een deken uit de onderste la van de ladekast haalde. Hij hoorde haar de gang door lopen en op de deur van hun dochter kloppen.

Patrick stond in een vormeloze boxershort midden in de geodetische koepel en hield met twee handen een tafelpoot vast, als een honkballer.

Het was een schrale troost voor hem geweest toen hij besefte dat het grommende dierengeluid, zo luid dat hij het had voelen trillen in het zachte vlees langs zijn kaaklijn, niet afkomstig was van een beest dat na duizend jaar gewekt was en wraak kwam nemen op de wereld, maar van een Saab Avail, wat duidde op het vertrek van Janets vriend, vermoedelijk met een spinnende Janet aan zijn zijde. Daarna, toen hij merkte dat de tweede helft van de lassi begon te werken, was hij de houten trap naar zijn bed op geklommen en had hij, liggend onder twee dekbedden en een deken, de zenuwen voelen opkomen. Al gauw waren die zenuwen veranderd in een ontluikende paranoia, en niet lang daarna was die ontluikende paranoia uitgegroeid tot een hogere staat van zuiver weten: zijn medecommuneleden waren niet zijn vrienden, ze waren van plan hem eruit te werken.

Het zou zo makkelijk zijn. Er zaten geen sloten op de deuren. Dus was Patrick uit bed geklommen en had de losse poot onder de tafel vandaan gehaald en de dubbele deur vergrendeld door de poot door de twee kapstokhaken heen te steken. Hij had geprobeerd weer te gaan slapen. Dat lukte niet. Hij luisterde naar de es die buiten kreunde als een man die langzaam stierf. Hij hoorde in de verte gelach, dat heel goed kon zijn opgeroepen door een gemeen maar uitgekiend grapje met betrekking tot zijn lichaamsgeur. Hij hoorde het schorre, redeloze geblaf van een onbekende hond, uitgehongerd en bloeddorstig. Hij was weer uit bed geklommen, had de tafelpoot van de deur gehaald en was klaar gaan staan met de poot als een honkbalknuppel in zijn handen. Zo stond hij nu nog steeds, wachtend tot ze binnen kwamen stormen.

Terwijl hij luisterde naar de geluiden buiten construeerde Patrick een verhaal: jarenlang was Don op zoek geweest naar een manier om hem weg te krijgen, had hij iedereen verteld over die mafkees in de koepel met zijn enge, masturbatoire obsessie voor Janet. Don had gezegd dat Patrick een eenzaat was, een kluizenaar. Hij had hun verteld dat hij niet langer bruikbaar was, dat hij uitgeput was, een molensteen om hun nek, maar dat het vanwege zijn financiële draagkracht moeilijk was om hem eruit te gooien.

Ten eerste hadden ze zijn dealer, Karl Orland, afgekocht en toen gewacht tot Patricks voorraad op was. Ten tweede hadden ze gewed hoe lang het zou duren voor hij mentaal instortte. Ten derde hadden ze op een geheime brunchbijeenkomst tot in de kleinste details zijn laatste uren gepland, zonder ook maar één aspect over het hoofd te zien – lijk wegwerken, juridische afwikkeling, een vreugdevuur van zijn gitaren – en via hun gezamenlijke streven om Patrick onder de grond te stoppen, zou er een nieuwe solidariteit opbloeien, alsof hij de best mogelijke compost was.

Ten vierde – toen Patrick vanmiddag zonder het te vragen de auto had gepakt, en niet had geholpen met de cloches, en de autosleutels niet had teruggebracht – wisten ze allemaal dat hij naar de bushalte bij Shepherd's was geweest en hadden ze besloten in actie te komen. Later, toen een van hun spionnen langs was gekomen en gezegd had: 'Hier is iemand een feestje aan het bouwen', had diezelfde persoon de rest laten weten dat hij een sterke dosis aan het brouwen was en dat het niet lang meer zou duren voor hij in een toestand van beperkte motoriek zou geraken.

Albert, die goed kon klimmen, zat in de es boven de geodetische koepel, met zijn handen om een hoge tak en zijn voeten op een lagere, en boog en strekte zijn benen om de boom luid te laten kraken, wetend wat voor angstige slapeloosheid dit teweeg zou brengen.

Marina had haar vieroctaafs Korg-keyboard met de surround sound-luidsprekers mee naar buiten genomen en in een cirkel rond de koepel opgesteld. Zonder zich om het elektriciteitsverbruik te bekommeren leefde ze zich uit met 'set 665: Zenuwslopende Geluidseffecten' en deed met haar ene hand 'angstaanjagende wind' en met de andere 'gelach om grappen ten koste van jou' en af en toe 'grommende bloeddorstige hond'.

Dit was allemaal om te zorgen dat Patrick verlamd van angst zou raken, zodat wanneer Arlo, Marina, Freya, Don en een aantal gemaskerde, ambitieuze wwoofers die hun betrokkenheid bij de gemeenschap wilden laten zien de koepel binnenkwamen om hem eindelijk te halen – zijn naam scanderend en gekleed in gewaden met kappen – Patrick roerloos en sidderend in bed zou blijven liggen en, gezien zijn familiegeschiedenis, in combinatie met zijn eerdere verslavingen, misschien ten prooi zou vallen aan een fatale embolie. Als zijn hart het niet begaf zouden ze gewoon het regenboogkleurige kussen op zijn gezicht drukken, zijn armen en benen vasthouden en doorgaan met het scanderen van zijn naam tot zijn lichaam ophield met bewegen. Daarna zouden ze zijn armen in een X over zijn borst vouwen en de volgende ochtend zouden ze zeggen: 'Zo vredig, hij moet geweten hebben dat het zijn tijd was.'

Ze zouden zijn lijk in de composthoop verstoppen en hij zou vervangen worden, want er waren tientallen mensen om zijn plaats in te nemen, en die waren allemaal jonger en soepel en spraken meer dan één taal.

Zijn enige optie was actie. Hij kon daar niet blijven staan wachten tot ze kwamen. Hij zou door de lage dubbele deuren naar buiten moeten duiken, het maanlicht in, zwaaiend met zijn stompe voorwerp, en dan eerst het keyboard kapot moeten slaan, wat hij toch al had willen doen, zich vervolgens op Freya moeten richten, die gevaarlijker was dan haar man, dan Arlo's schedel moeten inslaan als de bovenkant van een ei, en dan verder, de een na de ander, kerfjes in de tafelpoot, al bleef zelfs in Patricks wildste wanen Kate buiten schot.

De laatste van allemaal zou Don zijn. Patrick zou zijn bewusteloze lichaam naar het diepste deel van de rivier slepen, waar hij zou wachten tot hij weer bijkwam, en daarna, als om zich van alle kwaad te reinigen, om alle bitterheid weg te wassen, om al zijn ellende van zich af te spoelen, zou Patrick Don dopen, keer op keer, onder vele verschillende namen.

Diep inademend door zijn mond trapte Patrick de dubbele deuren open. Toen hij naar buiten stapte, het maanlicht in, deelde de kou de eerste klap uit, recht op zijn neus. Hij kon het keyboard niet zien. Hij kon de gestalten met kappen op ook niet zien. Er hing een geur van vuur. De tuinderij was nog steeds bedekt met een lappendeken van jassen, kleden en stukken zeildoek.

Terwijl hij over het leisteenpad liep dat naar het erf voerde, trok de kou omhoog door zijn voeten, zijn enkels, klepperde langs zijn knieën en zette zich vast in zijn maag. Hij probeerde het positief te zien: in alleen zijn ondergoed zou hij veel wendbaarder zijn, terwijl zij, in hun onhandige gewaden, als zakken vlees waren, klaar om mals geslagen te worden. Hij zag weer voor zich hoe hij Don een stomp zou geven, dit keer met de ring die hij van Janet had gekregen, en een brandmerk op zijn slaap zou achterlaten. Hij keek achterom naar de koepel, speurde het dak af. Niets. Hij keek omhoog naar de kale es; die kraakte op eigen houtje. Maar toen, eindelijk, klonk er gelach. Een veelbetekenende, holle lach.

Toen hij het erf overstak vertrok hij zijn gezicht vanwege het scherpe grind. Hij bleef dicht bij de zuidelijke muur van het grote huis en zorgde ervoor dat hij niet in het maanlicht stapte. Hij rilde. Modder klonterde aan de dikke haren op zijn kuiten. Terwijl hij het getrapte houtsnipperpad af liep, zag hij wat mensen rond een klein kampvuur achter in de tuin, wat niet ongewoon was voor een vrijdagavond.

Zijn geest herschikte gauw het eerder bedachte verhaal om de nieuwe informatie een plaats te kunnen geven. Ze zouden tegen hem zeggen dat hij paranoïde was. Ze zouden een brandbare deken om hem heen slaan. Ze zouden hem vragen of hij niet beter kon stoppen met de groene lassi's. Dan zouden ze hem in het vuur kieperen en hem slaan, hem verbranden, ze zouden dansen en een glas heffen op zijn grote offer, en de volgende ochtend zouden zijn botten niets anders zijn dan as, uitgestrooid over het bietenveldje en teruggegeven aan de aarde.

Wie zal er naar me op zoek gaan?

Niemand. Ze blijven tekenen voor je pensioen, zodat je ook na je dood de gemeenschap nog zult spekken.

Het waren Janet, Freya en Kate, alle drie op een keukenstoel, met Freya in het midden en één grote deken om al hun schouders heen, elk met een mok. Ze zaten dicht naar elkaar toe gebogen. Er lag een wijnzak aan hun voeten. De reden waarom Janet haar vriend had weggestuurd, bedacht Patrick nu, was dat ze niet wilde dat hij getuige zou zijn van deze meedogenloze huishoudelijke daad.

Hij kon hen horen toen hij dichterbij kwam.

'... jullie hebben hem nog niet gezien omdat het een oen is,' zei Kate.

'Noem jij je vriendje een oen?' zei Janet. Ze had haar mok met beide handen vast en hield hem dicht bij haar mond alsof het thee was. Ze had haar haar in een staart gebonden, maar een deel viel schuin over haar voorhoofd.

'Jullie zouden hem maar niks vinden,' zei Kate.

'Ik wel,' zei Freya. 'Ik hou wel van oenen. Is hij lelijk? Ik val op lelijke mannen.'

Janet pakte de zak van de grond en kneep er aan één kant in om hun mokken bij te vullen. Haar gezicht was opgeblazen. Ze had twee vlekken in de vorm van duivelshoorntjes bij haar mondhoeken.

'Hij is niet lelijk,' zei Kate.

'Ik wist het wel. Hij is mooi,' zei Janet. 'Je moet ons met hem laten kennismaken.'

'Gaat niet gebeuren.'

Freya zei: 'Ik doe wel wat make-up op en doe net alsof ik je moeder niet ben.'

'Dat wil ik niet zien.'

'Patrick?' zei Janet.

Hij stond aan de andere kant van het vuur, de tafelpoot bungelend langs zijn lichaam, en hij bibberde zo hevig dat hij in gas had kunnen veranderen. In het vuurlicht zagen ze de huid op zijn schouders, verouderd door de zon en slap. Zijn borsthaar was bepaald niet overvloedig, maar wel gelijkmatig verspreid.

'Kom maar op,' zei hij. 'Ik ben er klaar voor.'

'Pat, wat is er gebeurd?' zei Freya. 'Je hebt het vast ijskoud.'

Ze stonden samen op en de deken viel van hun schouders.

'Jullie zijn natuurlijk het lokaas. De sirenen. Kate, ik moet zeggen dat ik teleurgesteld in je ben.'

'Vertel eens wat er aan de hand is,' zei Janet. 'Je bibbert helemaal.'

'Ja, tuurlijk, bied maar aan om me warm te maken. Jullie komen godverdomme niet bij me in de buurt!'

Kate sprak langzaam: 'Waar heb je het over?'

Hij schreeuwde naar het bos. 'Kom maar tevoorschijn!' Zijn gigantische longen gingen tekeer. 'Kom maar tevoorschijn! Ik lust jullie rauw!'

Er klonk een geluid van ontstemde vogels. Bladeren die bewogen. Albert, in zijn kamer, in een hangmat, deed zijn ogen open. Don stond al bij het raam. Hij had naar zijn vrouw staan kijken.

'Lieverd, laat me dit om je heen slaan,' zei Janet, en ze liep met opgehouden deken naar hem toe, als een matador. Patrick hief de tafelpoot.

'Ik zal je niets doen, Patrick. Ik ben Janet – je kent me. We zijn vrienden.'

'Ik weet maar al te goed wie je bent, neerbuigende trut. Ik had het al veel langer moeten weten.'

Kate liep aan de andere kant om het vuur heen, gevolgd door Freya.

'Leg die tafelpoot neer,' zei Kate.

'Pat, wat is er gebeurd?' zei Janet. 'Moet ik een ambulance bellen?'

'Ja hoor, laat me maar afvoeren!'

Janet deed nog een stap dichterbij en hield de deken wat hoger. Haar ogen waren rood. Ze sloten hem van twee kanten in.

'Je hebt het koud,' zei Janet.

'Jij bént koud,' zei hij, en hij bracht het wapen verder omhoog.

Kate en Freya kwamen langzaam zijn kant op.

'Blijf staan!'

En toen liet hij de tafelpoot vallen, draaide zich om naar het vuur – zijn slappe huid hier en daar paars – rende er bibberend over zijn hele lichaam op af en sprong eroverheen, waarbij zijn voeten door de kniehoge vlammen gingen. Hij kwam met een grom aan de andere kant neer en ging er rennend vandoor. Ze zagen de haren op zijn kuiten kortstondig opvlammen als geflambeerde cognac op een kerstcake, terwijl hij op zijn magere benen in het bos verdween.

Ze waren allemaal wakker en stonden rond het laatste beetje vuur achter in de tuin. Hun gezichten waren bleek, de onderbroken dromen begonnen nog maar net te vervagen. Arlo had zijn professionele houtje-touwtjejas aan, halflang, zwart, een beetje glanzend van de polyester. Vier wwoofers (niet op de kou berekend, met modieuze jasjes aan) strekten hun handen uit naar het laatste restje vuur. Isaac en Albert droegen een waterdichte poncho over een trui over een pyjama. Met hun capuchon op kwamen ze aardig in de buurt van de doodbrengers die Patrick zich had voorgesteld.

Om het melodramatische van de situatie te benadrukken was Don naar buiten gegaan in zijn blauwe informele kimono (die hij in huis droeg in plaats van een ochtendjas) over een pyjama en met een wollen muts op en wandelschoenen aan. Hij beschouwde zichzelf als iemand aan wie je iets had in een noodsituatie.

Ze gaven de tafelpoot aan elkaar door en probeerden stuk voor stuk Patricks geestesgesteldheid te doorgronden door hun hand over het gedraaide middenstuk te laten gaan. De maan was helder, en als er een avond was die zich ervoor leende om op zoek te gaan naar een witte, dikbuikige man die door het kreupelhout rende, dan was het deze.

Janet liep te ijsberen. 'Laten we gewoon gaan,' zei ze.

Don trok zijn kimono om zich heen en probeerde zich niet af te laten leiden door zijn vrouw, die met rode ogen zachtjes stond te zwaaien op haar benen met de mok in haar handen.

'Janet heeft gelijk. We moeten gauw iets doen. Freya, Arlo, Gabriella en haar vriendin, volg de rivier. Janet, Kate, jullie hebben gezien welke kant hij op ging, probeer zijn spoor te vinden. Jullie tweeën,' zei hij, wijzend naar de Wit-Russische jongens, 'kijk in de schuur, de werkplaats, de keet, de tunnelkassen. Marina en Isaac, jullie bemannen het hoofdkwartier. Blijf binnen. Albert en ik nemen de oprijlaan.'

Dit was een zeldzame kans om leiderschap te tonen. Met het air van een sergeant die zijn manschappen laat weten dat ze het er niet allemaal levend van af zullen brengen, zei hij: 'En ik zet de mobiele telefoons aan.'

Een zaklantaarn voor elke groep. Ze verwijderden zich van het vuur en grepen naar hun gezicht toen de kou hen overviel. Terwijl ze hun weg zochten in het donker konden ze Dons en Freya's voortgang bijhouden door het verre geluid van maanden van sms'jes en voicemailberichten die eindelijk hun bestemming bereikten. Dit was het eerste echte noodgeval voor de mobieltjes. De onnodig luide berichtontvangentoon waarvan niemand ooit begrepen had hoe die moest worden veranderd, echode heen en weer door het bos als een vreemde vogelroep.

De bevroren plassen op de oprijlaan blonken in het licht van Don en Alberts zaklantaarn. Albert was bezorgd en opgewonden en vervuld van het genoegen van een welomschreven doel. Zijn vader, die een knoop in zijn obi legde, leek jong.

'Pap, is dit het begin van het einde der tijden?'

'Nee, Albert. Soms gebeuren er gewoon vervelende dingen.'

Ze waren nu op de weg en liepen stevig door. Albert moest elke paar stappen een looppasje inzetten om zijn vader bij te houden.

'Marina zegt dat we steeds meer vervelende dingen zullen zien naarmate we dichterbij komen.'

'Ga op zoek naar gele auto's en je ziet gele auto's. Dat is een kwestie van selectief denken. Dat leg ik je nog wel eens uit.'

'Oké, dan ga ik op zoek naar leuke dingen.'

'Dat is beter.'

'Denk je dat Patrick dood is?'

'Hij is niet dood.'

'Hoe weet je dat?'

'Het is een onderbouwde gok.'

'Ik wil ook onderbouwd gokken. Is dat iets wat ik ga leren met de Sovjetmuts?'

'Grappig genoeg is dat iets waar ik het met je moeder over gehad heb.'

Albert keek zijn vader met grote ogen aan. 'O mijn god, echt waar?'

Don trok zijn wenkbrauwen op en zette er de pas weer in.

'Als je héél lief bent, krijg je een bepaalde les misschien al vóór je dertiende verjaardag.

'Yes!' zei Albert, en hij liet zijn zaklantaarn consciëntieus in de struiken opzij van de weg schijnen.

Ze hoorden geschreeuwde geruststellingen uit het bos komen: 'We hebben het niet op je gemunt!' 'We houden van je, Patrick!' 'We zijn je vrienden!' Dit was net zoiets als het soort hippieachtige vertrouwensspelletje waar Don zich altijd verre van had gehouden, waar Blaen-y-llyn absoluut tegen was, maar nu het zich op een natuurlijke manier in een dramatische situatie voordeed, vervulde het Don van trots en adrenaline. Onder het lantaarnlicht toonde stilstaand water de plotselinge aprilvorst: gebroken geometrische ijsvlakken. Langs de oever glinsterden de jonge boompjes.

Het riviertje werd gevolgd door Freya, Arlo en Gabby Orles – een Catalaanse en een vaste bezoekster van Blaen-y-llyn, dit keer teruggekomen met haar nieuwe partner, Patricia, die er prachtig uitzag als ze net wakker was, en ze hielden elkaars hand vast nu ze zachtjes door de half bevroren ondergroei liepen.

'Patrick! Luister naar je hart!' riep Arlo.

Kate en Janet probeerden Patricks spoor te volgen, dat begon als een donker pad van stukgetrapte natte grond maar al gauw tot niets vervaagde. Janet liep ver vooruit. Ze klom over omgevallen bomen en waadde zonder te klagen door heuphoge brandnetels.

Toen er aan de horizon licht begon te gloren, verdwenen de scherpe randjes van Patricks paranoia. Hij klampte zich vast aan de tak van een lage eik en stond met zijn voeten op de tweesprong van de gevorkte stam. Het enige waar hij absoluut zeker van was – dat zijn vrienden hem wilden vermoorden – werd steeds minder overtuigend.

De moeilijkheid was dat hij het niet bij het verkeerde eind wilde hebben. Stel dat er geen fundamenteel probleem was en dat hij gewoon wat meer naar buiten moest treden en wat rustiger aan moest doen met de wiet en andere mensen moest proberen te helpen en een paar nieuwe recepten moest oefenen, en dat dat genoeg zou zijn? Hij hoopte bij wat voor god dan ook dat dat niet de oplossing was. Dat het geen mátigheid was wat hij nodig had. Dat deze mensen hem echt te grazen kwamen nemen, een lesje kwamen leren. Dat ze met een jachtgeweer en een handzaag op weg waren.

In de kou was zijn lichaam gaan krimpen. Hij had geen tenen; die waren een uur geleden al verdwenen. Hij had geen voeten. Hij had geen handen, geen neus. Zijn oren waren weg. Zijn ogen gaven insectachtige klikjes, elke keer als hij ermee knipperde; ze zouden meteen bevriezen zodra hij ze de kans gaf. Hij raakte alle zintuigen kwijt behalve zijn tong.

'Ahhhh!'

Zelfs al had hij de namen willen roepen van de mensen om wie hij gaf, dan nog had hij ze door de kou niet kunnen uitspreken. Er bleven alleen klinkers over. Hij hoorde stemmen van verschillende kanten komen.

'Ahh!'

Hij had geen polsen, geen ellebogen. En hoewel hij nu diep van binnen wist dat ze er niet op uit waren om hem te vermoorden, zou hij alles doen om hun medelijden, hun zorgzaamheid en hun vergevingsgezindheid uit te stellen.

Hij liet zich uit de boom vallen waar hij in was geklommen. Er klonk een droog, krakend geluid. Iedereen hoorde het.

Hij had geen enkel om te verbrijzelen.

Hij sleepte zich voort en viel nog een keer, maakte zachte dierengeluiden, met botsplinters onder zijn huid, terwijl drie groepjes dichterbij kwamen en Janet riep: 'Patrick! We komen eraan!'

Aan de rand van het bos, waar het National Trust-gebied ophield, lag een stukje nieuwbouw, één enkele doodlopende straat aan de rand van Llanmadoc, met uitzicht op het bos.

Het was net afgebouwd en er woonde nog niemand.

Patrick kroop de straat op. De ramen waren leeg, geen gordijnen, geen snuisterijen, geen auto's op de oprit, alleen maar tien net niet identieke vrijstaande huizen, met grenenhouten deuren en taps toelopende opritten naar garages voor één auto. Als curieuze en aan niets gerelateerde knipoog naar een verzonnen verleden stonden er replica's van victoriaanse lantaarnpalen. Een straat gevormd als een thermometer – met een keercirkel aan het eind.

In het lamplicht zag Patrick dat zijn enkel afschuwelijk opgezwollen was, hij was bijna net zo groot als zijn schedel. Hij sleepte zich naar het midden van de cirkel en plofte op het vlakke asfalt neer. Zijn lichaam schudde. De straatverlichting was gelijkmatig. Hij had dezelfde kleur als de maan.

Janet was de eerste die hem zag en over de straat op hem toe rende, gevolgd door Kate en, niet ver daarachter, Don, Albert en de rest. Een wolk, de damp die van hun hoofden kwam. Patrick lag in elkaar gedoken, maar zijn linkerbeen stak naar buiten in een poging hem gevoelloos te houden. De enkel was enorm en de vorm van de voet was door de zwelling verloren gegaan. Hij maakte het lage gorgelende geluid van een radiator die volloopt. Janet knoopte nog rennend haar jas los en de anderen volgden haar voorbeeld. Zijn dunne boxershort was gescheurd en besmeurd, en een paarse testikel lag als een zeeslak tegen zijn dij. Ze trokken hun kleren uit terwijl ze zich op hem stortten – precies zoals hij had gevreesd – en smoorden hem met jassen en truien, legden alles neer wat ze missen konden en zwachtelden hem in tot alleen nog maar zijn hoofd eruit stak aan de ene kant, en zijn gebroken enkel aan de andere, een half leeggelopen voetbal, een geodetische koepel, met een huid die afstierf, die grijs en stoffig werd aan de randen, en de onmogelijke hoek van zijn voet.

Terwijl Janet de kleren efficiënt rondom hem instopte, stond Don – die niet naar het letsel kon kijken – met zijn kennis te pronken, sprekend in de richting van de pseudo-victoriaanse lantaarns.

'De boosdoener hier is de kou. Patrick loopt het gevaar om onderkoeld te raken. Hij bibbert niet meer – dat is niet goed. Het is niet genoeg om hem alleen maar met jassen te bedekken. Hij heeft lichaamswarmte nodig. Patrick, ik ga je omhelzen.'

En daarmee trok hij zijn kimono nog een keer om zich heen, liet zich op zijn knieën vallen en ging op zijn zij achter hem op het asfalt liggen, lepeltje lepeltje. Patricks doodse gezichtsuitdrukking veranderde niet. Don had de stoere trek op zijn gezicht van een echte vent die zijn verantwoordelijkheid neemt en legde zijn kin op Patricks schouder. Freya drapeerde de jassen opnieuw over hen beiden heen. Twee hoofden die naar buiten staken, oude vrienden, verbonden door werk en een gemeenschappelijke droom. Patricks ogen puilden een beetje uit alsof ze zich probeerden te bevrijden.

Terwijl ze op de ambulance wachtten, kropen ze om beurten onder de berg jassen om hun lichaamswarmte door te geven aan zijn bleke, blauwige rug, de melkwitte kartels van zijn ruggengraat. Iedereen deed mee. Patrick had besloten om te blijven zwijgen, om ze verder niets meer te geven. Zelfs toen Janets kleine borsten en voelbare tepels tegen zijn rug drukten gaf hij geen sjoege. Ze pakte hem vast en hield haar warme lippen tegen zijn nek. Nu het haar beurt was, wilde ze die door niemand anders over laten nemen. Patrick vroeg zich af hoe zijn lichaam, nu het onder zo'n extreme druk stond, ook nog de tijd vond om bloed naar zijn lendenen te pompen. Vreemden legden hun hand op Patricks schouder en knepen werktuiglijk, alsof ze zijn spanning controleerden. Na een tijdje kwamen Marina, Isaac en de Wit-Russen aanzetten met thermosflessen. Isaac rende rondjes om de keercirkel, blies zijn adem omhoog en deed of hij een trein was.

Niemand behalve de nieuwste wwoofer schonk aandacht aan Don, die op het plaveisel zat en zijn ogen afveegde. Hij huilde gemiddeld één keer per kwartaal. Hij vond het bevrijdend. Hij was er goed in. Het ging soms gepaard met een soort gespeeld gegrien, zijn mond die open en dicht ging voordat het echte huilen kon beginnen.

Ze stonden in de berm te bibberen toen de ambulance de dode straat in reed. Ze hadden het gevoel alsof ze een soort uitverkorenen waren – op een goede manier – zoals ze daar met hun slaperige hoofden keurig op een rijtje stonden, terwijl het zwaailicht weerkaatste tegen de witte seringenstruiken. De lege huiskamers en ongemeubileerde slaapkamers vulden zich met blauw licht. De ambulance draaide een lege oprit op en reed toen achteruit naar waar Patrick lag. Freya zat op haar knieën naast hem en probeerde hem wakker te houden door te vragen waarom Miles Davis overschat werd. Ze gingen opzij toen twee hulpverleners met groene plastic koffertjes door de achterdeuren naar buiten stapten.

'Hoe heet hij?' vroeg de vrouw.

Ze antwoordden in koor.

Sommigen van de groep hadden gehoopt dat de eerste reactie van de hulpverleners zou zijn: 'Wauw, wat maf, wat doen jullie hier in godsnaam, om vijf uur 's ochtends?', maar het was alsof de hulpverleners hen niet zagen. Don droeg een *informele kimono*. Er waren een paar *Spaanse lesbiennes* bij, nota bene. Maar er kwam geen commentaar, geen blik. De hulpverleners haalden gewoon laag voor laag de kleding weg tot ze de gebalsemde lichamen van Patrick en Janet tegenkwamen.

'Hallo, Patrick? Ik ben Helen. Hoe lang ben je buiten geweest?'

Hij kon niet praten, hoewel hij nog steeds bij bewustzijn was.

'Ongeveer tweeënhalf uur, denken we,' zei Janet, en ze maakte zich van hem los.

'Oké, Patrick, ik ga je nu wat zuurstof geven.'

De andere hulpverlener, een man, haalde een gastank uit de ambulance, zette die met een bonk op de grond en deed het zuurstofmasker voor Patricks gezicht. Er klonk een geluid als van automatische deuren.

'Patrick, knik eens als je drugs of alcohol hebt gebruikt?'

Hij staarde alleen maar. Freya zei: 'Alleen cannabis, voor zover we weten.'

'We gaan je iets geven tegen de pijn, oké?'

Ze zocht naar aderen in zijn armen, maar vond die niet, dus injecteerde ze de morfine in zijn biceps. Don ging naast zijn vrouw staan en legde zijn arm om haar heen. Hij kon nog steeds niet naar het letsel kijken. Ze wikkelden Patrick in zilver en tilden hem op een stoffen brancard.

'Oké,' zei de hulpverlener, 'ik wil graag dat er een volwassene met ons meegaat.'

Daar stonden ze met zijn allen, luisterend naar de motor, en na meegevoerd te zijn op een golf van collectieve liefde voor deze moeilijk lief te hebben oudere man en zich verenigd te hebben gevoeld in hun steun voor hem – ondanks zijn luiheid, zijn neerslachtigheid – verwachtten ze op dat moment allemaal dat iemand anders de kans zou grijpen om mee te rijden in de ambulance, dachten ze allemaal dat er íémand moest zijn die de juiste persoon was om mee te gaan, één van hen voor wie het duidelijk het beste was, en niemand wilde zich opdringen en zeggen ík, omdat die ene júíste persoon Patrick moest kunnen vergezellen op dit belangrijke en licht ontvlambare moment.

Niemand zei iets.

En het blauwe licht gleed over hun gezichten, die droevig en plechtig stonden, sommige met een uitdagende glimlach, tot uiteindelijk de juiste persoon zich gewonnen gaf, en zei: 'Oké.'

2

Een gedeeltelijke geschiedenis

1989

Het was een warme septemberochtend, haar tweede dag op de campus, en Freya zat op een bankje voor het prestigieuze olympische zwembad van de Universiteit van Norwich, in een trui met twee natte plekken op de borst. Dat was het moment dat Don haar voor het eerst zag. Een week later was hij zwemmer geworden en lag hij een halve lengte achter haar in de middelsnelle baan. Hij had een zwembril op en zag haar lichaam onder water vergroot. Ze was zo soepel dat ze, zo beweerde Don later, 'niet te onderscheiden was van het water waar ze doorheen gleed'. Tijdens het zevende baantje streek hij langs haar arm toen ze voorbijkwam. In zijn achtste baantje schopte ze met een gelakte teennagel tegen zijn dij, bijna tot bloedens toe, hoewel ze zich dat niet kan herinneren.

Hij wachtte aan het ondiepe eind, ervan uitgaande dat ze zich zou verontschuldigen. Ze zwom tien baantjes, met de klok mee, en tikte de rand van het zwembad aan naast de plek waar Don stond. Ze ging over op vlinderslag en deed er nog vijf. Met de sleutel van zijn kluisje zaagde hij onder water een beetje aan het wondje op zijn been, om het er erger uit te laten zien. Daarna ging hij midden in de baan staan, met zijn rug naar de wand, zodat ze niet kon keren. Ze kwam met de schoolslag op hem af en hij zag haar hoofd steeds weer opduiken uit het water, 'haar mond een druipend ovaal', zoals hij het vertelde, 'donker en onbewoonbaar'.

Ze minderde vaart toen ze dichterbij kwam en had een blik van herkenning, of ingeslikt water, op haar gezicht. Zonder zwembril kon ze door het chloor niet veel gezien hebben. Vervolgens dook ze onder de driekleurige drijvers door naar de snelle baan, maakte een draai en gleed weg.

Freya ontmoette Janet voor het eerst toen ze tegenover elkaar in hetzelfde studentenhuis woonden. Ze waren een jaar ouder dan de rest van hun gang en voelden zich dus superieur en verstandig, net zoals een negenenhalfjarige zich voelt tegenover een negenjarige. Ze konden zich niets leukers voorstellen dan aan de rand van Union Square te zitten, met hun rug naar het Studentenadviescentrum, en hun medestudenten te beoordelen. Het plein had een beetje de vorm van een amfitheater: getrapte zitgelegenheid aan drie kanten en een lager gedeelte in het midden dat in feite een podium was. Janet en Freya zagen hoe de houding van eerstejaars veranderde wanneer ze in de schijnwerpers traden, alsof ze een rol op zich namen; de onnonchalante nonchalance van frisbeeën en footbaggen op de bühne; de theorie dat mensen half bewust positie kozen op basis van hun uiterlijk: mormels op het beschimmelde plaveisel bij de afzuigbuis van de eetzaal tegenover spetters die hun pauzes doorbrachten in de zon, sudderend in het onbeschaduwde zuidoostelijke kwadrant.

Hoewel Don altijd het gevoel had gehad dat hij Freya had weten te veroveren dankzij zijn unieke onderwaterverleidingskunst, was het in werkelijkheid zo dat zij en Janet hun oog al op hem hadden laten vallen. Don zat een jaar boven hen. Hij werkte zeer parttime (woensdagmiddag, eens in de twee weken) als bezorger van de studentenkrant, *Tegen-*

draads. Er stonden vier krantenbakken op de hoeken van het plein. Bij een aantal gelegenheden hadden Freya en Janet met een kop thee en een plak bananencake het ongehandschoende machismo zitten bekijken waarmee hij de plastic strips van de pakken trok. Hij was molliger toen, zonder baard nog, met dikke, zachte armen en een kleine vetkuif die drie vislijntjes midden op zijn voorhoofd liet hangen. De studentenpopulatie zag steeds met spanning uit naar het volgende nummer van *Tegendraads* – het had prijzen gewonnen – dus zodra hij een bak gevuld had, kwamen naburige eerstejaars er meteen aan rennen om een verse te pakken, wat Don iets gaf van een dierenverzorger rond voedertijd, waar hij duidelijk van genoot. Hij gebruikte een zeswielige steekwagen en vervoerde, met opzet, besloten ze, meer in één keer dan praktisch leek, zelfs wanneer hij de trap op moest. Hij gebruikte ook een rood Ford-busje, een van de weinige auto's die op de voetgangersgedeelten van de campus mochten komen, en hij bestuurde die met één arm rustend op het omlaaggedraaide raampje. Parkeren deed hij, expres, hadden ze ook weer gezien, op provocerende plekken – op gearceerde weggedeelten, voor nooduitgangen – allemaal om zijn non-conformistische aanpak te illustreren.

Ook al was hij belachelijk, hij had ook iets innemends, en Janet wist dat Freya op hem viel toen ze zei dat ze vond dat zijn kontje eruitzag 'als een alarmbel'. Janet moedigde haar aan om de eerste stap te zetten.

Op een dag die voor Don niet anders aanvoelde dan andere aangezien hij zich niet bewust was van de mechanismen die aan het werk waren, wachtte Freya hem op bij de kleedhokjes. Ze vroeg of hij zin had om bij haar te komen zitten, en in het café dat uitkeek op de klimmuur deelden ze een patat met vieze mayonaise. Hij bewonderde haar chloorverbrande ogen.

'Ik vind het wel lekker, die honger na het zwemmen,' zei ze.

'We hebben zo'n dadendrang als we honger hebben,' zei hij.

Er klonk het geluid van een vrijklimmer die tegen de mat sloeg.

'Voor het eten,' zei hij, en hij stak één vuist in de lucht, 'zijn we revolutionairen. Erna bureaucraten.'

Ze pakte een frietje en doopte het in de smurrie.

De volgende keer dat hij haar in het zwembad zag, droeg ze een zwembril. Onder water kon ze zien waarom hij haar altijd als eerste eruit liet gaan: zijn hydrodynamische spoiler, een omgekeerde vin, duwde tegen zijn zwembroek. Toen zij naar de kleedhokjes ging, bleef hij in het water om het weg te zwemmen, waar hij tweeënhalf baantje voor nodig had. Ze wachtte op hem in de naastgelegen voetenwasruimte met afdrukken in haar voorhoofd waar de zwembril te strak had gezeten. De geur van chloor zou hen altijd aan hun eerste kus herinneren.

Na twee weken consummeerden ze hun relatie in de familiekleedkamer. In recente vertolkingen van het verhaal had Don het wel eens met een knipoog over 'de extended familykamer', omdat daar voor hem de kiem gelegd was voor een herziening van de gevestigde ideeën over familie, maar hij was er nog niet uit hoe hij er iets geestigs van kon maken.

Tegen het eind van het tweede trimester brachten Freya en Don hun meeste tijd in haar slaapkamer door, genietend van het feit dat ze, bijna bij toeval, gebouwd waren als zwemmers. De resterende tijd werd doorgebracht met Janet, die meedogenloos alle geflikflooi in haar gezelschap de kop indrukte, en als ze hen er toch op betrapte, klapte ze hard in haar handen en zei 'hé' op de manier van iemand die een hond wegjaagt van een picknick.

1989 was een goed, of in ieder geval actievol, jaar om op een links georiënteerde universiteit te zitten. Op een hoek van Union Square stond een goedbedoeld maar slecht gemaakt Tiananmenplein-monument: een levensgroot beeld van de Onbekende Rebel, de man die met een boodschappentas in iedere hand een colonne Type 59-tanks tegenhield. Dat het monument nooit een verkeerspylon kreeg opgezet, gaf aan hoe serieus de studenten waren. In ander nieuws begon Thatcher een verwarde indruk te maken, toonde Zwarte Maandag de kwetsbaarheid van de aandelenmarkten aan en maakten The Happy Mondays duidelijk hoe goed de drugs van het vasteland waren. Op een rond het thema Eén Berlijn georganiseerd krakersfeest in een vervallen bejaardentehuis spraken ze voor het eerst over het idee van een leefgemeenschap. Uit de gang kwam het geluid van twee aangrenzende kamers, oost en west, die 'verenigd' werden met de botte kant van een brandblusapparaat. In de hal waren een paar grootverbruikers in naam van het antikapitalisme een steekspel aan het houden, gezeten in ziekenfondsrolstoelen.

Na het feest keerden ze terug naar Janets kamer en gingen op haar matras West Country-cider zitten drinken. Freya begon erover dat daar in het studentenhuis, met dat kleine gemeenschappelijke keukentje, die twee uniseks douchecabines, die papierdunne wandjes, er eigenlijk ook al sprake was van een soort commune, toch? En was het alleen maar een gerucht dat de indeling van de gang gebaseerd was op die van een laagbeveiligde Zweedse gevangenis? En zoals al die studenten dezelfde kleren droegen! Ze waren een sekte! Don stond nog niet bekend als charismatisch spreker, maar met een stuk in zijn kraag van de troebele cider begon hij een reputatie op te bouwen. Janet en Freya zaten aan weerszijden van hem op het bed en voelden het matras bewegen terwijl hij druk gebarend de smaak te pakken kreeg.

'Al die hippie-onzin,' begon Don met veel aplomb, al wekte hij de indruk dat hij niet precies wist hoe de zin verder zou gaan, 'heeft het project zo ongeveer om zeep geholpen, heeft het hele idee zo ongeveer gesaboteerd, zodat ze in een paar jaar tijd hun idealisme kwijt waren en daarna succesvol konden zijn met hun nieuwe bedrijfjes, goddomme, met hun plantenkwekerijen en hun winkels met kunstenaarsbenodigdheden, en ondertussen maar lullen over die wilde tijd toen ze probeerden de maatschappij opnieuw uit te vinden, weet je wel,' hij maakte het vredesteken en veranderde het in een opgestoken middelvinger, 'en een hoop blabla tegen hun vrienden en kinderen, van "moet je nagaan hoe naïef we waren" en "als ik-toen mezelf-nu kon zien", maar het punt is dat ze het nooit meteen vanaf het begin voor elkaar hadden kunnen krijgen, ze hadden nooit zomaar even een nieuwe manier van leven kunnen bedénken, een nieuwe basis voor de maatschappij, en het dan ook nog eens goed ten uitvoer kunnen brengen, vergeet het maar, dus je kunt niet zeggen dat de hippiebeweging een mislukking is geweest, je kunt zeggen dat het zwákkelingen waren, maar we moeten nooit vergeten dat het slechts een eerste poging is geweest, en het sneed wel degelijk hout, ze hadden door moeten blijven gaan, maar het is uiteindelijk allemaal afgedaan als een bevlieging, als een stelletje goed opgeleide hasjkikkers die elkaar op de schouder klopten, als onderdeel van de mode, als onderdeel van de jaren zestig, omdat – en daar is het echt de mist ingegaan – ze het bezoedeld hebben laten raken door de seksuele revolutie, die helemaal níéts te maken heeft met nieuwe samenlevingsstructuren.'

'Jij bent díé jongen,' had Janet gezegd, nippend van haar plastic bekertje. 'Mijn broer had me al gewaarschuwd dat ik je op de universiteit tegen zou komen.'

Freya wist zich nog te herinneren dat Don was blijven knikken toen hij eenmaal uitgesproken was, alsof zijn zin, zonder dat iemand het hoorde, gewoon doorging in zijn hoofd. Hij was het hartgrondig met zichzelf eens.

In hun tweede jaar verhuisden ze met zijn drieën van de campus naar een huis in Maud Street, waarvan Patrick Kinwood de eigenaar was. Janet was alleen bereid met een stel samen te leven als ze zich daar waar zij ze kon zien of horen zouden beperken tot alleen de vluchtigste blijken van fysieke genegenheid en ze het serieuzere werk voor de donkere kamer op de campus en de kleedhokjes in het zwembad zouden bewaren. Dat was misschien een van de redenen waarom Janet blij was als hun huisbaas op bezoek kwam: hij doorbrak de sfeer van heimelijk gevoos.

Met zijn huizenbezit, getinte bril, cokeprobleem en eenzaamheid bevestigde Patrick alles wat ze hoopten dat opging voor iemand die rijk geworden was in de wenskaartenindustrie. 'Hij staat voor het naderende einde van het consumentisme,' zei Don, die hem 'de kanarie in de kolenmijn' noemde. Patrick was een supporter van de Norwich City Football Club, de 'Kanaries', die in geel en groen speelden, en soms, wanneer hij dronken was, kon hij uitroepen: 'Ik blijf kanarie tot mijn dood', en dat vond Don dan weer leuk. Ze wisten altijd wanneer Patrick een ruig weekend had gehad, want dan stond hij op maandag voor de deur met een gereedschapskist, klaar om zich met klusjes door zijn zelfhaat heen te werken. Er werd een hoop aan hun huis gedaan die zomer.

Don was ondertussen de huurder die zijn huisbaas voorhield: 'Bezit is diefstal.' Het scheelde dat Patrick in die tijd voornamelijk verliefd was op Janet en midden in een zin ophield met praten zodra zij in haar handdoek door de huiskamer liep. Na een paar maanden, toen hij Patrick wat beter had leren kennen, hield Don ermee op hem 'de kanarie' te noemen. Het was moeilijk geworden om hem puur als een symbool van een bepaald wereldbeeld te zien. Uiteindelijk kwam er een moment dat ze zich niet meer rot schrokken wanneer hun huisbaas – zonder de voorgeschreven waarschuwingstermijn van vierentwintig uur – op hun bank zat te wachten tot ze terugkwamen van college. Het scheelde dat het huis op instorten stond, zodat er altijd nieuwe redenen waren om op te duiken in zijn groezelige trainingsbroek. Hoewel hij vijftien jaar ouder was dan zij, beschouwde hij zich als iemand die min of meer tot hun generatie behoorde, en hij zorgde ervoor dat hij met geen woord repte over de staat waarin de woning verkeerde, rode wijn op de muren, spinnenwebbarst in het dakraam, twee ontbrekende trapspijlen.

Toen Janet vroeg of ze haar kamer opnieuw mocht schilderen – drie muren wit, één aubergine – zei Patrick dat hij haar zou helpen. Hij betaalde verf, rollers, kwasten en afdekplastic, en ze brachten dagen samen in de slecht geventileerde ruimte door, duizelig van de dampen. Patricks vaak verkondigde liefde voor vrouwen in werkkleding stamde van Janet in een Radio 1 Roadshow T-shirt met verfspatten. Don mocht Patrick daar graag aan herinneren: 'Voor jou was het chemische aantrekkingskracht, voor haar de verflucht.' Don en Patrick bouwden hun relatie op het hartelijk vermoorden van elkaars karakter. 'Als we jou toch niet hadden, Don, uitlaatklep van de misnoegde middenklasse.' Veel later pas, toen ze bezig waren de gemeenschap op te bouwen, begonnen Don en hij, die vasthielden aan hun rechtstreekse stijl van communiceren, de buffer van welwillendheid langzaam kwijt te raken.

Na hun afstuderen verhuisden Freya, Don en Janet naar Londen, waar de recessie van de vroege jaren negentig zich stevig had ingegraven. Aangezien de huurprijzen van woningen nog steeds hoog waren in het centrum van Londen, was hun aangeraden om naar kantoorruimte uit te kijken. Don kocht een tweedehands pak en maakte een afspraak met de makelaar, Ash, een brede Australiër met een zongerijpt gezicht en bijna geen lippen, om naar een spotgoedkoop pand in North Lambeth te kijken. Ze gaven elkaar een hand en bleven die schudden tijdens het lopen. De toegangshal was geheel met spiegels bekleed, zodat Don zichzelf in alle richtingen vermenigvuldigd zag: een leger van netjes geklede versies van hemzelf, eindeloos handen schuddend met een leger van makelaars. Don zei wel eens dat het de gruwel van dat beeld was geweest waaruit de gemeenschap was geboren.

De makelaar maakte twee sloten open en ging naar binnen in een lichtloze ruimte, waar hij een voor een de industriële metalen rolluiken voor de ramen losmaakte en omhoogduwde. De rolluiken maakten een geluid alsof er een trein voorbijkwam. Bovendien kwamen er treinen voorbij. Het was één enkele reusachtige witte ruimte met flinterdun blauw kantoortapijt op de grond en stoffige ramen over de hele lengte van twee zijden. Aan alle kanten keken andere kantoren die leegstonden op hen uit. Vanaf het platte teerdak, een klim van vier verdiepingen over een New Yorks aandoende brandtrap, keek je helemaal uit tot Crystal Palace in het zuidoosten, en in het noorden werden ze een ontbreken van gebouwen gewaar waarvan ze na een tijdje beseften dat het de rivier was.

Toen ze er hun intrek hadden genomen, kwamen ze erachter dat een naburige ventilatiepijp elke ochtend de geur van verbrand baconvet naar buiten pompte en dat er rond de vuilnisbakken bij de dienstingangen van de omliggende gebouwen enorme ratten patrouilleerden.

Ze bouwden hun eigen muren met behulp van kantoortuinwandjes en -rekken, stapels boeken, schoenendozen, kleerkasten, ladekasten en B2-blokken uit een puincontainer verderop in de straat. Janet hing gordijnen en pashmina's op als deuropeningen. Het geluid droeg. Ze investeerde in muzikantenoordopjes om niet naar Don en Freya's idee van stille seks te hoeven luisteren. De hoek naast de nooduitgang werd de keuken, met kniehoge gastankjes en een tweepits kampeergasstel op een schooltafel. Ze vonden een nog werkende professionele contactgrill (één geribbeld oppervlak, één glad) op de achterplaats van het café aan de overkant. Hij bracht een verontrustende plasticlucht voort, maar was verder nog perfect.

Het lukte Don om een baan te krijgen die verband hield met zijn studie filmwetenschap, in de vierentwintig zalen tellende UCI-bioscoop in Elephant and Castle. Hij vulde de bakken met nacho's bij, sproeide vet op de hotdogworstjes en, het allermooist, leegde zakken salsa die eruitzag als liposuctievet. Zijn neus raakte verstopt van het popcornstof.

Iedere voorstelling moest er elk halfuur worden gecontroleerd of er niemand zat te roken of gemeenschap had op de luxestoelen. Hij zag nooit hele films, alleen maar glimpen terwijl hij van zaal naar zaal ging: een man die gemarteld werd met een bankschroef, een jongen die een hond omhelsde, dansende tekenfilmklokken, een verpleger die over liefde praatte, een reeks enorme explosies, sneeuw op een meer, bloed op beddenlakens, een gondeltochtje... enzovoort, vierentwintig zalen lang. Zijn afstudeerscriptie had als titel gehad 'Collage en slaap in de late Europese cinema', en in die verhandeling had Don voor het eerst het idee naar voren gebracht dat het waardevol was om het leven als een film te zien. Niet dat het individu de ster was en dat er camera's op hem gericht waren, maar dat onze ogen en oren een camera waren die altijd alles vastlegde. We moesten zelf beslissen waar ons leven – een live uitgezonden, in één keer opgenomen, onmonteerbare film – over zou gaan. In Dons levensfilm zat geen soundtrack. Hij gaf de voorkeur aan de dubbelzinnigheid van de stilte, zei hij, wat nog maar één van de vele rechtvaardigingen was voor het feit dat Don niet van muziek kon genieten.

Hij begon ergerlijk kritisch te worden. Hij zei dat hij geen giftig voedsel en geen giftige cultuur wilde consumeren en dat nachosaus, *Lethal Weapon 3* en Margaret Thatcher allemaal voortkwamen uit dezelfde tandeloze muil. De UCI radicaliseerde hem. Hij kende de trailers van *A Few Good Men*, *Batman Returns*, *Basic Instinct* en *Aladdin* uit zijn hoofd. Hij kende de slogans van talloze reclames voor luxeartikelen: Tanqueray, Omega, Bosch. Toen hij werd ontslagen, zei hij tegen zijn baas: 'Jouw geest – dat is het centrum van je leven. Alles wat je ziet en hoort en voelt. Hoe zou je erachter moeten komen dat iemand die had gestolen?'

Dat kwam uit de trailer van *Total Recall*.

Freya werkte op het inschrijvingsbureau van het Instituut voor Oosterse en Afrikaanse Studies. Haar twee collega's waren met elkaar getrouwd en het kantoor voelde soms aan als een verlengstuk van hun slaapkamer, met koosnaampjes en passief-agressief gefluister. De man was alcoholist; vijf of zes keer per dag hoorden ze het opvallende gesis van een blikje Holsten Pils dat schuim tegen de onderkant van zijn bureau spoot. Er werd nooit iets over gezegd, hoewel hij aan het eind van elke werkdag de blikjes op een rij bij zijn voeten had staan. Voor zover Freya kon beoordelen, waren ze op een punt in hun huwelijk aangeland waarop het voor zijn vrouw gemakkelijker was om net te doen alsof dat regelmatige *ketsssj*-geluid deel uitmaakte van het gewone administratieve rumoer: toetsaanslagen, gefotokopieer, continentaal bier. Om zich met haar werk te kunnen verzoenen nam Freya zo veel goede kwaliteit kantoorartikelen op de fiets mee naar huis dat ze er pijn in haar rug van kreeg. De schrijfblokken en rollerpennen zouden een belangrijke rol spelen bij het plannen van de gemeenschap.

Ondertussen werkte Janet in een tweedehandskledingmagazijn. Actievoerders kwamen binnenvallen om het bont kapot te snijden. Verslaafden stalen hippe dassen uit de éénpondsbak. De kleren arriveerden in reusachtige, samengeperste balen die, eenmaal losgesneden, openveerden en verdriedubbelden in grootte: moerassen van het vuile goeie goed van dooie mensen. Er was geen verwarming, want verwarming was zinloos in een ruimte van die afmetingen, dus Janet had een permanente stofhoest en verstopte neus en kreeg uiteindelijk te horen dat ze bronchitis had.

Dat gezegd zijnde waren ze alle drie redelijk gelukkig: Freya en Janet voelden zich verbonden door een baan die ze verachtten, terwijl Don, net werkloos, thuisbleef en het huishouden deed. Toen kwam Patrick. De recessie had de huurmarkt getroffen en hij had een huis moeten verkopen. Ze kwamen er later pas achter dat het huis dat hij verkocht had het huis was waarin hij zelf woonde. Hij was dakloos. Ze dachten dat hij alleen het weekend zou blijven, maar toen Janet en Freya op maandagavond thuiskwamen van hun werk zagen ze dat hij een lokkertje had klaargezet: twee dozijn oesters en een fles champagne. Sinds hij was gestopt met de cocaïne, was hij gaan eten. Toen Janet fronsend tegen een van de geplooide, testikelachtige zakjes duwde, wist Patrick dat oesters geen garantie voor verleiding waren. Don daarentegen tastte onmiddellijk toe.

Gedurende die eerste twee weken maakte Patrick zich onmisbaar door praktische dingen te doen zoals het plaatsen van gipsplaatwanden, die – zo beweerde Don – voornamelijk waren ingegeven door zijn behoefte aan privacy met Janet. Vervolgens werd ook Freya ontslagen en bood Patrick aan het huurtekort te dekken, wat het moment was waarop zijn aanwezigheid permanent werd. Terwijl Janet aan het werk was, verkenden zij met z'n drieën gratis Londen: 's ochtends zwemmen in het natuurbad in Hampstead, lunch bij de hare krisjna's, 's middags naar een museum. Elke avond, wanneer Janet doodmoe en ontvankelijk was, liet Patrick haar de primitieve sommetjes in zijn in leer gebonden notitieboek zien die aantoonden dat, met een combinatie van lichte steunfraude en wat extra huisgenoten om de kosten te drukken, Janet haar baan kon opzeggen om samen met hen te genieten van 'de zomer van de slapte'. En op een glorieuze avond, toen ze weer een nieuwe luchtweginfectie voelde opkomen, bezweek Janet.

Ze haalden er een oude vriendin van de universiteit bij, Li, die slim en eenzaam was, en zo'n smalle neusbrug had dat ze haar bril moest ombinden. Don stelde voor dat ze ook Ash – de makelaar – met een handgeschreven brief zouden uitnodigen, omdat, zoals Don schreef: 'ik meende iets in jou te zien dat verlangde naar het andere', maar ze kregen geen reactie. Ze haalden Perry erbij, een magere scenarioschrijver in de dop die in een hoek van de zaal een heuse tuinschuur voor zichzelf bouwde om in te wonen/werken. Er was Chris, die in herhaling viel maar goed van pas kwam, als ecotimmerman in een tijd dat eco-zus-of-zo niet alleen maar betekende dat je ooit in een boom geklommen was. Er was Alana, die 'niet van brood hield' en een hypoallergeen katje meenam. Er was Arlo Mela, een jonge Welsh-Sardijnse souschef die zo veel uren in het Gavroche werkte dat ze nooit wisten of hij nou in zijn bed had geslapen of alleen maar het dekbed had omgewoeld voor het effect. Met elke nieuwe rekruut herschikten ze de wanden om nieuwe kamers te maken. De huur ging omlaag. Ze deelden het eten. De zondagse lunch was bourgondisch en verfijnd – oesters waren geen uitzondering – met uitzicht vanaf het dak.

Tegen het einde van de zomer begon de recessie af te nemen. Op het dak van een aangrenzend kantoorgebouw verscheen een hijskraan. Dronken en gadegeslagen door al zijn huisgenoten besloot Don op een zondag over de smalle kloof tussen de daken te springen en erin te klimmen. Bovenin, naast de bestuurdersstoel, vond hij een stel Celtic Spring-mineraalwaterflessen gevuld met pis in verschillende tinten van dehydratie. Hij wilde uitroepen: 'Het hart van de kapitalistische droom', maar deed het niet. In plaats daarvan noteerde hij zijn verlangen om het te doen. In die tijd schreef hij zijn emoties vaak op.

In de herfst zaten de omliggende kantoorgebouwen weer bijna vol: ergonomische schoenmakers, taxibedrijfjes en een tijdschrift over de biomedische industrie getiteld *Research? Research!* Ze waren helemaal gewend geraakt aan het gevoel dat het gebouw van hen was, en hun buren, mensen met echte banen, vonden het niet leuk om in de lunchpauze voorbij te lopen en de rolluiken omhoog te zien gaan voor een tableau van drop-outs in badjas. Op een ochtend verscheen Ash de makelaar met twee grote kerels van de gemeente.

Toen ze te horen hadden gekregen dat ze over een maand weg moesten zijn, hield Don een van zijn toespraken. Alleen hield hij in die tijd nog geen toespraken, dus het leek gewoon geïmproviseerd en oprecht. Hij zei dat ze twee mogelijkheden hadden: ofwel terugkeren naar het vertrouwde, ellendige gezwoeg van het stadsleven, óf voortbouwen op de energie van die zomer, hun gezamenlijke vaardigheden, hun collectieve werkloosheid en hun jeugdigheid, en een ander leven proberen op het platteland. Zo noemde hij het. Het platteland. 'De stad zal er evengoed nog zijn, klaar om ons op te slokken op het moment dat we terug willen.'

Die toespraak kwam voor Freya niet als een verrassing. Zij en Don hadden het er al uitvoerig over gehad – hadden zelfs besproken hoe ze er het beste tegen hun huisgenoten over konden beginnen en hoe ze het het beste verborgen konden houden voor Alana, die niemand mocht. Maar Freya speelde het mee en deed net alsof ze op dát moment getroffen werd door de rijpheid van het idee.

'Ik ben er klaar voor,' zei ze, en stond op. 'Wie doet er nog meer mee?'

Van de zeven van hen bleef alleen Arlo zitten. Een paar weken later hoorden ze dat hij een beurs had gekregen om als patissier in New York te gaan werken. Niet alleen dat, maar ook nog eens bij zijn culinaire held, een legendarische Oostenrijkse kok met een groot restaurantimperium en een eigen lijn van koekenpannen.

De daaropvolgende paar weken trokken ze eropuit met twee auto's – de ene van Chris, de andere van Li – om op zoek te gaan naar een geschikte locatie. Ze gingen naar Yorkshire, Northumberland, Dumfriesshire, Midden-Wales, Noord-Wales, Zuid-Wales – overal waar het goedkoop was. In North Gower vonden ze een gebouw dat vroeger een parochieschool was geweest, vooral aantrekkelijk vanwege het ene klaslokaal, waar een vervallen cottage aan vastzat. Het lag op een onuitnodigend stuk landbouwgrond aan de sombere westkant van Het Bolwerk en zou een fantastisch uitzicht op het strand van Rhossili hebben gehad als de heuvels niet in de weg hadden gezeten. Maar het was onmiskenbaar goedkoop, en in charmante tegenstelling tot hun eerdere ervaringen probeerde de boer die het verkocht niet te verhullen dat hij er dolgraag vanaf wilde. Hij zei: 'Ik wil er dolgraag vanaf.' Hij had reusachtige zichtbare haarvaten in zijn neus. Zijn enige poging tot makelaarspraat was toen hij het over het 'microklimaat' van het Gower-schiereiland had.

Nadat hij hun het huis had laten zien, nam hij hen mee naar het hoogste punt van Het Bolwerk, dat zich achter de boerderij verhief. Vandaar konden ze in het noorden de monding van de Loughor zien liggen, in het westen Worm's Head dat zich uitstrekte naar de Ierse Zee, en in het zuiden het Kanaal van Bristol en daarachter de kliffen van Devon. In het oosten lag Swansea met zijn industrie en datgene waaraan ze probeerden te ontsnappen. Voor Don, die dat soort dingen belangrijk vond, ging van een schiereiland de juiste suggestie uit: iets wat zich *schier* had losgemaakt van het vasteland en op het punt stond de sprong te wagen naar het onbekende.

Patrick – nu op het toppunt van zijn liefde voor Janet – deed de aanbetaling. Ze namen een gezamenlijke hypotheek die erin voorzag dat Patrick, Freya, Janet, Li, Perry, Chris en Don ieder voor een bepaald deel eigenaar – en aflossingsplichtig – waren, afhankelijk van wat ieder van hen zich kon veroorloven. Tegelijkertijd liet Patrick door een notaris een 'verklaring van vertrouwen' opstellen die, als een duidelijke daad van wantrouwen, ieder van hen verplichtte om, los van hun aandeel in de hypotheekaflossing, elke maand een klein bedrag af te dragen om zijn aanbetaling terug te betalen. Hij was blij om te merken dat zijn ervaring als huiseigenaar van pas kwam en hij richtte een reservefonds op en sloot een uitgebreide verzekering af. In oktober gingen ze er wonen, toen de enige ruimte met een volledig functionerend dak het klaslokaal was, dus daar sliepen ze. Het was een geluk dat ze er in Londen aan gewend waren geraakt om op een kluitje te wonen. Ze namen hun gasstellen mee en gaven de voorkeur aan langzaam gegaarde stoofschotels en curry's omdat die meer warmte het lokaal in straalden. Ze hadden met kerst nog geen sneeuw op het strand verwacht.

Die eerste winter werkten ze aan het vastleggen van de details van hun project, van de ongewone groentesoorten die het microklimaat mogelijk maakte – broodvrucht, okra, zwarte schorseneer – tot de getrapte permacultuurtuin, het badmintonveld, een Aylesbury-woerd en zes eenden, het joertendorp, een Gloucester Old Spot, radicchio, kikkererwten en kousenband, het recht op een kreeftenfuik in Broughton en uitsluitend eigen energie: water, zon en wind, en autoaccu's verstopt in bijenkorven.

Toen het voorjaar werd, waren ze twee leden kwijt: Li, die zei dat het vocht haar ziek maakte, en Perry de scenarioschrijver, die bij zijn ouders ging wonen om een speelfilmlang script over het leven in een commune te schrijven. Met zeven mensen die in één ruimte leefden, was privacy ver te zoeken. Iedereen wist wat Patrick voor Janet voelde en wachtte af of ze zou capituleren. Bij gebrek aan tv waren zij de soap.

Toen het weer beter werd nam hun aantal toe, en onder leiding van Chris begonnen ze aan de renovatie van het huis en de bijgebouwen. De trap was op een slapstickmanier verrot en ze gebruikten een houtgestookte stoomzaagmachine, de trots en vreugde van Chris, om planken te zagen. De Rayburn-gasoven, waarvan ze hadden aangenomen dat hij kapot was, werd wakker uit zijn winterslaap met het gebrul van vlammen in zijn buik. Het huis en de tuin waren er zo erg aan toe dat de veranderingen van uur tot uur spectaculair waren. Na een dag in de weer geweest te zijn met zeisen en kapmessen om kreupelhout, brandnetels, braamstruiken en onkruid weg te halen, vierden ze feest rond een zegevuur. Eigenlijk werd het hele eerste jaar gekenmerkt door dat gevoel dat ze grote stappen maakten.

Officiële vergaderingen werden gehouden, en bleven gehouden worden, op donderdagochtend, in eerste instantie wekelijks en later tweewekelijks. Ze werden elke keer door een ander lid voorgezeten tot ze zich realiseerden dat het makkelijker was om Don permanent voorzitter te laten zijn dan om te proberen zijn bijdragen te beteugelen. Een van zijn eerste voorstellen was om de boerderij een Welshe naam te geven. Don betuigde zijn steun aan de Meibion Glyndwr-beweging – een toen nog actieve groep die brandbommen had gegooid naar vakantiehuizen van Engelsen op Anglesey en het Lleyn-schiereiland. Hij zei dat de Engelstalige vernietiging van de Welshe cultuur onvergeeflijk was. Don 'Meibion Glyndwr' te zien uitspreken, was iemand strijd te zien leveren met zijn eigen genen.

'Mijn zegen hebben ze,' zei Don met een Schots accent. Zijn familie was Engels, maar een van zijn verre voorouders had Schots bloed gehad.

'Ze zullen vast opgelucht zijn dat je ze steunt,' zei Patrick, die, met zijn Welshe moeder, de enige onder hen was die kon zeggen dat hij naar het moederland was teruggekeerd.

Ze kochten een Engels-Welsh woordenboek en probeerden de twee woorden bij elkaar te vinden die het beste hun geografische locatie weergaven, want Welshe huisnamen waren doorgaans puur beschrijvend: 'huis op driehoekig stuk land', bijvoorbeeld. Er volgden twee weken van afmattende discussies, longlists, shortlists, blind stemmen en dag in dag uit het geluid van mensen die afwezig verschillende woordcombinaties herhaalden – *Ty Nant*, *Cwm Mawr*, *Trem Coed*, *Treffoel*, *Dolclogwyn* – om te proeven hoe ze in de mond lagen.

Blaen betekende 'uiteinde' en 'begin', wat allebei iets zei, vond Don, over de redenen waarom ze daar waren. Het verwees ook naar een plek aan de kop van een vallei. Ze zaten aan de zijkant van een bijna-vallei. En *Llyn*, dat 'meer' of 'poel' betekende, refereerde aan het zwembare stuk rivier in het bos. Die hele eerste winter hadden ze het erover gehad hoe ze daar zouden zwemmen en picknicken, ongeveer zoals mensen die een huis in een meer Vinex-achtige omgeving kopen de barbecues voor zich zien die ze nooit zullen houden. Don hield van de naam vanwege zijn lastige medeklinker en die strenge, alleenstaande extra klinker. Blaen-y-llyn was een symbool van hun vroege betrokkenheid bij de taal en zou hen er later aan blijven herinneren dat sommige van de volwassenen nooit verder waren gekomen dan het conversatie-Welsh van een peuter.

Het eerste dier dat ze kochten was een Gloucester Old Spot genaamd Beer. Ze gaven hem die naam om te voorkomen dat ze te sterk aan het beest gehecht zouden raken, aangezien ze van plan waren hem vet te mesten en dood te maken. Beer dacht daar anders over en maakte zichzelf onmisbaar door de belangrijkste ontginner van voorheen onbewerkbaar kreupelbos te worden. Zo'n beetje de hele oppervlakte van wat nu de tuinderij was, was eerst omgewoeld, en ondergescheten, door hem. Pas toen er geen onontgonnen land meer over was voor Teddy (zoals Don hem was gaan noemen), besloten ze hem op te eten. Don trok het kortste strootje toen besloten moest worden wie het .22-geweer zou hanteren dat ze van een naburige boer hadden geleend.

De avond voor de slacht, toen hij lente-uitjes julienne stond te snijden, ontvelde hij het topje van zijn trekkervinger. Dat ging gepaard met een hoop bloed en, volgens sommigen, gemaakt gevloek. Hij maakte er een klein drama van en zei dat hij het vreselijk vond, maar dat zijn schietvaardigheid hieronder te lijden had, al zou hij met alle liefde de supervisie op zich nemen. Er werden opnieuw strootjes getrokken.

Teddy stond kliekjes uit een emmer te eten toen Freya hem door zijn hersens schoot. Don, die probeerde te helpen, viel op zijn knieën en hield het varken op zijn zij, terwijl zij de slagader in zijn hals doorsneed. Vervolgens, zoals onderzoek al had uitgewezen dat er zou gebeuren, leek het varken weer tot leven te komen toen door een zenuwreactie het lichaam begon te schokken en de poten begonnen te trappen. Teddy was groot, groter dan de man die hem vasthield, en terwijl Don overeind probeerde te krabbelen kreeg hij een hoef tegen zijn ribben.

Zes dagen lang liep Don langzaam opstapjes op en af en maakte hij lange zuchtgeluiden wanneer hij op een stoel ging zitten of ervan opstond. Ook greep hij iedere gelegenheid aan om de rol van zijn vrouw te mythologiseren: haar kalme houding, haar trefzekerheid maar met onderliggende menselijkheid. Dat leidde tot het voorstel dat Freya als eerste van de gemeenschap een wapenvergunning zou aanvragen, en toen ze die eenmaal had, was haar lot bezegeld. Zij was de beul. Don werd nooit meer gevraagd om te helpen, al at hij evengoed zijn bacon met een air van morele onaantastbaarheid.

Na twee jaar kwam Arlo terug. Het verhaal wil dat de legendarische Oostenrijkse kok de keuken had bezocht om te bepalen wie van de stagiairs hij fulltime in dienst zou houden. Hij had een compliment gemaakt aan Arlo, die, aan het eind van een lange werkdag, tranen van geluk en ontzag onderdrukte, van top tot teen rood werd en zijn huid klam voelde worden. Ze gaven elkaar een hand. De volgende dag werd de boodschap doorgegeven dat Arlo 'geen handen voor patisserie' had.

Niemand is er ooit achter gekomen waar Arlo de tussenliggende jaren heeft doorgebracht. Op nieuwjaarsdag kwam hij over de bevroren oprijlaan aanlopen met een rol Japanse messen onder zijn arm in plaats van een slaapzak. Hij had inmiddels het soort baard dat in een professionele keuken onaanvaardbaar is. Hij had geen handschoenen en zijn handen waren blauw.

Toen het grote huis eindelijk bewoonbaar was, hielden ze een groots openingsfeest. Don koos die dag uit om bekend te maken dat Freya twaalf weken zwanger was. Dat werd met gejuich ontvangen en gaf een impuls aan nieuwe projecten. Don, Patrick en Janet begonnen met de bouw van de werkplaats. Chris, Arlo en Freya zagen toe op de aanleg van een tuinderij en kochten eindelijk een paar boeken over permacultuur.

Zesentwintig weken later waggelde Freya het klaslokaal binnen, in sumohouding, het haar naar achteren gebonden, hijgend als een gewichtheffer, gevolgd door een vroedvrouw en haar stagiaire, allebei met een rechthoekig marineblauw schort om. Kate Bronwyn Riley (of Bronwyn Kate Riley, zoals ze zou hebben geheten als Don zijn zin had gehad) kwam twaalf dagen te vroeg. Toen Don die ochtend was vertrokken om een kofferbak vol babykleertjes, boeken, speelgoed en een ledikant van een gelijkgestemde gemeenschap in Somerset op te halen, had hij Freya een kus gegeven en tegen haar navel gefluisterd: 'Waag het niet.'

Hij had geluk dat het nieuws hem überhaupt bereikte. Toen in Somerset de telefoon ging in het ontmoetingshuis in Mongolische stijl stond hij toevallig in de buurt. Hij scheurde terug over smalle weggetjes, toeterend bij blinde bochten, en beet op zijn tong terwijl hij op de snelweg de snelle rijstrook voor zich opeiste, met zijn aura van noodzakelijkheid, auto's opzij vegend met een flits van zijn koplampen. Een deel van hem was opgelucht dat zijn rol bij de geboorte zo welomschreven was. *Het enige wat je hoeft te doen is zo snel gaan als je kunt.* En hij hoopte heimelijk dat hij het babygehuil van een politiesirene achter zich zou horen, gedwongen zou worden te stoppen, de agent frank en vrij te woord zou kunnen staan, een wanhopige woordspeling met hem zou kunnen delen – 'Ik moet vast een record hebben gebroken, maar bij mijn vrouw zijn de vliezen gebroken' – en dan zijn reis zou kunnen hervatten met een gelukwens van de agent, na dwars door de vierde wand tussen regering en burger heen te zijn gegaan. In werkelijkheid was de race al zo goed als gelopen toen hij de brug over de Severn op reed, maar ze konden het hem op geen enkele manier laten weten, dus sjeesde hij voort en hield het split screen-verhaal gaande, trok parallellen tussen het gezwoeg en gezweet van de motor onder de kap en dat van zijn vrouw die – zoals hij haar voor zich zag – schreeuwde:

'Waar is Don verdomme? Ik heb hem nu hier nodig!'

Toen zijn auto slippend het erf op reed was het donker, en bij binnenkomst in de hal zag hij aan Patricks haar, dat alle kanten op stond zoals bij iemand die iets heftigs heeft meegemaakt, dat hij te laat was. Freya en Kate lagen allebei te slapen en Don moest zich erbij neerleggen dat zijn voornaamste rol in het geheel zou zijn dat hij de placenta aan de geiten mocht voeren. Hij luisterde naar hun gekauw.

Patrick was op het juiste/verkeerde moment op de juiste/verkeerde plaats geweest en had Freya zo goed mogelijk proberen te helpen, had zelfs – in een vlaag van onkarakteristieke dapperheid – gezegd: 'Ooo-keee', toen ze vroeg of hij de navelstreng wilde doorknippen. Hij herinnert zich nog de kraakbeenachtige structuur, eerst de weerstand en dan het meegeven. Er waren misschien momenten dat hij zich onzeker voelde over zijn plaats binnen de gemeenschap en dat hij zich afvroeg of hij daar wel om de juiste redenen was, maar dit was het moment geweest dat hij zich helemaal opgenomen had gevoeld.

3

Behandeling

Zaterdag

'Pap, tijd om op te staan.'

'Mmm.'

'Doe je ogen open.'

'Hoe laat is het?'

'Laat. Verschrikkelijk laat.'

'Hoe laat precies?'

'Bijna twee cijfers.'

'Albert, je vader is moe.'

'Je vrouw is al uren wakker.'

'Oké.'

'Je zei dat ik de Sovjetmuts op mocht.'

'O ja?'

'Gisteravond toen we in het bos waren. Je hebt het beloofd.'

'Ik denk dat we vandaag oom Patrick gaan opzoeken in het ziekenhuis. Schrijf maar een mooie beterschapskaart voor hem.'

Kate zat in de wachtkamer. Haar vader had haar een van de twee mobieltjes van de gemeenschap gegeven. *36 ongelezen berichten en 60 gemiste oproepen*. De oproepen gingen terug tot de vorige zomer. De sms'jes kwamen hoofdzakelijk van onbekenden die in contact probeerden te komen met mensen die al maanden weg waren.

Vrienden, dit is Paavo – de 'Fin met de kin'! Nu in Mumbai, aan het werk voor een ngo. Kom eens langs, de vloer ligt heerlijk! ;-) Groeten!

Ik weet niet of Jake er nog is, maar zo ja: PENBLWYDD HAPUS I TI, CARIAD! Dan x

Frey, ik hoop dat het wat beter gaat. Vervelend om te horen dat je het moeilijk hebt. Als je wilt praten – ik ben er voor je. Hou moed. xx

De zonnewende nadert! Dit is Zwitserse Andy. Groeten uit La Senda, gemeenschap in oprichting in Santiago de la Compostela, Spanje. Ik denk aan jullie, en aan Arlo's paella (beter dan hier!!) Ax

Het sms'je dat net was binnengekomen luidde:

Morgen K, willen allemaal graag bij PAT op bezoek. Bel me zodra je kunt. H trots op je. Liefs PAP

Ze hadden een soort papieren dekbed rond Patrick opgericht waarin met een ventilator warme lucht werd geblazen. Ze dienden hem warme vloeistoffen toe, rechtstreeks door de buikwand en met twee infusen, één in elke arm. Hij kreeg zuurstof terwijl coassistenten toekeken. Hij kon zich niet herinneren wanneer er voor het laatst zo goed voor hem was gezorgd. Het middelpunt van jaren studie! In de gaten gehouden door vier apparaten!

'Waarom heeft Patrick prioriteit?' vroeg de dokter.

Een van de studenten, een klein meisje met toegewijde wenkbrauwen, stapte naar voren.

‘Hier,’ zei ze, wijzend. ‘De huid boven zijn enkel sterft af.’

Toen hij uren later weer wakker werd, op de zaal, was er een metalen stellage rond zijn enkel gebouwd, met dwarspennen die met platen in zijn botten verbonden waren. Zijn voet zat in het verband en hing boven het bed, in een blauwe lus. De tv zweefde boven hem in de lucht, vastgehouden door een metalen arm. Hij keek verward om zich heen, herkende toen Kate, die naast hem zat, en werd wat rustiger. Ze pakte zijn hand en gaf er een kneepje in.

Het duurde niet lang voor er een verpleegster kwam met een dienblad: een glas limonade, een rietje en een bord afgedekt met een plastic koepel. ‘Uw lunch, heer,’ zei ze, en haalde met een zwierig gebaar het deksel weg. Patrick zag de dampwolk opstijgen en zich over het lage plafond verspreiden. Kabeljauw in peterseliesaus, puree, erwten. Ze maakte een buiging en ging weg. Hij staarde een tijdje naar het kleurige eten en probeerde toen de limonade.

‘Patrick, ik vind het zo erg. Kun je je nog herinneren wat er gebeurd is?’

Zijn stem klonk gedempt en kwam uit zijn keel. ‘Beetje.’

‘Ik ben met je meegereden in de ambulance. De anderen komen ook straks.’

Hij zoog aan het rietje tot het raspte. ‘Wanneer?’ zei hij. De hoge tonen leken in zijn stem terug te keren en hij zag er nu wakkerder uit. Zijn been bewoog in de lus.

‘Ze komen vanmiddag op bezoek.’

‘Wannéér?’ Hij probeerde rechtop te gaan zitten, maar dat lukte niet. Hij keek om zich heen of hij een klok zag.

‘Het is nu kwart over een. Ze komen om een uur of drie.’

‘Nee,’ zei hij luider. Zijn handen duwden tegen de lakens, maar hij kon niet overeind komen. Hij gromde zachtjes terwijl hij lag te worstelen.

'Wat is er aan de hand? Maak je niet zo druk.'

'Zég tegen ze dat ze niét moeten komen,' zei hij. Hij greep de metalen veiligheidsbeugels van het bed beet en draaide zijn hoofd naar links en naar rechts, terwijl zijn stem het weer begaf en er slijm in zijn borst reutelde.

'Het zijn je vrienden, Patrick. Ze maken zich zorgen om je.'

Hij klauwde naar de slangetjes aan zijn pols en probeerde het verbandtape los te trekken.

'Ik zal iemand halen.' Kate stond op.

'Hoh,' riep hij, en hij klonk als een umpire. Zijn opgehesen been zwaaide heen en weer en hij stootte het dienblad met eten van het bed, waarbij het plastic bord kletterend op de grond viel, het lemmetloze mes en wat snot van papperige erwten op het linoleum terechtkwamen en de kabeljauwfilet het gangpad in gleed.

'U bent verbonden met de voorhoede van de menselijke beschaving.'

Dat was een van de nieuwe manieren van haar broertje om de telefoon op te nemen.

'Hoi, wil je papa even roepen?'

'Waar zit je ergens? Bij je vriendje natuurlijk.'

'Je weet waar ik ben. Ik ben in het ziekenhuis.'

'Zeg maar tegen je vriendje dat ik een geweldige scherpschutter ben.'

'Oké, Al, ik bel vanuit het boudoir. Haal papa nou even.'

'Als ik het niet dacht.'

'Ik bedoel dat je nu even serieus moet doen. Haal papa.'

Ze hoorde hem de telefoon neerleggen en verdwijnen.

'Hallo?'

'Hoi pap.'

‘Kate! Ik heb al geprobeerd je te bellen. Fijn om je te horen. Hoe gaat het met hem?’

‘Het gaat wel goed. Hij is geopereerd. Is allemaal goed gegaan.’

‘Mooi – we zijn een konvooi in gereedheid aan het brengen. En een fruitmand die alle andere fruitmanden overbodig maakt. Met een pot sherry-uien.’

‘Hij is wakker nu en hij heeft gevraagd of er niemand op bezoek wil komen.’

‘Arlo heeft verse wildeknoflookpesto gemaakt en Albert een kaart.’

‘Hij draaide helemaal door. Hij wil niet dat jullie komen. De verpleegster heeft gevraagd of jullie een dagje kunnen wachten.’

Ze kon haar vader door de telefoon heel diep horen inademen. Hetzelfde geluid dat uit de hal was gekomen toen hij de post had opengemaakt en ze geen toestemming hadden gekregen voor het joertendorp.

‘Oké dan.’

‘Sorry, pap.’

‘Niet jouw schuld.’

Op de achtergrond hoorde ze haar broertje iets zeggen over de Sovjetmuts en vervolgens de trap op rennen.

Er hing een injectiespuit vol morfine schuin boven zijn bed en er was een rubberachtige grijze knop in de vorm van een kleine champignon die hij met zijn duim kon indrukken als hij een dosis wilde. Die knop zat op een plastic doosje dat erop gemaakt was om makkelijk in de hand te liggen. Het stond hem elk halfuur één shot toe.

Vanwege zijn grillige gedrag mocht Kate ook buiten de gewone bezoekuren naast zijn bed blijven zitten. Hij lag op een achtpersoonskamer met blauwe gordijnen die iedereen van elkaar gescheiden hielden. De man in het bed tegenover hem kreeg een schoon verband om. Zijn halve hoofd was kaalgeschoren en er liep een lang, kromzwaardvormig litteken over zijn schedel, afgezet met dikke korsten. Kate hoorde het geluid van iemands ijzeren long die zoog en pompte, wat haar deed denken aan haar vaders ademhaling door de telefoon.

Patrick werd wakker voor een herhaling van *Who Wants to Be a Millionaire?* Elke keer als hij het antwoord wist, drukte hij zijn grijze morfineknop in. Uiteindelijk maakte de spuit een sissend geluid. Hij raakte weer buiten westen toen de aftiteling over het scherm rolde.

'Alles wat binnenkomt, blijft binnen.'

Don en Albert stonden op het erf in schraal zonlicht. Ze hadden een jas aan en een das om en konden hun eigen adem zien. Don had zijn Persoonlijk Instrument op en was bezig uit te leggen dat hij de constructie had gemaakt op basis van een ontwerp uit 1985 van de Poolse kunstenaar Krzysztof Wodiczko. Op zijn achttiende, voordat hij Freya en Janet kende, had Don een reis door Oost-Europa gemaakt en *Het slot* van Franz Kafka gelezen, en was toen op Wodiczko's kunsttechnologie uit de Koude Oorlog gestuit, waarop hij had besloten zelf een replica te maken. Nu, vele jaren later, was het een berucht onderdeel van het onderwijsprogramma van de gemeenschap. Kate had ermee te maken gehad, en nog een stuk of tien andere jonge mensen in de loop der jaren. Normaal gesproken benaderde hij iemand na zijn dertiende verjaardag, maar voor Albert had hij een uitzondering gemaakt.

'Het gaat er in het leven om dat je slechte informatie vermijdt en de goede versterkt.'

Als zijn zoon gewoon het kritisch vermogen kon ontwikkelen om ervoor te kíézen zich niet door Marina te laten beinvloeden, was er geen reden meer om hem mee te nemen naar het rondhuis. Don noemde deze les 'het Menselijk Filter', maar hij stond beter bekend als 'de Sovjetmuts'.

Freya was aan de zijkant van het huis bezig hout te hakken met een regelmatig *tjak*. Marina en Isaac waren in de pottenbakkerij. Janet zat op een bankje voor het klaslokaal een brief aan Patrick te schrijven op een spiraalblok; ze had vingerloze handschoenen aan.

'Het komt erop neer dat het je aangeboren kritische intellect helpt ontwikkelen,' zei hij, luid genoeg om door zijn vrouw gehoord te worden. 'Waar moeten we naar luisteren en wat moeten we negeren?'

Die vraag was extra relevant omdat Patricks ongeluk, volgens Don, was voortgekomen uit een onvermogen om bepaalde onbetrouwbare innerlijke stemmen terzijde te schuiven. Don droeg een grote koptelefoon, een rode ijsmuts en zwarte handschoenen, die allemaal door draden met elkaar verbonden waren. Er zat een kleine richtmicrofoon aan de voorkant van de muts.

'Om te beginnen bepaal ik zelf wat ik wil horen door ernaar te kijken. De microfoon pikt alleen geluiden op die uit die richting komen. Dus als ik ervoor kíés, kan ik je moeder hout horen hakken,' zei hij, en hij keek naar de zijkant van het huis.

'Ik kan haar nu al horen,' zei Albert.

Don richtte zijn voorhoofd op Alberts mond. 'Zeg nog eens?'

'Ik zei dat ik haar kan horen.'

'Oké, en als ik jou wil horen, kijk ik naar jou.'

Janet keek op, fronste haar wenkbrauwen, boog het schrijfblok om en schreef verder.

'Daarnaast kan ik zelf bepalen of ik hoge of lage geluiden wil horen. Als ik deze hand opendoe,' zei Don, terwijl hij met zijn rechterhand zwaaide, 'kan ik vogelgeluiden en gefluit horen. Als ik mijn linkerhand opendoe, kan ik bassige geluiden zoals automotoren horen. En als ik ze allebei opendoe, alles. Dat wordt allemaal geregeld door lichtsensoren in de palmen van de handschoenen.'

'Waar is het voor?' zei Albert, en zijn stem bereikte zijn vader hortend en dunnetjes.

Het hakgeluid vertraagde.

'Het laat zien dat we er soms niet bij stilstaan hoe we door de wereld worden beïnvloed. Alles wat we zien, horen, lezen, proeven, rúíken zelfs, werkt op ons in op manieren die we niet helemaal kunnen begrijpen.' Het hakken hield op. 'Sommige dingen zijn de moeite waard om naar te luisteren, andere dingen niet. Beschouw al die *in*put maar als *in*grediënten *in* het recept dat van jou, Albert Riley, de heerlijke, luchtige man-taart zal maken die je, naar wij allemaal hopen, zult worden.'

Het hakken begon weer, sneller nu. Don bewoog zijn handen in het rond en deed ze open en dicht alsof hij tai chi beoefende. Janet stond op en ging naar binnen.

'Oké, pap. Mag ik nu?'

Don gaf de muts met de koptelefoon aan Albert, die ze op zijn kleine hoofd zette. Vervolgens trok hij de handschoenen aan.

'Nou, vertel me wat er gebeurt als je allebei je handen dichtdoet,' zei Don.

'Dan word ik doof.'

Albert keek omhoog naar de hemel en voor zich uit naar de werkplaats en omlaag naar de grond. Daarna keek hij naar zijn vader, wiens mond in stilte bewoog, dus opende Albert beide handen.

'... wel voorzichtig mee doen, Alb, het is kostbaar.'

'Je zei dat je het zelf gemaakt had.'

'Iets kan ook kostbaar zijn zonder dat je er geld voor hebt betaald.'

Albert zette koers naar de zijkant van het huis en koos ervoor alleen de lage frequenties te horen toen hij zijn moeder passeerde. Die draaide zich om, de bijl met twee handen vasthoudend, en zag hen over de lage, met houtsnippers bedekte treden door de moestuin naar beneden lopen, langs de tunnelkassen en vervolgens het bos in. Don bleef de hele tijd vlak achter hem lopen en zeggen: 'Voorzichtig maar', wat Albert verkoos niet te horen.

Beneden bij de rivier was het hoge geluid de wind door de bomen en het lage geluid de stammen die kreunden. Daarna was het hoge geluid een vink en het lage zijn vader: 'Voordat je iets kiest, moet je jezelf de vraag stellen: vertrouw ik deze bron van informatie? Hoe intelligent is die? Wat zijn zijn motieven en achtergrond?'

Ze liepen verder, met veel onderbrekingen. Albert leidde via zijn oren. Er klonk een rommelend geluid. Don kon het horen zonder het Persoonlijk Instrument op. Hij tikte Albert op de schouder en wees naar waar het vandaan kwam: hoger op de heuvel, richting Het Bolwerk. Albert draaide zich om en hield zijn handen omhoog, geopend, alsof hij onder schot werd gehouden. Vervolgens ging hij rechtstreeks op het geluid af. Hij negeerde het pad en klauterde over braamstruiken die aan zijn spijkerbroek bleven haken. Het gegrom van iets boven op de heuvel. Albert voelde zich net Superman die gevaar hoorde. Gevolgd door zijn vader liep hij omhoog naar de vervallen, met mosplekken bedekte stenen muur aan de rand van het bos. Hij koos een plek uit waar de muur deels was ingestort en klom eroverheen het lange gras in aan de voet van de Llanmadoc-heuvel. Ze hoorden het ronken van een generator of een vloot zeppelins.

'Het is vroeg begonnen, pap. Het einde der tijden. Marina zei al dat de datum niet vaststond.'

Ze kozen een route door de heidestruiken, over een gelijkmatige helling die naar Het Bolwerk leidde: de restanten van een oud fort uit de IJzertijd, een van de hoogste punten van Gower, bevolkt door een handvol schonkige schapen. Helemaal boven aan de heuvel zagen ze een hoofd verschijnen en weer verdwijnen. Het gebeurde nog een keer. Een hoofd kwam op en ging onder. En nog een keer, samen met het geluid van motoren dat aanzwol en afnam.

'Kettingzagen,' zei Albert, en hij klauterde verder de helling op.

'We moeten niet te ver gaan. De meeste belangrijke beslissingen in het leven neem je thuis.'

Albert hield de microfoon op het geluid gericht. 'Combines. Omgebouwd tot oorlogstuig.'

Op dat moment vlogen er drie quads over de top van de heuvel om vervolgens over het ruwe terrein naar beneden te scheuren, de aarde opspattend in hun kielzog. Ze werden bestuurd door drie mannen, die hun kont omhooghielden en hun knieën gebogen. De schapen draaiden zich om en renden weg. De uitlaten van de machines stootten schaapvormige rookwolken uit. Albert had zijn rechterhand, zijn bashand, open en hield hem in de lucht, een high five wachtend op voltooiing, terwijl hij door de varenbegroeiing op hen af liep, met een lawaai in zijn koptelefoon als het schuren van tektonische platen.

De drie quads reden tussen elkaar door zigzaggend over het pad van geplet gras zijn kant op. Toen ze dichterbij kwamen werd duidelijk dat het jongens waren, geen mannen, en maar een paar jaar ouder dan Albert. De quads waren van driekwartformaat. Ze stopten vlak voor Albert en Don, slippend alsof ze erop geoefend hadden. Albert hield beide handen omhoog om alles te horen, maar zag eruit als iemand die zich overgeeft.

Een van de jongens wees naar Albert en zei iets wat niet boven het motorlawaai uit kwam. De jongen had een spuuglok die plat tegen zijn voorhoofd geplakt zat. Zijn haar stond stijf van de gel en glom als een exoskelet. Hij droeg een fris ogend groen sweatshirt en cartoonachtige skategympen met dikke veters, maar alles zat onder de modderspatten. De algehele indruk was die van een stoere plattelandsjongen ondermijnd door zijn eigen welgesteldheid. De twee andere jongens hadden hun look op hem gebaseerd, maar daar allebei een belangrijke individuele draai aan gegeven. De een had een American football-jack van de Cougars, de ander een verzameling buttons op zijn borst. Ze droegen geen van drieën een helm.

'Wat is dat?' zei de jongen nogmaals, schreeuwend dit keer.

'Sovjettechnologie,' zei Albert.

'Mag ik ook een keer?'

'Ja,' zei Albert.

'Nee, het is heel kostbaar,' zei Don.

'Mag jij Quadzilla proberen,' zei de jongen, en hij sprong van zijn vierwieler.

'Het punt is, hij is antiek,' zei Don.

'Kom op,' zei de jongen, die met uitgestoken hand op Albert toe stapte. 'Laat mij ook es.'

Don draaide zijn rug naar de jongens toe en sprak zachtjes rechtstreeks in de microfoon op Alberts voorhoofd: 'Denk goed aan wat ik gezegd heb, je kiest zelf wat je volgt en wat je afwijst.'

Hij had zijn bashand dicht, dus zijn vaders stem maakte weinig indruk. Albert deed de muts en de handschoenen af. Hij stapte naar voren en overhandigde de jongen het Persoonlijk Instrument.

'Wacht even,' zei Don. 'Er zijn een paar dingen die je moet weten voordat je het probeert.'

De jongen trok met veel theater de handschoenen aan en deed toen de *Saturday Night Fever*-dans. Don vertrok zijn gezicht toen de jongen de rode muts over zijn gladde, reflecterende haar trok. Uiteindelijk zette de jongen de koptelefoon op. Don had het gevoel dat hij deze jongens kende, op de een of andere manier.

'Tof!' zei de jongen. 'Wat kan ie allemaal?'

'Wees heel voorzichtig,' zei Don.

Albert stapte op Quadzilla af. Hij klom erop en kon bij de voetsteunen komen.

'Albert, kom daar onmiddellijk van af,' zei Don.

'Waar zijn deze voor?' zei de jongen, en hij klapte in zijn handen. 'Is het een metaaldetector?'

Terwijl Don op de jongen af stapte om te voorkomen dat hij de lichtsensoren in de handschoenen zou beschadigen, gaf Albert gas en schoot lachend met de quad naar voren. Don draaide zich om en zag zijn zoon nog een keer aan de gashendel draaien en langzaam heuvelafwaarts rijden.

'Oké, dat is ver genoeg!'

Albert oefende bochten naar links en naar rechts. Hij reed weer naar boven, het veld op, en beschreef een grote boog om zijn vader heen. Don wendde zich tot de jongen, die niet luisterde, en zei: 'Het is een kunstwerk dat iets zegt over hoe je de wereld ervaart.'

De jongen draaide zich om naar zijn vrienden, die nog op hun quad zaten, en imiteerde een scratch-dj.

'Het gaat erom dat je kiest wat je in je opneemt,' zei Don, 'in plaats van passief te zijn en alleen maar te absorberen wat er op je weg komt.'

'Ik kan je niet horen,' zei de jongen met zijn ogen dicht, rave-dansend, naar lasers grijpend, terwijl zijn vrienden dubbel lagen.

Albert begon meer snelheid te vergaren. Hij stuiterde over het veld en liet een donker spoor van platgereden bloemen achter zich. Vogels vlogen op van een telefoonkabel.

'Wonen jullie in het Rave-huis?' vroeg een van de vrienden van de jongen.

'Wij zijn van de leefgemeenschap.'

De jongen die het Persoonlijk Instrument droeg richtte zijn hoofd op Albert in de verte, opende zijn linkerhand, zijn hogetonenhand, en hoorde boven het lawaai van de motor uit een langgerekt 'Hooooooo!' Ze zagen Albert over de kruin van de heuvel verdwijnen, in de richting van Het Bolwerk.

Ze wachtten tot Albert weer terugkwam. De schapen ontspanden.

De jongen deed net of hij kleiduiven schoot. Na een tijdje deed hij de muts en de handschoenen af.

Don ging achter op de quad zitten, sloeg één arm om het middel van de jongen en drukte met de andere het Persoonlijk Instrument tegen zijn borst. De jongen was mager onder zijn sweatshirt, en toen Don zich stevig vastgreep kon hij zijn ribben voelen. Scheurend over open terrein reden ze in een rechte lijn naar de kruin van de heuvel, terwijl de modder in lange bogen achter hen opspatte. Met zijn vieren, twee man op elke quad, volgden ze het spoor van zijn zoon over het veld.

Don rook de gel en keek naar de witte hoofdhuid van de jongen tussen de plukken haar. De quad zwoegde onder Dons gewicht, en omdat hij steeds van de achterkant van het zadel af gleed moest hij half staan, met zijn knieën gebogen.

Alberts spoor vormde een sinuslijn, die hier en daar tot modder was gereten waar hij een te scherpe bocht had gemaakt. De jongens riepen aanwijzingen naar elkaar: 'Neem de weg door het gat!' 'Snij hem af!' Ze vonden het spannend.

De grond rees en daalde in concentrische cirkels. Wanneer Don hier rondliep vond hij het leuk om iedere hoogte en laagte van het oorspronkelijke IJzertijdfort te kunnen aanwijzen: talud, gracht, buitenwal, esplanade, binnenwal, binnenplaats en ten slotte het belangrijkste verdedigingswerk: de donjon. Ze kwamen langs een bord van de National Trust dat Don al vele malen had gelezen: *Terreinvoertuigen veroorzaken schade aan deze oude vestingwerken.*

Nu hij de grootste moeite had om achter op de quad te blijven zitten en de motor gierde omdat de wielen van de grond kwamen, dacht Don echter niet aan de donjon. Hij zag alleen het gebroken lichaam van zijn zoon voor zich, en de wielen van een over de kop geslagen terreinvoertuig draaiend in het zonlicht. Hij dacht aan die drie jongens die zouden zeggen dat het zijn verdiende loon was, en aan het zinnetje: 'Wees actief, Albert, maak keuzes', dat in zijn hoofd bleef rondwentelen.

Er liepen nog veel meer sporen over Het Bolwerk en het werd moeilijk om te bepalen welk van zijn zoon was. Ze kwamen tot stilstand op de donjon. Een hoop stenen markeerde het hoogste punt. Het was een heldere dag en ze konden Worm's Head in het westen zien liggen en een puzzel van moerasland in het noorden. Ze wachtten. De zon begon onder te gaan achter Rhossili Downs. Ze voelden de lucht kouder worden.

'Wat is zijn mobiele nummer?'

'Dat heeft hij niet. Wij gebruiken een vaste telefoon.'

Op dat moment klonk ergens het geluid van Alberts claxon die blèrde en antwoord kreeg van de schapen. Ze gaven gas en reden weer verder, over een wandelpad dat dwars over de heuvelhelling liep. Ze troffen Albert aan op een steil stuk, waar hij zijn quad voorzichtig over de hobbels van molshopen en heide manoeuvreerde. Hij keek over zijn schouder hun kant op en voerde zijn snelheid op.

'*Albert Riley!*' schreeuwde Don.

'Het geeft niet,' zei de jongen.

Ze bleven hem volgen. Toen ze weer op vlakker terrein kwamen begon Albert in grote lussen heen en weer te rijden. De andere quads haalden hem in en zigzagden mee over het veld. Albert was een natuurtalent.

'Stop onmiddellijk, Albert!'

De jongen met het haar minderde vaart en stopte. 'Je bent te zwaar,' zei hij, en hij wachtte tot Don afstapte.

Don zag hen uit het zicht verdwijnen en een paar minuten later terugkomen. Ze waren van plaats verwisseld. Albert zat nu achterop, met zijn armen om de jongen met het Cougarsjack. Don zag hen lange lussen maken.

Hij luisterde of hij het gegil van zijn zoon kon horen. Hij dacht erover om het Persoonlijk Instrument weer op te zetten, maar deed het niet. Uiteindelijk, toen de quads voor de vijfde keer de helling op reden, kwam een van hen rollend tot stilstand omdat zijn benzine op was. Ze stapten van hun vierwielers en gingen in een kringetje staan praten. Albert stond in het midden. Toen pas schoot Don te binnen dat hij een keer met Patrick in de auto had gezeten en dat ze in

Parkmill waren gestopt om wiet te kopen. Deze jongens waren de leveranciers.

Hij begon te rennen.

'Hoe is het eigenlijk om in het Rave-huis te wonen?'

'Behoorlijk heftig.'

'Wat voor dingen heb je gezien?'

'Zoals wat?'

'Zoals een groepsorgie,' zei de jongen met het Cougarsjack.

'En poepseks,' zei de jongen met de buttons.

'Eh, ik heb een keer gezien dat er een koe moest bevallen. Toen zat er een man met zijn arm in die koe, helemaal tot aan zijn schouder. Toen dat kalfje eruit kwam kon het niet lopen en het viel de hele tijd om. Shit man, het leek wel een dronkenlap.'

Ze lachten een beetje en hun adem maakte wolkjes. Albert voelde zich blij. Hij keek naar zijn vader die, klein en buiten adem, met klitten aan zijn broek de heuvel op kwam sjokken.

'Oké. Wat nog meer?'

'Soms zijn mensen gewoon bloot van boven, ook vrouwen,' zei Albert.

'Cool, man.'

'Hoe zien ze eruit?'

'Die tieten?'

'Ja.'

'Die zien eruit als... eh... net zoiets als een ballon die een paar weken achter de bank heeft gelegen.'

'Jllch!' zei de hoofdjongen, en hij greep naar zijn keel.

De andere twee jongens moesten lachen. Dat vonden ze echt leuk.

'Hoe zit het met hypnose?'

'O ja – dat gebeurt wel. Gisteravond werd er een man gek, dus die hebben we achternagezeten.'

'En hoe zit het met de feesten?'

'Heb je wel eens mensen zien neuken?'

'Ja, op een gegeven moment waren er een paar die het in mijn bed deden.'

'Lag jij er ook in?'

'Oui.'

'Jezus!'

'Tering! Heb jij haar ook gepakt?'

'Ik heb alleen gekeken.'

'Tering, man.'

'Godskolere,' zei Buttons.

'Op welke school zitten jullie?' vroeg Albert.

'Bishopston.'

Albert nam hier nota van. Toen zei hij: 'Ik kan ook geiten doodmaken. Dat is makkelijk. Ik heb het van mijn moeder geleerd. Als jullie bij me langskomen, mogen jullie het ook proberen.'

'Naar het Rave-huis? Dat mag ik niet,' zei Cougars.

'Je vader zei dat je geen eigen mobieltje hebt.'

'Ja,' zei Albert. 'Klote.'

'Jezus, man.'

'Wat is jouw nummer?' zei Albert. 'Ik onthou het wel. Ik heb een goed geheugen.'

'Echt waar?'

'Ja.'

'Oké. Nul zeven acht zes nul. Vijf twee drie. Zes twee drie.'

'Goed. Nul zeven acht zes nul. Vijf twee drie. Zes twee drie. Ik heb het.'

'Mooi.'

Albert prevelde het nummer nog een keer, maar met zijn ogen dicht. Don kwam snuivend aangelopen.

Don zei: 'Jullie maken oeroude vestingwerken kapot.' Ze keken hem alleen maar aan. Hij pakte zijn zoon bij de pols en nam hem mee de helling af. Toen Albert een blik over zijn schouder wierp, zag hij dat de jongens hem nakeken. Ze zagen Albert uit het zicht verdwijnen, en na een tijdje gingen ze lopend met hun quad naar huis.

Albert was te druk bezig het telefoonnummer zachtjes te herhalen om boos te zijn op zijn vader.

'Pap, ik wil graag dat je iets onthoudt, oké?'

Don was afgeleid. Hij werd in beslag genomen door het Persoonlijk Instrument en was kleine beetjes haargel aan de binnenkant van de muts aan het wegvegen. Albert trok aan zijn mouw.

'Je moet even luisteren,' zei Albert.

'Ik luister.'

'Ik wil graag dat je vijf cijfers onthoudt.'

'Oké, welke dan?'

'Onthou nul zeven acht zes nul.'

'Nul zeven acht zes nul.'

'Weet je ze?'

'Ik weet ze.'

Op weg terug naar huis scandeerde Albert 'Vijf twee drie zes twee drie' op de melodie van 'The Twelve Days of Christmas'. Albert vond dat hoewel de Sovjetmuts, na al die jaren dat hij jaloers had toegekeken hoe anderen hem gebruikten en zich op de krachten ervan had verheugd, een beetje een tegenvaller was, de ervaringen van de dag als geheel ongeevenaard waren geweest. Zijn gezicht en zijn kleren zaten onder de modder, en dat was uitstekend. Hij sprong hinkelend van molshoop naar molshoop en in plaats van '*five gold rings*' was het 'Vijf! Twee! Drie!'

Don had zijn jas uitgetrokken en had een hartvormige zweetplek achter op zijn shirt. Hij keek op zijn mobieltje. Er waren twee gemiste oproepen van Kate en een sms'je.

Pat gaat vooruit maar is nog niet toe aan bezoek. Ik neem bus naar huis.
Kxx

Albert bleef de hele weg zingen, en toen ze bij het huis waren sprong hij het opstapje op, haalde het kladblok van de muur onder de telefoon en rende terug naar zijn vader, die buiten op het bankje zat en een sms'je schreef met zijn wijsvinger.

'Oké, pap, wat is het?'

'Wat is wat?'

'Het nummer.'

'O.'

Het was donker toen Kate in Llanmadoc de bus uit stapte, dus gebruikte ze onder het lopen het mobieltje als zaklantaarn. Toen ze door het onderste deel van de tuin omhoogliep zag ze het keukenlicht branden. Ze was moe en het laatste wat ze wilde was dat er aandachtig naar haar geluisterd werd. Ze trok haar schoenen uit voordat ze het grind op liep en glipte voorzichtig door de voordeur naar binnen. De hal was leeg, maar ze hoorde volwassen stemmen, ingehouden en gespannen, in de keuken. Ze stapte op de randen van de treden, waar ze niet kraakten, sloop toen door de gang naar haar kamer en deed stilletjes de deur achter zich dicht. Zonder het licht aan te doen ging ze op haar bed zitten. Ze had sinds de voorvorige nacht niet meer geslapen.

Toen sprak een stem haar toe.

'Ik heb op je gewacht.'

Hij kwam van onder het bed.

Ze knipte het bedlampje aan, ging naar achteren zitten op het matras en wreef met haar handen in haar ogen. De stem sprak weer.

'Er gebeuren nare dingen als je weggaat.'

'Albert, ik moet slapen. Hoe lang lig je daar al?'

'Dat is moeilijk te zeggen.'

Er klonk een zacht katachtig gekrab aan de lattenbodem van het bed.

'Papa zegt dat Patrick ziek is, geestelijk. *Geestelijk ziek, man!* Marina zegt dat zijn ongeluk een voorbode is van wat we kunnen verwachten naarmate we dichterbij komen. Ik heb gehoord dat hij metaal in zijn benen krijgt. Dat is veel beter dan bot. Trouwens, ik stink waanzínnig.' Zijn wijsvinger verscheen van onder het bed, grijs en zwart besmeurd. 'Moet je mijn buiksmeer eens ruiken.'

'Hou op, Albert.'

'Ruik dan,' zei hij, wiegend met zijn vinger. 'Jammie.'

'Ik meen het.'

'Buikkaas.'

'Ga douchen dan.'

'Niet zonder jou, zuslief.'

'Albert, laat me alsjeblieft met rust. Wat is er met je?'

'Ik heb je gemíst. Zeg dat je niet nog een keer weggaat.'

Hij kroop onder het bed vandaan en ging er eens goed voor zitten, met zijn rug tegen het haardrooster. Hij had moddervlekken op zijn gezicht en een sliert spinnenwebachtig stof in zijn haar, als een grijze lok; het beklemde Kate om aan haar broertje te denken als niet jong.

'Moet je kijken,' zei hij, en hij deed de mouwen van zijn

trui omhoog. Hij wreef met zijn rechterhand snel heen en weer over zijn linkeronderarm. Er vormden zich kleine rolletjes gecomprimeerd vuil en modder en dode huid, als potloodgumsel. 'Zo is het over mijn hele lichaam.'

Haar broertje had op de een of andere manier iets opgewondens. Ze vroeg zich af of hij de hand had weten te leggen op wat clandestien snoepgoed.

'Waarom zit je onder de modder?'

Hij leek even na te denken.

'Dat heb ik expres gedaan, omdat ik een reden wilde hebben om tijd met jou door te brengen.'

'O, mijn god, ik hoop dat dat niet waar is.'

'Hoe meer tijd jij weg bent, hoe erger ik word, zeggen ze.'

'Donder op, Al. Ik meen het.'

'Tik,' zei hij, en hij stond op.

'Albert, luister, niet om lullig te doen, maar we kunnen gewoon niet meer samen douchen.'

'*Gij kleine zottebol!*' zei hij, en hij draaide op zijn hielen rond. 'Ik ben volkomen onschuldig. Tak.'

Ze veegde met haar mouw over haar voorhoofd. 'Het ligt niet aan jou. Ik ben gewoon aan het veranderen en ik ben ouder geworden en ik vind het niet gepast.'

'Gepást. Mijn god, wie ben jij?'

'Het ligt aan mij.'

'Jij hebt een vriend en dat is een enorme klootzak,' zei hij klappend.

Ze liet haar hoofd in haar handen zakken. Hij kwam naar haar toe, rook aan haar haar en zei: 'Ik ruik ziekenhuizen en ouderdom. Als je niet met me gaat douchen was ik me nooit meer.'

'Kom op, Al. Ik ben moe.'

Ze keek op en haalde het grijs uit zijn haar, wat hem jaren jonger maakte.

'Wil je in ieder geval kijken terwijl ik douch?'

Ze aarzelde.

'Wil je in ieder geval in dezelfde ruimte zijn?'

Kate zat met haar benen onder zich en de linkerhand opgeheven om haar blik af te schermen op de bank, tevens kast, die langs de achterwand van de badkamer liep.

'Wat is er met je gebeurd?' zei Albert.

'Schiet nou maar op, alsjeblieft.'

'Het is de schuld van je vriend dat je zo geworden bent. Ik zou hem graag willen vermorzelen.'

Albert trok zijn kleren uit en neuriede ondertussen zijn idee van stripteasemuziek – 'New York, New York'. Hij gooide zijn T-shirt naar Kate toe, trok allebei zijn gympen uit en wuifde de penetrante gestoofdekoollucht haar kant op. Vervolgens deed hij zijn boxershort naar beneden en schopte hem naar de muur.

'Ta-da,' zei hij, en hij stond daar in zijn blootje met zijn handen in de lucht.

Ze inspecteerde de naad tussen de stroken bloemetjesbehang.

'Dekselse soepkip. Praat in ieder geval met me, oké? Je hoeft niet te kijken.'

Ze hoorde water op porselein kletteren, daarna het douchegordijn dat dichtgetrokken werd.

'Zo, zus. Ik ben een paar nieuwe dingen te weten gekomen.'

Ze draaide zich om en zag zijn schim achter het gordijn bewegen, terwijl ze af en toe een glimp van een roze hand boven de stang opving.

'Ik heb je weliswaar verteld dat 21 december de meest waarschijnlijke einddatum is, maar Marina zegt dat het niet zo eenvoudig is. Het kan ook eerder of later komen – we moeten waakzaam blijven.'

Kate hoorde zijn stem van toonhoogte en volume veranderen terwijl hij zich in en uit het water bewoog.

'Je bent gek.'

'Het zal niet het einde zijn voor ons allemaal. Alleen voor degenen die niet boven aan de lijst staan, en dat zijn de meeste mensen. Sommigen zijn uitverkoren en anderen niet.'

Ze hoorde hem opspringen toen hij 'niet' zei, en zijn voeten kletsten op het porselein.

'Misschien moet je toch een beetje met beide benen op de grond blijven staan,' zei ze. 'Eén been is ook goed.'

'Ik word geleid door mijn eigen krachten, maar dan verdubbeld,' zei hij, en ze kon zien dat hij zijn spierballen opzette in een Mr Universe-pose.

'Waar waren papa en mama toen jij gehersenspoeld werd?'

'Ik spoel mijn eigen hersenen.'

Ze zag de grijze massa opbollen en van vorm veranderen achter het gordijn. Er was een warreling van druppeltjes boven de stang, zoals wanneer je water bij een bruistablet doet. Ze stelde zich voor dat hij oploste.

'Ik denk dat het net zoiets wordt als sneeuw,' zei hij. 'Dat het eruitziet als gewone sneeuw, die overal op valt, en alles wit maakt, maar als het dan smelt, dan zijn alleen jij en ik en papa en mama en Marina en Isaac en misschien ook Janet en Arlo nog over, en verder niemand meer, die zijn allemaal weggespoeld, en het maakt niet uit of ze nog proberen weg te rijden op een quad, want ze kunnen toch nooit ontsnappen.'

Kate fronste haar wenkbrauwen. Ze hoorde hem op iets boenen. De lucht om haar heen begon ondoorzichtig te worden. Het vertrek werd warmer. Het water stopte en ze keek naar Alberts gedaante achter het gordijn, een bezienswaardigheid in een freakshow die elk moment kon worden onthuld.

'Weet je,' zei ze, 'er is elke paar jaar wel iemand die het einde van de wereld voorspelt. In de Middeleeuwen dachten ze ook al dat hij zou eindigen, maar dat is niet gebeurd. Op school hebben we les gehad over een sekte en die hebben allemaal zelfmoord gepleegd omdat ze dachten dat ze op die manier de apocalyps konden overleven, maar ze gingen alleen maar dood, dertig stuks, allemaal in een eenpersoonsbed met hun armen over hun borst.'

'Je had beloofd dat je me alles zou leren wat je zelf leert.' Vervolgens maakte hij haar uit voor iets in het Catalaans.

Hij stond stil. Ze kon zijn wazige silhouet zien.

'Nog even en je bent een puber, Alb, en je moet je tijd niet verdoen door naar idioten zoals Marina te luisteren als je ook plezier kunt maken. Patrick is niet voor niets ontsnapt.' Ze had nog niet nagedacht over wat ze ging zeggen. 'En met papa en mama wordt het ook anders. Er is iets aan de hand. Er is iets gebeurd. Albert? Je moet eropuit trekken en plezier maken. Je moet nieuwe vrienden maken. Mensen van je eigen leeftijd ontmoeten.'

Ze zag de gedaante halveren, ineenkrimpen. Een grijze ronde vorm op de bodem van de douche.

'Ik heb niets gemeen met mensen van mijn eigen leeftijd,' zei hij.

Ze probeerde te lachen. Het klonk theatraal door de akoestiek van de badkamer. Ze ging bij het douchegordijn staan luisteren, maar kon alleen het druppelen van de douchekop horen, met steeds langere pauzes tussen de druppels, totdat het ophield.

'Maar jij kunt met iedereen opschieten,' zei ze.

Ze schoof het gordijn opzij.

Hij lag opgevouwen op de douchevloer, met een huid die glom en met de shampoo nog in zijn haar, zijn voorhoofd tegen het afvoerputje, een zwerfkei, de knobbels van zijn wervelkolom duidelijk zichtbaar op zijn rug. Zijn voetzolen, zag ze, nog steeds smerig, en een boeket van wratten op zijn rechterhiel. Hij bleef daar roerloos liggen en begon te bibberen.

'Albert, ik wilde je niet verdrietig maken.'

'Ik ben niet verdrietig. Waarom moet je alles verpesten?'

'Albert, dat moet je niet zeggen. Ik heb niet geslapen.'

Ze voelde iets samentrekken achter in haar keel.

'Huil je?' zei hij, nog steeds opgerold, zijn stem gedempt. 'Als je maar niet huilt.'

Ze sloeg haar armen over elkaar.

'Mooi niet,' zei hij, en hij richtte zich op uit zijn zwerfkeihouding en krabbelde overeind. 'Dat klopt niet.'

Ze waren nu even lang – zij op de badkamervloer en hij staand in de douchecabine. Het water liep van zijn vingertoppen. Hij was volkomen haarloos. Er hing een traan aan het puntje van haar kin. Albert hield zijn hand eronder om hem op te vangen.

'Ik ben degene die hoort te huilen. Ik ben jonger dan jij.'

Hij ving de traan op en smeerde hem onder zijn oksel.

'Waarom wou je niet met me douchen? Waarom ben je zo stom?'

Hij ving nog een traan op en wreef hem in zijn haar.

Hij ving er nog een en at hem op.

Zondag

In de auto op weg naar het ziekenhuis om haar af te zetten maakte haar vader een afgetobde indruk. Zijn ogen stonden klein en zijn wangen hingen.

'Zeg maar tegen Patrick dat we hem missen,' zei Don.

'Oké.'

Hij droeg een donkerblauwe joggingbroek en zijn 'rijsokken', die antisliprubber op de zolen hadden.

'Zeg maar tegen hem dat het niet hetzelfde is nu hij weg is.'

Kate verzette de schuifknop van de verwarming op het dashboard. Don veranderde twee keer van rijstrook op de weg naar Mumbles, hoewel er geen andere auto's waren.

'Zijn energie, zijn ideeën, de discussies die we altijd hadden, zelfs de ruzies, ik mis iemand om ruzie mee te maken.'

'Gaat het wel goed, pap?'

'Ik ben moe.' Don keek in alle drie de spiegels, maar bleef op dezelfde rijstrook rijden.

'Wat is er met jou en mama aan de hand?'

'Ze gaat een paar weken met Albert in het rondhuis doorbrengen, hebben we besloten. Kan Albert een beetje afstand nemen van Marina.'

'Waarom doen jullie niet gewoon iets aan haar?'

Kate bestudeerde haar vaders profiel terwijl hij zijn ogen op de weg hield. Er zat een grijs klontje – ze hoopte dat het havermout was – gevangen achter de tralies van zijn snor.

'Het is belangrijk dat Albert zijn eigen denkbeelden leert begrijpen, in plaats van dat wij hem onze overtuigingen opdringen.'

'Maar hij is elf.'

‘Wij denken dat twee weken vakantie in het rondhuis zal helpen.’

‘Denk jij dat of denkt mama dat?’

‘Wij denken dat. Het is een experiment.’

De werkplaats bevatte een schijfschuurmachine, een lintzaag, twee houten werkbanken en een gereedschapsbord waarop de helft van de spullen ontbrak. Een opslagruimte achterin was de slaapkamer van Marina en Isaac geworden, en toen Freya aanklopte en naar binnen ging, trof ze hen samen met Albert kaartspelend op een eenpersoonsbed aan.

‘Dat is een leuke verrassing!’ zei Marina.

Ze waren aan het liegen. Freya groette hen en ging op het uiteinde van het matras zitten om te kijken.

‘We zijn erachter gekomen dat je zoon een uitstekende leugenaar is,’ zei Marina.

‘Dat doe ik met dit gezicht,’ zei Albert, en hij liet zijn moeder zijn eerlijke gezicht zien.

Midden op de betonnen vloer lag een kleed met de kleur van verband. Het licht viel binnen door een enkel hoog raam. Ze speelden een potje en Isaac riep ‘Je liegt!’ tegen zijn moeder, maar ze sprak de waarheid.

Boven Marina’s bed hing een poster in een wissellijst, een panoramafoto van het heelal met in het midden iets wat eruitzag als twee fosforescerende ogen. Op een smalle strook over de hele lengte van de lijst was met de hand geschreven: *Chandra-telescoop 2001, het centrum van de Melkweg: Sagittarius A*. Wat zie je?* De twee ogen keken dreigend naar de tegenoverliggende muur, die versierd was met polaroids van Isaac.

‘Gelogen!’ zei Albert. ‘Zwaar gelogen!’

Isaac keek naar beneden, trok een gezicht en pakte toen de kaarten van het bed.

'Wil je meespelen, mam? Ik durf te wedden dat je er niks van kunt.'

'Ik kwam eigenlijk even langs om te vertellen hoe het met Patrick is,' zei Freya. 'Het goede nieuws is dat hij aan de beterende hand is, maar het slechte nieuws is dat de dokters denken dat hij nog niet helemaal aan bezoek toe is.'

'Maar Kate is wel bij hem geweest,' zei Albert.

'Nou ja, ze willen niet dat het te veel van het goede wordt.'

'Maar zij ís te veel van het goede.'

'Misschien heeft hij gewoon een paar dagen nodig om weer helemaal de oude te worden,' zei Marina op rustige toon tegen Albert, terwijl ze zijn schouder vasthield. 'Hij is vast een beetje de kluts kwijt.'

Albert legde zich hier fronsend bij neer.

'Maar ik heb iets anders leuks bedacht wat we kunnen doen, nu de zon schijnt,' zei Freya. 'Hebben jullie zin om een huis van modder te bouwen?'

De injectiespuit siste. Kate zag de vloeistof naar zijn arm kronkelen. Uiteindelijk werden zijn vingers slap en openden zich. Het plastic doosje bleef in zijn hand liggen en kantelde. Zo ging het op en neer, hij zakte weg in bewusteloosheid en na een tijdje kwam hij weer bij. Een half uur later gingen zijn ogen open en draaide hij zijn hoofd naar haar toe op zijn kussen.

'Ah, Katie,' zei hij. 'Hoe is het met je vriend?'

'Goed. We hebben wel lol samen.'

'Op jouw leeftijd zou je geen verkering moeten hebben. Waar is Janet?' zei hij. Zijn lippen waren droog en onduidelijk, ze leken ongemerkt in zijn huid over te gaan.

'Thuis. Waarom vraag je dat?'

'Je moet gewoon weggaan uit Blaen-y-llyn en wat van je leven maken. Mannen ontmoeten. Seks hebben. Hoe oud ben je?'

Zijn stem klonk schor.

'Zeventien,' zei ze.

'Ik dacht dat je ouder was,' zei hij. 'Je moet weggaan zodra je de kans krijgt. Niet je leven vergooien.'

Zijn duim bleef op de grijze morfineknop drukken, als iemand die afwezig met een balpen klikt.

'Ik denk dat mijn ouders uit elkaar gaan.'

Ze zag zijn adamsappel knikken. 'Nou, dat is maar goed ook. Je moeder kan wel wat beters krijgen.'

Kate probeerde zich voor de geest te halen wanneer Patrick sympathiek was geweest. Ze herinnerde zich het begin van haar vegetariërschap, toen ze tien was. Het was donker en het regende – iedereen was buiten in de tuin bezig om met allerlei soorten scharen genocide te plegen op de naaktslakkenpopulatie. Ze was erachter gekomen dat naaktslakken in bomen konden klimmen, *dat ze zich aan een slijmdraad naar beneden konden laten vallen*, en ze vond het onaanvaardbaar om een schepsel dat zo veel ambitie toonde dood te maken. Toen Patrick haar vond stond ze in de regen te huilen, met de armen wijd als een vogelverschrikker, terwijl een naaktslak verbazend snel over haar onderarm kroop. Patrick had zijn hoofdlamp uitgedaan, was voor haar neergeknield, had de slak van haar arm geplukt en op zijn bovenlip gezet en had toen met een Frans accent gezegd: 'Gaat u maar mee, mademoiselle. Ien Frankrijk be-andelen wij weekdierèn met respect.' Hij had haar bij het geluid van de scharen vandaan gedragen, naar de rand van het bos, en ze had tegelijkertijd moeten snikken en lachen. Vervolgens had ze de snor van zijn gezicht gepakt en bij de brandnetels vrijgelaten. Ze waren samen naar zijn lange glibbergang naar de vrijheid blijven kijken.

Toen de verpleegster kwam om zijn morfineopname te controleren, vertelde het apparaat haar dat hij sinds zijn laatste dosis 115 keer op de knop had gedrukt.

'Doe maar een beetje rustig aan met dit spul, meneer,' zei ze. 'Het geeft verstopping.'

Patrick zei niets, hij drukte alleen een paar keer de grijze knop in, om de confrontatie aan te gaan.

'Tenzij u graag wilt dat ik in uw achterste ga rondspitten,' zei ze, en ze bewoog haar pink in de lucht.

Hij grijnsde en begon zo snel als hij kon op de knop te drukken.

Een tijdje later siste de spuit weer. Kate wachtte tot de morfine zijn werk deed en sneed toen het onderwerp aan.

'Don zegt dat iedereen je echt mist thuis. Misschien zouden ze op bezoek kunnen komen, nu je een beetje gewend bent.'

Het bleef een tijdje stil en Patricks ogen werden wazig.

'Vergeet het maar,' zei hij glimlachend. Hij draaide zijn hoofd van links naar rechts en keek de zaal rond. 'Vaarwel geodetische koepel – godlof, vier muren.'

Ze hield zich voor dat het de morfine was die sprak.

Zijn lunch werd gebracht: lamsgehakt met romige puree en fijngesneden worteltjes en courgette. Al het werk van de maag van tevoren gedaan.

'Bellissimo!' zei hij, en hij wierp de zuster een kushandje toe. 'Avondeten!'

'Míddageten,' zei de zuster. 'Het is één uur, licht buiten.'

Toen ze wegliep wees hij naar haar met zijn mes: 'Aantrekkelijk, niet mooi.'

Kate zag hem nog een hap lamsgehakt in zijn mond stoppen. Er lag een glans van waterige jus rond zijn lippen. Ze wilde niet meer in het ziekenhuis zijn, maar ze wilde ook niet naar huis. Patricks linkerhand hield de vork vast en ging de groente te lijf, terwijl hij met zijn rechterhand ritmisch de grijze knop indrukte. Toen hij klaar was met eten siste de spuit opnieuw. Zodra de morfine werkte, haalde ze haar mobieltje tevoorschijn en toetste het nummer in. Ze had er genoeg van om verantwoordelijk te zijn.

Degene die opnam was niet Albert, wat ongewoon was. Een Duitse wwoofer zei: 'Hal-lo.'

'Met Kate. Kun je Don even roepen, alsjeblieft?'

Ze vroeg zich af of Albert al in het rondhuis zat. Als haar broertje niet in de buurt was, voelde ze zich iets minder schuldig over wat ze op het punt stond te gaan doen. Patrick wreef met zijn kruin over het kussen.

'Pap, met mij.'

Patrick draaide zijn hoofd naar haar toe en keek haar aan. Zijn handen gingen dicht; het infuus in zijn arm trok aan het verbandtape.

Don was blij dat hij als afgezant was gekozen. Hij reed het grootste deel van de weg harder dan toegestaan. Binnen een uur stapte hij uit de auto met een bos wilde bloemen in de ene hand en een recyclebare tas met kleren in de andere. Kate had gezegd dat ze schone kleren nodig had en hij had niet gevraagd waarom. In zijn broekzak zat een brief van Janet, die hij beloofd had namens haar te geven. Die brief was, net als al haar zakelijke brieven, verzegeld met roze was, die zo gestempeld was dat het eruitzag als een mannelijke tepel. Janet had terecht aangenomen dat Don hem anders zou hebben gelezen. Terwijl hij door het ziekenhuis liep ving hij de geur op van bakken waterige aardappelpuree en bewonderde hij de muurschilderingen: golven die uiteenspatten tegen Vikingschepen, een wolkenstad. Hij dacht na over het woord 'hospitaal' en zijn associaties met ridders en pelgrims en soldaten, en ook met ongewerveld zeeleven, hoewel hij dat niet zo gauw kon plaatsen.

Kate stond op hem te wachten voor de dubbele, met kunststof beklede deuren van Patricks zaal.

'Hoi pap,' zei ze, en ze kuste hem op zijn wang en pakte de tas met kleren aan. 'Ik zal jullie tweeën alleen laten.'

Toen Don door de dubbele deuren naar binnen stapte zette hij zijn breedste glimlach op – alsof er een hele crew mee bezig was geweest, alsof hij een aftiteling had moeten hebben: licht, decorontwerp, cinematografie, technische ondersteuning.

Toen hij Don naderbij zag komen, voelde Patrick de spieren in zijn nek verstrakken. Hij liet het ergonomisch vormgegeven morfineapparaat los, waarop het van het bed af gleed en vlak boven het linoleum in de lucht bleef schommelen.

Don zei alle verpleegkundigen gedag.

'Hai, ik ben Don. Ik kom voor Pat.'

Het was net na tweeën in de middag. Het linoleum had een patroon van gekleurde strepen – Don liep over blauw, geel, groen – en opeens zwaaide Patrick, schreeuwend als een gewichtheffer tijdens het stoten, zijn rechterarm opzij, pakte de nachtzak, de grote plastic zak met honingkleurige pis en kleine sliertjes bloed waar hij in de stille uurtjes zo zijn best op had gedaan, anderhalve liter, en slingerde die over zijn gebroken enkel heen de lucht in, en Don, die zich had voorgenomen om Patrick toch vooral met een positieve en hoopvolle kijk op de dingen tegemoet te treden, dacht heel even dat het misschien een soort welkom was, een verzoenende ballon, en die uitdrukking – *een gouden ballon, voor mij?* – had hij op zijn gezicht toen de zak hem trof.

Het enige wat het rondhuis ervan weerhield om helemaal rond of, wat leefbaarheid betrof, een huis te zijn, waren de muren. De studenten duurzaam bouwen hadden ze niet afgemaakt. Er zaten verschillende gaten in en aan de oostkant ontbrak een V-vormig stuk, waarschijnlijk een mislukt raam.

De jongens hadden geholpen met het mengstampen van de adobe (aarde, stro, zand en water), die inmiddels tot plakkerige ballen ter grootte van grapefruits was gerold, klaar om in de openingen te worden gekwakt. Alberts stijl was om het materiaal nauwgezet aan te brengen en elk nieuw stukje eerst helemaal glad te strijken. Isaac vond het leuk om een heel stel goedgevulde, borstvormige bobbels te maken.

Marina en Freya werkten in ongemakkelijke stilte aan het grote gat in de oostwand. Door de opening konden ze het inwendige van het rondhuis zien, dat ongeveer de afmetingen en de vorm van een sumo-ring had, met in het midden een houtkachel gemaakt van een melkbus. In de tegenoverliggende wand was een vrijdragende bank ingebouwd, onder een patroon van groene en blauwe glazen flessen die in de muur waren gestoken om licht binnen te laten.

'Hoe kwam je er zo bij om hier naartoe te gaan?' zei Marina.

Er waren twee antwoorden, waarvan er één luidde: *Omdat ik mijn zoon bij jou uit de buurt wil houden.* Ze besloot het andere te geven.

'Het is een beetje een moeilijke tijd geweest voor Don en mij.'

Daar leek Marina niet van op te kijken, ze ging gewoon door met haar stuk muur. 'Nou, het is wel goed om daar iets mee te doen. Een beetje bewegingsruimte doet wonderen. Ik had al gemerkt dat jullie tweeën niet helemaal in dezelfde energie zaten.'

Deze aanspraak op intuïtie ergerde Freya, maar ze liet het gaan. Marina werkte verder aan de muur. Haar vaardigheden als pottenbakster kwamen goed van pas.

'Hoe lang blijven jullie hier?' zei Marina.

'Twee weken, denk ik. Don en ik noemen het een vakantie. Een vakantie van twee weken.'

'Costa del Kleihut.'

Freya lachte harder dan het grapje verdiende. Albert verscheen om de rand van het huis.

'Mam, blijven we hier?'

'Nou, het leek me wel een leuke plek om een tijdje te zitten.'

'Hoe kan het nou leuk zijn?'

'Gewoon voor een paar dagen. Jij en ik samen in de wildernis.'

'Maar ik heb mijn eigen slaapkamer.'

Freya deed haar mond open, maar wist niet wat ze moest zeggen. Ze was van plan geweest om het idee aan Albert voor te leggen alsof het iets spannends was. Marina's stem kwam van achter haar. 'Als je erover nadenkt, Albert,' zei ze, 'dan is overleven in een zelfgebouwd duurzaam onderkomen waarschijnlijk een belangrijke vaardigheid in de tijd die komen gaat.'

Freya kneep haar ogen samen, maar ze zei niets.

Het was even stil, terwijl Albert naar het huis keek. Twee lagen extra zwaar tochtgordijn deden dienst als ingang. Een wasmachinedeur was een patrijspoort. Op het plaggendak groeiden weidegrassen zo hoog als de kachelpijp.

'Oké dan.'

Freya draaide zich om naar Marina en vormde met haar lippen de woorden 'dank je wel'. Marina knikte en zei: 'Geen probleem.'

'Mag Ies ook blijven?' zei Albert.

Isaac was bezig om aan de zuidkant een D-cup te boetseren.

'Natuurlijk mag dat!' zei Marina. 'Maar dan moeten jullie ook allebei wat tijd bij mij komen doorbrengen, zodat ik niet eenzaam word.'

'O, dank je wel!' zei Albert, en hij sloeg zijn armen om Marina's middel. Ze keek Freya aan terwijl ze haar handen door zijn haar haalde.

Toen ze terugliepen naar het grote huis waren de jongens veel sneller dan hun moeders. Zo kon het gebeuren dat Albert als eerste het erf op kwam, waar zijn vader met een keukenschaar bezig was afstand te doen van zijn macht. Don zat met ontbloot bovenlijf op een houtblok in het laatste beetje zon, met een handdoek om zijn schouders. Een paar Letse wwoofers zaten in kleermakerszit op het grind naast hem en hielden een ovale spiegel schuin naar hem op.

Albert bleef voor hem staan en zag de plukken zwart, grijs en wit tumbleweed over de grond rollen. Don gaf de schaar aan zijn zoon en Albert staarde alleen maar. Gedurende hun kinderjaren was de baard een bron van eindeloze mogelijkheden geweest die zijn vader in staat had gesteld moeiteloos tovenaars, goden, samoerai, leeuwen en de zon uit te beelden. Alle rolmodellen. Als Albert vroeger verlegen was, ging hij op zijn vaders schoot zitten om zich erachter te verstoppen.

'Dit klopt niet,' zei Albert.

Isaac stond achter hem en keek bezorgd.

Nu hij zijn baard kort had geknipt, maakte Don de scheerset open: een koffertje met daarop in een witte schreefletter de woorden 'Hale en Wigmore Kappers', een erfstuk van zijn eigen vader.

'En dan zeggen ze dat onze bourgeoisrotzooi ons alleen maar tot last is,' zei hij, en hij klikte de slotjes open en liet het springveermechaniek het deksel omhoogduwen.

Het fluwelen binnenwerk bood plaats aan een scheermes met een hertenhoef als heft, een tondeuse op batterijen, een porseleinen pot met scheercrème en een korte kwast met een houten handvat, net zoiets als wat gebruikt wordt om taartdeeg met eigeel in te smeren.

De initialen van Dons vader, A.D.R., naamgenoot van Albert, waren in het fluweel geborduurd.

'Je mag nu ophouden, pap.'

'Bedankt, Alb. Maar dit is iets wat ik moet doen.'

Albert had moeite met slikken.

'Je maakt een grote fout. Wacht maar tot mama er is.'

Don zette een plastic opzetkam op de tondeuse en haalde het apparaat energiek over zijn wang. Albert zag de grijszwarte haren door de lucht dwarrelen. De klank van de motor veranderde – werd zwoegend – toen hij bij de dikke bakkebaarden kwam.

'Waar is Kate? Is die al terug uit het ziekenhuis? Die pikt dit niet.'

Albert brulde zo hard als hij kon drie keer haar naam. Dat trok toeschouwers. Arlo kwam uit de werkplaats tevoorschijn met een vleesmes dat hij op flamboyante wijze aan het slijpen was. Janet – in een rubber tuinbroek besmeurd met vijverslijm – was in de drietraps permacultuurzone aan het werk geweest.

Albert knielde neer om het afgeknipte haar op te rapen, grote nestachtige plukken. Isaac zat op de bank nu en maakte een verslagen indruk. Albert drukte de dotten stevig tegen zich aan toen zijn vader het deksel van de pot met scheercrème draaide. Niet alleen de verwijfde manier waarop hij zijn vingers in de crème doopte was verontrustend, of de langzame streelbeweging waarmee hij zijn wangen insmeerde, maar ook dat hij nu zat te neuriën, een soort vrolijke krijgsmars, een meezinger om het moreel hoog te houden, terwijl hij ondertussen zijn hoofd van links naar rechts bewoog.

Albert zei nog een keer 'Waar is Kate?' en rende het huis in om haar te zoeken. Aan de muur in de hal, boven het tafeltje met het gastenboek en scheldboek, hing een fotocollage met beelden van grijnzende vrijwilligers, ambitieuze feestkleding en drukke klaslokalen uit de gouden tijd van de gemeenschap. Er was één foto bij waarop Kate, vier weken oud, naakt, aan haar vaders baard hing. Op die foto stond Don glimlachend met zijn armen wijd. Haar ogen waren wijd open, en haar rugbyspelersdijen spartelden in de lucht.

Albert ging de keuken in om haar te zoeken. Dat was het moment waarop hij het briefje op de ronde tafel zag liggen.

Gezeten op een houtblok, nu omringd door zijn publiek, trok Don het mes uit de hoef. Dat vond Isaac niet fijn en hij liet zich van de bank zakken en ging op zoek naar zijn moeder en Freya. Dons sneeuwbaard van scheerschuim maakte het moeilijk om iets van zijn gezicht af te lezen en toonde de echte kleur van zijn tanden.

Na zijn bezoek aan het ziekenhuis was Don naar huis gereden met alle ramen open, luid ademend door zijn mond. Zijn trui en broek zaten in een plastic zak in een vuilnisbak op het parkeerterrein van het ziekenhuis, samen met, zoals hij zich nooit meer zou herinneren, de verzegelde brief aan Patrick van Janet. Zijn baard had geglinsterd zoals taartdeeg glinstert nadat het is ingesmeerd met eigeelvernis. Er had een briefje van Kate onder de ruitenwissers van de Volvo gezeten. Toen hij thuiskwam, in alleen zijn T-shirt en zijn boxershort, kon Don het niet opbrengen om het nieuws aan iemand te vertellen, dus liet hij het briefje voor wat het was en ging meteen naar boven voor een douche die nog lang nadat het water koud was geworden bleef doorgaan.

Het briefje: *Paps, hoop dat het goed is gegaan met Patrick. Ik kan thuis niet werken, dus ik ga een tijdje weg. Laat maar weten als het weer goed is tussen mam en jou. Ik neem de mobiel mee, voor als je me echt nodig hebt. Zeg maar tegen Albert – sorry. K*

Albert kwam het huis weer uit gerend en zat nu op zijn knieën om het haar te verzamelen en samen te proppen dat niet was weggewaaid. Don, die zijn publiek bespeelde, probeerde het mes uit, sneed zich, lachte en zoog aan zijn duim. Hij werd met de minuut jonger. Hij zei tegen de twee Letten dat ze moesten gaan staan met de spiegel, en ze deden wat hij vroeg.

Don deed voorzichtig de eerste haal, langs de linkerwang omlaag, waarbij het schuim zich ophoopte tegen het lemmet, bespikkeld met donkere haartjes – takken in een sneeuwbank. Een embleem van vers vlees blonk in het zonlicht. Arlo klapte, wat erop neerkwam dat hij zijn vrije hand gebruikte om tegen zijn borst te slaan. Bij gebrek aan beter had hij nu de mooiste baard van de gemeenschap. Er kwam verbazend veel bloed uit het kleine sneetje in Dons duim en er zaten druppels op het mes en in het scheerschuim.

Met zijn hoofd naar beneden, zonder te kijken, zei Albert: 'God.'

Don veegde het mes af aan de rand van het houtblok en ging verder met het schoonschrapen van zijn linkerwang. De wwoofers hielden de grote ovale spiegel wat onbeholpen vast, als een grote cheque van de loterij. Dons bleke wang glom. Alberts zakken zaten vol met de baard van zijn vader.

Isaac had zowel Marina's als Freya's hand vast toen hij hen meetrok het erf op. Ze bleven even staan om de situatie tot zich door te laten dringen en toen ging Freya meteen naar haar zoon toe, wetend wat dit voor hem zou betekenen. Ze knielde neer, sloeg haar armen om hem heen en kuste hem boven op zijn hoofd. Don begon aan zijn rechterwang, zijn mond nog steeds verborgen, eventuele compassie verhuld door scheerschuim.

'Freya, nu je er toch bent, help eens even met dat laatste stukje,' zei hij, en hij strekte zijn nek.

'Laat mij maar,' zei Albert, opeens met luide stem. Hij keek omhoog naar zijn vader en hield zijn hand op.

'Oké. Iemand anders?'

'Ík zei dat ik het zou doen,' zei Albert, en hij stond op. Plukjes baard puilden uit de zakken van zijn joggingbroek.

'Jij hebt nog nooit eerder geschoren, jongen.'

'Dan leer ik het nu.'

'Ik vind niet dat je op mij moet oefenen.'

'Op wie kan ik anders oefenen?!'

Dons wang bewoog, driehoekjes van scheerschuim hier en daar, veegjes rood.

'Oké,' zei Don, 'maar laat je moeder een oogje in het zeil houden.'

Albert veegde zijn ogen af aan zijn mouwen. De rest van de gemeenschap keek nog steeds toe, onbezorgd, alsof ze op een stukje geïmproviseerd experimenteel theater waren gestuit.

'Het is héél scherp, Albert.' Don gaf hem het scheermes.

Hij draaide het lemmet alle kanten op en liet het schitteren in de zon.

'Kun jij zijn kin omhoog doen voor me, mam?' zei Albert.

Ze bracht de kaak van haar man omhoog tot de hoek die

hij aanhield als hij iets belangrijks te zeggen had.

'Ik ga hier beginnen,' zei Albert, en hij wees met zijn vrije hand naar zijn vaders adamsappel. 'Lekker diep.'

Don lachte niet. Freya stond naast haar zoon en hield haar hand lichtjes om de hand die het mes vasthield.

Arlo hield op met slijpen. De wwoofers deden schuifelend een paar stappen naar achteren en leken ernstig in verlegenheid gebracht. Freya leidde het mes naar Dons hals. Op de een of andere manier wilde niemand de eerste zijn om te zeggen dat dit een heel slecht idee was. Don slikte en het schuim rimpelde.

Met Freya's hand op de zijne duwde Albert het mes in het schuim. Het was duidelijk dat Don iets wilde zeggen maar zich niet wilde bewegen. De lippen van hun zoon verdwenen in zijn mond en zijn ogen liepen vol. Freya kon voelen dat hij het mes zo stijf vasthield dat zijn knokkels uitstaken. Er kwam een hoog geluid uit zijn keel.

Ze trok Alberts hand voorzichtig weg en maakte zijn vingers los. Toen ze het mes van hem afgepakt had, stapte hij meteen naar achteren en ging verdwaasd zitten.

'Het geeft niet, Albert,' zei Don.

Freya rechtte haar rug en liep om het houtblok heen om achter haar man te gaan staan.

'Ik kan het zelf ook wel afmaken,' zei Don.

Ze negeerde hem, zette haar duim op het puntje van zijn kin, concentreerde zich en deed de eerste haal naar boven, tegen de vleug in. Hij sprak noch slikte. Ze veegde het mes aan haar mouw af en ging verder. Ze herkende hem niet. Dat wilde ze niet.

Toen ze klaar was wreef hij met zijn handen over zijn gezicht en draaide zijn hoofd naar links en naar rechts. Dat leverde applaus op.

4

Dierlijk, mineraal, plantaardig

Toen Kate bij Geraint op de stoep stond, met een plastic tas en een stel schone kleren, had ze iets van een gevangene met dagverlof. Zo voelde ze zich in ieder geval, toen ze haar mee naar binnen namen, plaats lieten nemen aan de eettafel, zoete thee met melk voor haar maakten en vroegen wat ze, nu ze op vrije voeten was, wilde eten.

'We hebben,' zei Mervyn, Geraints vader, en hij deed de koelkastdeur open, 'tromgeroffel... doorregen spék!'

Kate vertelde dat, hoewel de gemeenschap niet vegetarisch was, zij dat eigenlijk wel was, maar dat het haar verder niet uitmaakte wat ze at, en ze wees naar het gezinspak Frosties op het aanrecht.

De volgende dag organiseerde Liz, Geraints moeder, een symbolische gasbarbecue om de koelkast van zijn bacon en worstjes, Iberische chorizo, varkensmedaillons en handgemaakte lamshamburgers te ontdoen. Op het terras wuifde Mervyn, met ontbloot bovenlijf in april, de vleesrook weg met een dienblad, en zijn houding was die van een man die ooit aan krachttraining had gedaan.

Liz had een soort fietshelm van blond haar, verheven boven haar schedel, stijfgespoten en schokbestendig. Ze was intens gedienstig. Elke avond zei ze: 'Slaap lekker, Katherine,' en elke ochtend keek ze goed welke cornflakes of muesli Kate koos, en dan kocht ze nog een heleboel van dat merk. Ze vroeg nooit wat haar ertoe gebracht had om van huis weg te lopen, maar de impliciete boodschap was dat Kate zich te allen tijde vrij moest voelen om erover te praten. Kate begon zelfs het gevoel te krijgen dat ze behandeld werd als iemand die onlangs een verschrikkelijk trauma had opgelopen, en begon zich af te vragen of dat ook het geval was.

Kate hielp Liz aubergines in plakken snijden en met zout bestrooien om een caponata te maken. Als eerbetoon aan Patrick leerde Kate Liz hoe ze een dhal van rode linzen *à la carcinogeen* moest maken – met de bodem van de pan zwart aangekoekt. Die eerste paar dagen viel Mervyn grimmig, grijnzend, aan op driebonenstoofpotjes, gevulde weidechampignons en enorme bietensalades met walnoten.

Kate had haar vader per sms laten weten bij wie ze zat, maar aangezien niemand wist waar Geraint woonde, of zelfs maar wat zijn achternaam was, was ze godzijdank onvindbaar. Haar enige contact met de gemeenschap verliep via de sms'jes van haar vader, want ze nam nooit op wanneer hij belde en weigerde haar voicemail af te luisteren.

> Snoep, we zijn nu al een week verder – gaat het goed met je? Wanneer kom je terug? We maken ons zorgen om je! Papa xxooxx

Ze zag dat het bericht om 02.13 uur was verstuurd en stelde zich voor dat hij in zijn eentje in bed zat, verlicht door het schijnsel van zijn mobiel.

Op verzoek van Mervyn sliepen Kate en Geraint in aparte kamers. Zij had de logeerkamer gekregen, met leeslampjes die in de muur waren verzonken en een bed dat voor de helft schuilging onder een zijdeachtige turquoise sprei. Voordat ze bij hem op de stoep was verschenen, hadden zij en Geraint alle dingen gedaan die ze makkelijk konden doen op de achterbank van zijn kleine Punto, wat een heleboel was, maar niet alles. Nu ze echter bij elkaar woonden – en met de dubbele katalysator van Mervyns afkeuring en het slapen in aparte kamers – gingen ze gauw een stap verder. Het begon met gevaarlijk geflikflooi in het zwembad in de tuin en eindigde met volledige, goddeloze consummatie in Mervyns Jeep terwijl die in de garage stond. Koud en oncomfortabel, jawel, maar met de spanning van een mogelijk familieschandaal. Kate genoot er stiekem van om vaders trots te schenden – oldtimer zowel als oudste zoon.

Ondanks het feit dat Kate nooit eerder deel had uitgemaakt van een keurig middenklassegezin wist ze heel goed wat ze kon verwachten; haar vader had haar altijd aangemoedigd optimaal gebruik te maken van zijn filmcollectie, die een hoop over het onderwerp te zeggen had, met titels als *The Graduate*, *Edward Scissorhands*, *American Beauty* en *The Ice Storm*. Volgens een van de populairdere anekdotes van de gemeenschap had Kate toen ze tien was de wekker een keer op drie uur 's nachts gezet, zodat ze beneden *Poltergeist* kon gaan kijken, de ultieme suburbia-horrorfilm. Toen Janet 's ochtends vroeg opstond om de geiten te melken, had ze Kate klaarwakker in haar eentje in de hoek aangetroffen, doodsbang starend naar het weefgetouw, waarvan soms gezegd werd dat het een machine was om kinderen fijn te snijden.

Kate kon zich nauwelijks voorstellen dat er achter de blije sfeer in Geraints halfvrijstaande huis met garage, en vooral ook met zwembad, níét een soort onstuitbaar, meedogenloos intermenselijk bederf gaande was. Oppervlakkig gezien had het er alle schijn van dat de familie Rees gelukkig was, wat – volgens Kates idee van suburbia – betekende dat ze dat niet waren. Ze was dan ook enigszins opgelucht toen ze erachter kwam dat Mervyn last had van slapeloosheid.

Hoewel hij fulltime op de nieuwsredactie van de *Evening Post* werkte, bleef hij ook nog de halve nacht op zitten om tv te kijken in de zitkamer. Ze was ervan overtuigd dat dat de sleutel was van de metaforische kelder van het gezin. Ze moest denken aan iets wat haar vader ooit had gezegd: 'Slapeloosheid is geen kwaal, het is een symptoom.'

Waarom kon Mervyn niet slapen? Wat voor monsters verschenen er in zijn dromen?

Eén ding wist Kate wel, en dat was dat er 's nachts vanuit de tuin naaktslakken onder de plinten vandaan kwamen en over het tapijt door de zitkamer kropen. Om de een of andere reden liet Mervyn ze hun gang gaan, en kon Liz elke ochtend de glinsterende sporen wegvegen. Het onuitgesproken duistere tussen hen.

Die eerste nacht in het rondhuis waren Freya en Albert met z'n tweeën. Ze ritsten hun slaapzakken aan elkaar – Albert liet haar zien hoe dat moest – om een superslaapzak te maken en sliepen midden in de kamer op een schapenvacht. Daar op de grond praatte Freya met hem over zijn zus. Ze zei dat hij haar vertrek niet te persoonlijk moest opvatten. Het was echt niet de eerste keer dat Kate was weggelopen. Ze stond erom bekend. Eén keer, toen ze twaalf was, had ze de benen genomen met een rugzak vol blikjes, maar was door het gewicht ervan gedwongen geweest voorraden af te werpen, de minst favoriete eerst. Haar vader was haar gevolgd via de kidneybonen, daarna sperziebonen, kikkererwten, gepelde tomaten enzovoort, tot hij haar uiteindelijk vond, uitgeput en wel, en bezig het sap van een blik ananasringen op te drinken.

Albert verdween dieper in de superslaapzak, en dat was de plek waar hij vanaf dat moment sliep, een warme bol bij

Freya's voeten. Ze had een heel arsenaal aan kruidentheeën meegebracht, ervan uitgaande dat ze midden in de nacht wakker zou worden van iets wat aan haar trok, een onzichtbaar touw tussen haar en Don. De werkelijkheid was anders. Ze sliep als een blok, en toen ze die eerste ochtend wakker werd, merkte ze dat ze alleen in een tweepersoonsslaapzak lag. Albert was al naar de werkplaats vertrokken voor een bezoek aan Marina.

De tweede nacht kregen ze gezelschap van Isaac, en zij en de jongens gingen kop-aan-kont op de schapenvacht liggen, met haar in het midden. Toen ze dachten dat ze sliep, begonnen ze aan een verontrustend bedgesprek.

'Isaac?'

'Ja.'

'Hoe denk jij dat de wereld vergaat?'

'Eh. Het begint met een heleboel lawaai als het lawaai van een bus, en dan het lawaai van tien bussen en dan twaalf, en dan komen er vogels, en als die je naam in de lucht schrijven mag je met de bus mee en als ze dat niet doen ga je dood op de grond.'

Zelfs dat kon haar niet wakker houden. Ze was bijna vergeten hoe het was om een nacht goed te slapen, zonder onderbrekingen en zonder dromen. Het gevoel opgewaardeerd te zijn. Nieuwe ogen.

Toen Isaac twee dagen later weer bleef slapen, was ze inmiddels tot het besef gekomen dat er weinig dingen zo opwindend zijn voor jonge jongens als het idee dat de wereld plotseling en met een grote explosie vergaat, en dat zij als enige overlevenden met enorme messen over de giftige aarde dwalen. Dat maakte Marina's theorieën zo aantrekkelijk. Er was meer nodig dan saaie rationaliteit om ze af te leiden, en daarom deed ze haar uiterste best om eerder op te staan dan zij, en zei toen ze wakker waren: 'Vandaag gaan we ons bezighouden met tijdreizen.'

Ze liet hen in kleermakerszit op de mat zitten en nam zelf plaats op een krukje tegenover hen. Het was een goede oefening voor 's ochtends, wanneer ze nog in contact stonden met hun onderbewuste.

'Wie wil er met een tijdmachine reizen?'

Ze staken allebei hun hand op. Albert hief zijn rechterbil van de biezen mat om zijn hand een paar centimeter extra overtuiging te geven.

'Tijdreizen is makkelijker dan de meeste mensen denken. Doe jullie ogen maar dicht en luister goed.'

Ze keken elkaar ernstig aan, pakten elkaars hand vast en sloten hun ogen.

'Stel je voor dat je in een lift staat,' zei ze, 'en er is een hele wand met knoppen, allemaal genummerd, van één tot en met honderd. Druk op de knop die hetzelfde nummer heeft als je leeftijd. Dus als je zes bent, Isaac, dan druk je op de knop waar zes op staat.'

Er verschenen rimpels in Isaacs voorhoofd. Freya keek naar hem. Zijn gezicht was hyperexpressief en veranderde voortdurend, een soort menselijke lavalamp, waardoor het leek alsof hij een grotere verscheidenheid aan emoties had dan de meeste andere kinderen.

'Oké,' als je de knop hebt ingedrukt, laat dan de liftdeuren dichtgaan en voel hoe je naar boven gaat.'

'Wo ho ho,' zei Albert, stuiterend op zijn kont.

'Ping!' zei Freya. 'Je bent op je verdieping aangekomen. De deuren gaan open.'

Isaac sperde zijn neusgaten open.

'Stap eruit, de gang in. Voel het rode tapijt onder je voeten. Er hangen gouden lampen aan de muren. Aan deze gang liggen honderd kamers en er zijn aan allebei de kanten deuren.'

Albert schommelde met zijn voet.

'Loop nu langzaam de gang in en tel ondertussen de deuren. Zeg de nummers hardop als je erlangs komt en blijf staan bij de deur met jouw leeftijd erop.'

'Eentweedrieviervijf...' zei Albert.

In gedachten rende hij.

Isaac telde niet hardop. Hij trok met zijn vinger een cirkel in de schapenvacht.

'... achtnegentienélf!'

'Is het gelukt, Isaac? Sta je voor deur nummer zes?'

Hij knikte.

'Oké. Dat is jouw kamer.'

Dit was iets wat ze jaren geleden had geleerd toen ze samen met Don een driedaagse, niet aan een geloof gebonden meditatiecursus had gevolgd. Ze herinnerde zich nog dat Don had gezegd dat hij iedere keer als hij 'gedachteloosheid' bereikte, door zijn eigen gevoel van succes weer terug naar de oppervlakte werd getrokken.

Deze oefening heette 'bezoek je toekomstige ik'. Freya wist nog goed dat haar toekomstige ik tegen haar had gezegd dat ze niet naar een meditatiecursus hoefde te gaan om met haar toekomstige of vroegere ik te praten, en dat dit het soort innerlijke gesprekken waren die de meeste mensen voor lange busreizen bewaarden. Zelfs als Alberts 'toekomstige ik' hem zoiets banaals zou vertellen, zou Freya allang blij zijn om hem in zelfbespiegeling verzonken te zien. Ze stelde zich voor dat hij een versie van zichzelf ontmoette die even oud was als Kate en die zich, net als zijn zus, meer zorgen maakte om zijn toelating tot de universiteit dan om het lot van het universum.

'Loop nu nog een stukje door, tot je vijf kamers verder

bent. Hoeveel is zes plus vijf, Isaac? Is dat elf?'

'Ja, elf.'

'Goed, dan ga jij naar kamer elf.'

'Ik sta al voor die van mij,' zei Albert. 'Zestien, yes!'

'Deze kamers bevatten de versie van jezelf met dezelfde leeftijd als het kamernummer. Dus achter die deur vind je jezelf zoals je over vijf jaar bent. Hij weet dat je eraan komt, want hij kan zich nog herinneren dat hij vijf jaar geleden zat waar jij nu zit. Als er iets is wat jou nu dwarszit, dan kan hij je daarbij helpen. Je kunt aan hem vragen hoe het is om zo oud te zijn als hij. Hij weet precies of je bang bent, of dat je je ergens zorgen over maakt. Hij kan je een andere kijk op dingen geven.'

Ze kon aan het gezicht van haar zoon zien dat hij er helemaal in zat.

'Doe de deurkruk naar beneden en ga naar binnen. Ga in kleermakerszit tegenover jezelf op de grond zitten, net zoals je nu zit. Kijk maar even hoe die kamer eruitziet. Kijk daarna naar je toekomstige ik. Maak nu van de gelegenheid gebruik om – in je hoofd – te vragen wat je maar wilt, en luister goed naar het antwoord.'

Isaac liet zijn hoofd zakken. Hij liet Alberts hand los, stopte zijn vingers in zijn oren en haalde ze er weer uit. Hij proefde zijn vingertoppen en veegde toen zijn handen af – voor- en achterkant – aan zijn spijkerbroek. Hij deed zijn ogen open en leek verrast te zijn dat Freya naar hem keek. Zijn gezicht doorliep een aantal emoties in het schuld/schaamtespectrum.

Ze vormde met haar mond de woorden 'geeft niet' en stak hem haar hand toe. Hij trok zich naar Freya toe en sloeg zijn armen om een van haar kuiten.

Ze keken naar Albert. Zijn gezicht bewoog: hij trok met

zijn wenkbrauwen en zijn neusvleugels werden af en toe wit aan de randen.

– Albert!

– Ja!

– Ik ben zestien!

– Ik ben elf! Hoe is de volgende dimensie?

– Super-de-luxe!

– Ik wist het wel.

– Eén groot bloedbad.

– Wat is er gebeurd?

– Nou, het begon allemaal met de zwermen. Niet gewoon één insect, maar allemáál, over land en over zee, om de aarde kaal te vreten. Puur apocalyptisch.

– Goeie woorden ken jij.

– Ik stond op het platte dak toen ze de zon verduisterden. Je kon ze horen. Ze waren een documentaire over me aan het maken en ze hebben het met de camera gefilmd toen ik zei: *Kom op met die klotebenzine.*

– Wow, yes!

– Toen heb ik die benzine door het bos uitgegoten, in een kring om het grote huis heen. Mijn trawanten stonden op verschillende punten langs die kring, allemaal met een doosje lucifers. Ik ben het platte dak op gegaan en iedereen wachtte op mijn teken. Ik wist dat het bos maar een bepaalde tijd zou branden, dus we moesten het goed timen, zodat de zwerm voorbij zou zijn voordat het bos uitgebrand was.

– Klinkt logisch.

– Ik kon de MegaZwerm boven de horizon dichterbij zien komen – sprinkhanen, horzels, wespen, paardenvliegen, bidsprinkhanen, muggen – en ik zei zo van: *Wachten...! Wachten!* En ik hoorde al het *skrit-skrit-skrit* van de superintelligente mierenlegers, die honderden keren hun eigen gewicht aan wapentuig droegen, en ik zei nog steeds zo van: *Wachten!* En achter de mieren kwamen de legioenen teken en mijten en kevers, die grote bollen voor zich uit rolden, en daarachter zwaaiden er zelfs spinnen door de bomen, hoewel dat eigenlijk geen insecten zijn, en ik schreeuwde nog steeds: *Wachten! Wachten!* En toen zei ik ... *Steek maar in de fik, die handel!*, want dat was het teken.

– En dat is allemaal gefilmd?

– Uiteraard.

– Tering.

– Ja. En de vlammen vlogen langs de bomen omhoog en schoten de lucht in, en mijn team rende gauw terug naar het huis, waar het veilig was, en daar bleven we wachten en zagen we de mierenhorden aan de grond vastbranden, en enorme wolken van brandende insecten in de lucht, als vuurwerk in slow motion. De rook werkte als een krachtveld en boog de zwerm af om ons heen, maar er braken er toch nog een paar doorheen, spinnen, die brandend maar levend en met knarsende kaken door het kreupelhout op ons af kwamen rennen, dus toen zijn we het erf op gegaan met bussen Axe en aanstekers en hebben we man tegen man gevochten met die homo's.

– Wie heeft er gewonnen?

– Wie denk je?

– Er kan er maar één de beste zijn!

– Precies.

– Allemaal in die documentaire?

– *Oui*.

– Heb je Frans geleerd?

– *Oui*.

– En toen?

– Toen waren wij de enigen die nog over waren op aarde.

Kate was bij haar vriend thuis en daarna op de universiteit, dus die was dood.

– Nee!

– Sorry, maar het is niet anders. Verder gaat het met iedereen goed. Papa en mama zijn weer samen in het grote huis en ik kan alles doen wat ik wil, zoals in oude bibliotheken en kastelen rondlopen en hotels verkennen. In het rondhuis wonen is echt een nuttige training om op gevaarlijke plekken te overleven.

– Dat is wel gaaf allemaal. Maar ik vind het wel erg van Kate.

– Het was haar eigen keus. Je zal haar nog proberen duidelijk te maken dat ze het helemaal mis heeft en dat de wereld echt zal vergaan, maar ze wil niet luisteren. Soms is ze heel erg beledigend. Ze probeert zelfs papa en mama te vermóórden door leugens tegen ze te vertellen over dat de wereld níét vergaat. Je wilt dit misschien niet horen, maar al vrij snel zul je een manier moeten bedenken om te zorgen dat ze jouw cruciale voorbereidingen niet verstoort.

– Is het niet zo dat ze op het laatste moment terugkeert bij de gemeenschap omdat ze er net op tijd achter is gekomen dat ze het mis heeft?

– In sprookjes misschien. Maar dit is de realiteit, ouwe reus.

Op weg naar de badkamer kwam Liz langs de kamer boven aan de trap waar Kate en Geraint samen zaten te studeren. Ze bleef voor de deur staan kijken hoe ze daar stilletjes zaten, met het zware studieboek opengeslagen op het bureau. Alleen hun achterhoofd bewoog af en toe. Ze gaf Mervyn een seintje dat hij moest komen kijken – *sst!* gebaarde ze met een vinger voor haar lippen toen hij aan kwam lopen, met zijn kantooroverhemd nog aan. Ze bleven daar even staan, arm in arm, en probeerden zich te concentreren op hoe hun zoon zich concentreerde, maar ze voelden zich te opgetogen en gezegend. Toen Kates onverschrokken hand omhoogging om de bladzijde om te slaan, legde Liz haar hoofd op Mervyns schouder.

Daarna zochten ze hun laden af naar de juiste kantoorartikelen. Zij zouden niet degenen zijn die haar ervan weerhielden om de hypotenusa te kwadrateren. Als driekleurige markeerpapiertjes misschien de schade van haar treurige, ongestructureerde opvoeding teniet konden doen, dan kreeg zij driekleurige markeerpapiertjes. Supersnel glasvezelinternet hield gelijke tred met haar ongebonden geest.

Ze waren het er allebei over eens dat zij een engel was die gestuurd was om de cijfers van hun zoon op te vijzelen via osmose, een begrip dat hem inmiddels niet meer vreemd was. Hij had er genoeg aan om gewoon in één kamer te zitten met haar bovenmenselijke concentratieboog. Als hun zoon wat stiller leek dan normaal, dan was dat niet zo vreemd, want hij maakte een grote verandering door, de pijnlijke terugtrekking in zijn cocon. Telkens als ze weer een glimp opvingen van zijn kamervloer zagen ze minder aluminium bakjes, lege zakjes, kipnuggetdoosjes, bergen kleren, kapotte bijouteriekistjes en gebroken gitaarsnaren, tot ze op een gegeven moment, op een onverwacht warme dag, rechtop in bed zaten te luisteren naar het gebrom van de stofzuiger dat door de muur kwam. De vermaarde lucht in de kamer van hun zoon – als vochtig kurk, als de rugzijde van een tapijt – begon weg te trekken. Mervyn beweerde zelfs dat hij hem miste.

Donderdagse vergadering. 05/03/2012
Aanwezige leden: Don, Freya, Marina, Isaac, Arlo, Albert!
Gasten: Erin, de Langste Man, Sally Zonder Nek, 2 x onbekend.
Afwezige leden: Janet (Bristol), Patrick (enkel) en Kate (dood)

Albert vond het geweldig om notulen te maken in het gemeenschapscahier.

'Mensen, onze batterij raakt leeg,' zei Don, die aan het hoofd van de tafel stond. De tafel was rond, maar hij slaagde er toch in om aan het hoofd ervan te staan. Hij had scheeruitslag in de vorm van Indonesië in zijn hals.

Hoewel ze 'op vakantie' waren, werden Freya en Albert nog wel op de tweewekelijkse vergadering verwacht. Dit was de eerste keer dat Freya weer naar het grote huis was gekomen, al kon dat niet gezegd worden van Albert, die de meeste dagen terug was geweest om Marina te zien.

Albert greep zijn potlood en schreef: *Batterij = leeg.*

Freya verdeelde haar aandacht tussen het lospeuteren van een modderkorst op de rug van haar hand en het lezen van Alberts notulen, en sloeg ondertussen de bewegingen van de sinds kort weer zichtbare lippen van haar echtgenoot gade. Don maakte een gebaar alsof hij iets fijnstampte in een vijzel. Hij sprak langzamer dan normaal en de huid onder zijn ogen was donker.

Albert schreef: *Laatste benen. Buikriem aanhalen. Ledenwerfactie.*

Freya keek naar Patricks lege stoel aan de andere kant van de tafel, een hoge Windsorstoel met een kale plek waar hij met zijn achterhoofd altijd over de rugleuning wreef. Daarnaast, op het bankje waar Kate altijd zat, zaten de Amerikaanse jonggehuwden, Varghese en Erin, die gisteravond waren gearriveerd om hun huwelijksreis te wwoofen. Ze glimlachten en trokken aan elkaars trui.

Albert schreef op: *Patrick weg = minder in kas.*

Freya zag Don met het mes van zijn rechterhand in de palm van zijn linkerhand hakken. Zijn ogen gingen wijd open. Hij wees naar iets in een andere ruimte. Vervolgens wees hij naar Freya en stak allebei zijn duimen naar haar op.

Albert schreef: *Wees als Freya en Albert. Minimalisme – rondhuis.*

Iedereen keek haar kant op en knikte naar haar.

Albert schreef: *Halveringstijd. 300.000 jaar. De dinosauriërs.*

Don was nog steeds aan het woord en wees alle mensen aan tafel een voor een aan.

Albert schreef op: *Verantwoordelijkheid. Gelijkheid. De kinderen van onze kinderen. (Mijn kinderen!)*

Nu ze Don zonder baard zag, moest ze aan hem denken zoals hij was in de begintijd van de gemeenschap. Het was net alsof er toen permanent een woordenstroom in hem had gewoed, soms in stilte, soms hardop, maar nooit niét. Als hij een zinsnede wilde benadrukken, leunde hij altijd naar voren, alsof zijn romp dienovereenkomstig werd gecursiveerd. *Nieuwe leefpatronen.* Freya knipperde met haar ogen en zag hoe hij nu zijn best deed om redelijk te zijn. Voor haar op tafel had zich een klein hoopje opgedroogde modder gevormd, waar ze aan haar handen had zitten pulken.

Albert schreef: *Digitaal gaan. Roer recht. Terug bij af.*

Ze zag dat Albert, tussen zijn aantekeningen in, het potlood gebruikte om zijn armen te kleuren en zichzelf de grijzige glans te geven van iemand die aan ernstige ondervoedingsverschijnselen lijdt.

Don keek het vertrek rond en ving een voor een ieders blik. Isaac – piepklein in de rotanstoel – trommelde met zijn vingers op de armleuningen en probeerde linker- en rechterhand gelijk te laten gaan. Arlo hield zijn thee in zijn mond.

Don keek Freya niet zo lang aan. Hij ging verder met praten en hief zijn wijsvinger op voor extra nadruk. Albert schreef: *Dichter bij onszelf. Stap voorwaarts.*

Ze zag Don een beetje onhandig naar voren leunen, met opgerolde mouwen, zijn handen plat op de tafel.

Albert schreef op: *Van stroomnet af. Stem uitbrengen. Moment is daar. Zo weinig van over! :-(*

Links en rechts van haar gingen handen de lucht in.

Toen Kate een keer midden in de nacht wakker werd en naar beneden ging voor een glas water, zag ze door de rijen ruitjes met gerimpeld glas in de deur naar de zitkamer dat de tv aanstond. Mervyn zat zonder geluid naar News 24 met live ondertiteling te kijken. Gezien het feit dat hij journalist was, verbaasde het haar dat hij het kon opbrengen om in zijn slapeloze uren naar het nieuws te kijken. Ze wierp een blik naar binnen en glimlachte op die bescheiden, intieme manier waarop mensen naar elkaar glimlachen als ze elkaar in een smal gangetje passeren, 's avonds laat, in een slaaptrein.

Het telefoonsnoer liep strakgespannen door de hal en verdween in de wc onder de trap, waarvan de deur dicht was.

'Hallo. U spreekt met Albert Riley van het Rave-huis. Ik heb een maand geleden ook met u gesproken... Ja, ik ben van gedachten veranderd.'

...

'Ik weet het. Mijn ouders zeggen dat ik mijn leven op mijn eigen manier moet leiden. Mijn eigen fouten moet maken.'

...

'Ja, ze willen allebei met alle plezier voor toestemming tekenen.'

…

'Dat moet u maar van me aannemen.'

…

'Dan zijn ze er niet, dus u kunt ze niet spreken. Is dat een probleem?'

…

'U begaat een grote fout.'

…

'Oké. Laat maar. Mijn vader zegt dat uw bedrijfstak inherent slecht is.'

…

…

'Hallo. U spreekt met Albert F. Riley. Ik heb een paar maanden geleden ook met u gesproken.'

Een paar nachten daarna werd Kate in de logeerkamer gewekt door het zoemen van haar telefoon op de vloer. Op het schermpje las ze dat ze drie sms'jes van haar vader had.

LAATSTE NIEUWS: BLAEN-Y-LLYN GAAT VAN HET STROOMNET AF! Grote Dag krijgt droef tintje als sleutelfiguur van de gemeenschap er niet bij zal zijn, vernemen wij uit betrouwbare bron.

TER INFORMATIE: De Grote Dag valt samen met de terugkeer van vakantie van F en Alb, volgende week. Dubbel feest!

En, en, Albert heeft zich niet meer gewassen sinds je vertrek. Ik verwacht duizendpoten, pissebedden etc. als hij zijn laarzen uittrekt!

Terwijl ze wakker lag, streden gevoelens van ergernis over en medelijden met haar vader om voorrang. Ze kon de extatische toon van zijn berichten maar moeilijk rijmen met de tijd die de klok van haar telefoon aangaf: 03:12 uur. Zou hij echt niet weten dat die berichten direct werden verstuurd? Dacht hij misschien dat ze pas 's ochtends zouden aankomen, net als de post?

Nadat ze een tijd had wakker gelegen, werd ze zich bewust van een hoge pieptoon, ergens in huis. Het duurde even voor ze begreep wat het was.

Ze liep in haar pyjama naar beneden. Op haar gele T-shirt, een veel te groot, antiek ding, een afdragertje van Janet, stond 'Het leven begint bij veertig'. De gladde pyjamabroek was van Liz.

Mervyn zat weer naar het nieuwskanaal te kijken, met live ondertiteling. Ze opende de deur en zwaaide. Hij zwaaide terug en maakte plaats op de bank voor haar. Het leer zuchtte toen ze ging zitten en haar benen onder zich vouwde. Hij legde de afstandsbediening op de salontafel.

'Gaat het wel?' vroeg hij en draaide zich naar haar toe. 'Kon je niet slapen?'

Ze knikte. De uitdrukking op zijn gezicht was begrijpend-maar-niet-bemoeizuchtig.

'We moeten zachtjes praten,' fluisterde hij, en hij wees naar boven, waar zijn vrouw lag te slapen.

'Ik lig maar te piekeren over mijn eindexamen,' zei ze, wat maar half waar was. Twee beelden waren haar bijgebleven van de open dag in Cambridge: een hoogleraar die in vol academisch ornaat door een Japanse tuin liep en een jongen met één overontwikkelde biceps die voorbijvoer op een punter.

'Je doet het vast geweldig,' zei Mervyn.

Ze keken naar het stilzwijgende nieuws met de gekleurde ondertitels die woord voor woord in beeld verschenen. Hij leunde opzij naar Kate en zei zachtjes: 'De ondertitels worden ter plekke ingetikt door stenografen – dat zijn die mensen die in de rechtbank noteren wat er gezegd wordt. Waanzinnig knap. Ze werken in ploegendienst, nooit langer dan een kwartier achter elkaar, zo intensief is dat werk. Tussen vier en vijf uur 's nachts, aan het eind van hun dienst, maken ze meer fouten, heb ik gemerkt. Mijn favoriet is: *Rusland trekt zich terug als apenleverancier Iran.*'

Hij lachte geluidloos en zij glimlachte.

Nog interessanter dan stenografie was de vraag welke duistere dromen ervoor zorgden dat een man met een normale baan, die in een mooi huis in een keurige buurt woonde, 's nachts naar ondertiteld nieuws keek. 's Nachts kwam hij tevoorschijn, net als de tapijtslakken die geluidloos en verdwaald een spoor door de zitkamer trokken. Ze cultiveerde dit soort gedachten – over de leegheid van het halfvrijstaand wonen-bestaan – en als Mervyn en Liz in het opstaande zwembad achter in de tuin zwommen, had ze meer dan eens het idee gehad dat ze daar twee afgehakte hoofden in het water zag dobberen.

Mervyn droeg een donkerblauwe kamerjas van fleece over een grijze katoenen pyjama, en hij zat met zijn benen wijd, wat ze altijd associeerde met machogedrag. Vrijwel alle mannen met wie ze was opgegroeid, zaten met gesloten of gekruiste benen. Gespreide mannenbenen zouden voor Don reden zijn om een kandidaat af te wijzen.

Mervyn glimlachte opeens toen er weer een fout in beeld verscheen. '... hebben een duikharnas ontwikkeld dat zelfs bestand is tegen gaaienbeten...'

Het woord 'harnas' deed haar aan haar broertje denken. Ze besloot het bij die gedachte te laten. Eigenlijk probeerde ze alles wat met haar familie te maken had buiten te sluiten – ze hield zich liever bezig met de familie Reese. De laatste keer dat ze Albert had gezien, had hij haar tranen opgevangen en in zijn mond gestopt. Ze luisterde naar de minieme bewegingen van Mervyn, naar het kraken van het leer. De kleine uitingen van een groot innerlijk conflict: slapeloosheid als symptoom van het ongenoegen dat 's nachts door luxe slaapkamers glijdt en een spoor achterlaat. Zij draaide op haar beurt haar benen naar hem toe en had er plezier in om wat zwaarder te gaan ademen. Het maakte het wat interessanter om daar te wonen. Dat, zo besloot ze, was de reden.

Freya werd laat wakker en ze was alleen in het rondhuis. Er kwam blauw en groen daglicht binnen door de gebruikte flessen die in de muur waren gestoken. Dit was de dag dat zij en Albert weer zouden terugkeren naar het grote huis. Het verblijf hier had hem op geen enkele manier veranderd. Hij was Marina gewoon blijven bezoeken. Voor hem was het leven in het rondhuis niets anders dan een voorproefje van 'dat wat komen ging' geweest en het had hem alleen maar nog fanatieker gemaakt.

Gisteravond, na het door haar bereide afscheidsmaal van gevulde aubergines met rijstepap toe, had hij gezegd: 'Ik vind het leuk dat we weer naar huis gaan.' En toen ze vanmorgen wakker werd, had hij zijn spullen al gepakt en was hij verdwenen. Er stond een pan havermout voor haar klaar op de houtkachel met een briefje: *Goeiemorgen, mam! Hier is havermout voor jou. Ik zie je straks thuis!* Ze vroeg zich wel eens af of hij het gevoel had dat hij voor háár moest zorgen in plaats van andersom.

Ze stond op en probeerde wat naar binnen te krijgen, maar ze had geen trek. Ze kleedde zich langzaam aan, en in plaats van in te pakken, pakte ze haar lege koffer en begon de heuvel op te lopen. Hoewel de koffer leeg was, leek hij heel zwaar. Het was een mosterdkleurig stijf geval uit de jaren zeventig, afgezet met bruin leer. Het eerste jaar in de gemeenschap had ze eruit geleefd, want je koffer was toen het enige stukje van jezelf. Hij zag er nog goed uit, vooral omdat ze in de jaren erna nooit had gereisd. In die tijd wist iedereen het als je relatieproblemen had. Dat maakte het in zekere zin makkelijker, omdat je niets kon verbergen. Ze had gezien hoe stellen de gemeenschap bewust hadden gebruikt om hun relatie onder druk te zetten. Een beroemd voorbeeld waren Ben en Angela Whishaw, die, omdat ze te laf waren om zelf een einde aan hun slechte huwelijk te maken, maar al te blij waren geweest dat dit soort kweekvijvers van verleiding, jaloezie en, zo bleek al snel, chronisch overspel bestonden. Freya dacht terug aan het echtpaar met wie ze in Londen had gewerkt. Vijf keer per dag het *pssht*-geluid van zijn pogingen om onhoorbaar een blikje Holsten Pils onder zijn bureau te openen, en zijn vrouw die deed alsof ze niets hoorde, alsof ze haar eigen Persoonlijk Instrument op had.

Toen Freya bij het grote huis kwam, zag ze door het raam van het klaslokaal hoe Don Isaac en Albert toesprak. Ze liet haar koffer in de gang staan en bleef in de deuropening naar ze staan kijken. De jongens zaten met hun rug naar haar toe en keken op naar Don, die uitleg gaf over de nieuwe stroomregelaar: een apparaat dat hen moest helpen hun stroomgebruik te reguleren als ze waren losgekoppeld van het stroomnet. Het was gemaakt van crèmekleurig plastic, had het formaat van een schoenendoos en hing aan de muur boven de piano.

'En als het nou keihard waait en de zon als een idioot staat te schijnen,' vroeg Albert. 'Wat dan?'

'Nou, dan gaan we naar binnen, kijken op de meter, en als we meer elektriciteit produceren dan we gebruiken, dan is het in ons belang om die energie ook te gebruiken. Want als die overtollige energie niet weg kan, slaan misschien de stoppen door. Je kunt zelfs een explosie krijgen.'

'Yes!' zei Albert.

Don fronste. De meter klikte als een camera als ze een eenheid opgeslagen stroom verbruikten. Hun accu stond in de houten bijenkast achter het klaslokaal.

Klik.

'Vet!' zei Albert, en hij keek naar het plafond. 'Dus áls het stormt, kunnen we in alle kamers lasers monteren.'

'Nou, het idee is dat we leren om niet naar dat soort dingen te verlangen, Bert.'

'Niet verlangen naar lasers?' zei Albert, die zijn best deed om één wenkbrauw op te trekken.

Isaac keek met een ernstige blik toe.

Klik.

Don snoof en trok aan het puntje van zijn neus.

Bij Isaac kwam een stukje tong tevoorschijn als hij zich, zoals nu, concentreerde. 'Ik begrijp het niet,' zei hij.

Don liet zich op één knie zakken om het uit te leggen.

'Je moet elektriciteit zien als een rivier die door het huis stroomt. Soms is het een grote rivier, soms een klein stroompje. Het is een rivier van vuur waar je voor op moet passen. Hij loopt in een grote kring achter deze muren.

Isaac strekte zijn hand uit en greep de neus van Don vast.

'Goed, jongens. We zijn wel klaar zo. Roep iedereen maar bij elkaar, dan gaan we dat telefoontje plegen.'

Don glimlachte en keek naar Freya.

'Je bent net op tijd,' zei hij.

Albert trok het snoer uit zodat hij in het midden van de hal kon staan. Iedereen was op komen draven om hem te horen bellen met Swalec, het elektriciteitsbedrijf. Marina en Isaac zaten op het visgraatparket, met hun rug tegen de muur onder de kapstokhaken. De wwoofers stonden op de onderste treden van de trap, opgesteld als een zangkoor. Arlo keek toe vanuit de deuropening van de keuken, met macadamianoten in zijn hand. Op de overloop halverwege de trap stond Freya te kijken naar wat er beneden gebeurde. Vlak voor haar zat Don, die tijdens de show van Albert voortdurend omkeek om te zien of zijn vrouw wel genoot van dit grootse moment in hun gedeelde leven.

'U spreekt met Albert Riley. Ik wil graag onze relatie beeindigen.'

Albert maakte een pirouette zodat het telefoonsnoer zich om hem heen wikkelde.

'... Nee, we wisselen niet van leverancier.' Hij had een papiertje met een paar aantekeningen. 'Er is al jaren sprake van een verwijdering. Het ligt niet aan mij, maar aan u.'

Een klein applausje van de trap. Don glimlachte met open mond.

'We hebben u niet nodig. Dit ligt achter ons. U had het kunnen zien aankomen.'

Albert haalde de telefoon van zijn oor en maakte een kwekgebaar met zijn linkerhand. Succes verzekerd. Don keek om om dit moment met Freya te delen, maar ze was er niet meer.

'Weten we het zeker?' vroeg Albert, en hij richtte de telefoon naar het publiek.

'We weten het zeker!' antwoordden ze in koor.

Albert hield de telefoon weer aan zijn oor. Hij las hun klantnummer en adres voor van een rekening. Het bleek dat een telefoontje niet genoeg was. Er moest schriftelijk opgezegd worden.

Freya liep de kamer van Don in en zette haar koffer naast het bed. Ze had het idee dat Don zijn best had gedaan om haar het gevoel te geven dat ze terugkeerde in een weer opgeleefde, bruisende gemeenschap, en zo voelde het ook. Maar de kamer was precies zoals ze hem had achtergelaten, tot aan het half opgedronken glas water op haar nachtkastje en de niet-geschreven brief in de typemachine toe. Het had iets van een museum. De kamer rekende op haar terugkomst. Als verdoofd staarde ze uit het raam. In een van de tunnelkassen zag ze een schaduw bewegen.

Na een tijdje hoorde ze de slaapkamerdeur opengaan, maar ze draaide zich niet om. Ze wachtte tot hij haar lege koffer zou zien en zou beseffen wat er aan de hand was. Misschien zou Don het begrijpen zonder dat ze het hoefde uit te spreken en zou hij haar vertrek zwijgend accepteren. Ze wachtte en hoorde de vloerplanken onder hem kreunen. Hij stond achter haar. Ze luisterde of ze hem hoorde huilen. Het zou makkelijker zijn als hij huilde. In plaats daarvan voelde ze lippen op haar hals.

Dit kon niet de mond van haar echtgenoot zijn. Ze had niet het inleidende kus-kusgeluid gehoord of het onderdrukken daarvan, wat het teken was dat hij ten aanval trok. Geen ziplockzakje dat werd opengetrokken. Dit waren vreemde lippen in haar hals, zacht en een beetje kleverig, wellicht bevochtigd. Het gevoel door haar man gekust te worden kende ze goed – de natte lippen, zijn badborstelbaard, zijn enthousiasme. Alsof je onder handen werd genomen, opgepoetst. Dit was anders. Het kon hem niet zijn. Don betastte haar niet, pakte haar niet eerst bij haar middel en dan bij haar schouders. Ze sloot haar ogen en concentreerde zich op hoe het voelde om met een ander te zijn.

Zo was het makkelijker – dus legde ze haar hoofd in haar

nek en liet zijn mond de overgang tussen haar hals en haar schouder verkennen. De hand van de onbekende betastte haar borsten op een manier die anders was dan die van haar echtgenoot. De andere hand van de onbekende lichtte haar knielange rok op, en dat allemaal voor een raam waardoor ze bekeken konden worden door mensen voor wie de echtgenoot een autoriteit was, en dat was iets wat haar echtgenoot nooit zou doen. De persoon begon werk te maken van haar hals, zwaar ademend. Ze duwde terug en zorgde ervoor dat ze niet over haar schouder keek. Het was nog steeds niet donker, en bij de composthoop stond een meisje hout te hakken. Freya hoorde het geluid van de rits van zijn gulp. Het kon de onbekende niet schelen dat ze gezien werden en hij trok met zijn hand onhandig haar ondergoed omlaag. De onbekende wist kennelijk hoe ze heette, want hij begon haar naam te zeggen, steeds maar weer.

Ze leunde voorover met haar armen uit elkaar en zette haar handen plat op de vensterbank. Zijn mond zoog aan haar schouder. De zon begon onder te gaan en in het vensterglas zag ze al het begin van haar reflectie, en het silhouet van het hoofd van de onbekende. Anders dan haar echtgenoot besteedde hij weinig tijd aan voorspel. Ze voelde hoe hij zijn knieën licht boog en bij haar binnendrong, wat haar een geluid ontlokte dat ze lang niet meer had gemaakt.

Het werd buiten steeds donkerder, en in het raam zag ze het silhouet maar niet het gezicht van de man die haar heupen omklemde en omlaag keek naar wat hij aan het doen was. De onbekende zei dat hij haar miste. Toen kwam hij in haar klaar, zei dat hij van haar hield, dat hij blij was dat ze weer terug was en dat het hem speet. Ze hoorde hoe hij op het bed ging zitten.

Ze bleef staan met haar armen op de vensterbank. Het was

nu buiten zo donker dat ze zichzelf duidelijk weerspiegeld zag in het glas. De uitdrukking op haar gezicht was in het geheel niet die van iemand die na jaren weer de seks heeft ontdekt met een nieuwe partner.

Ze trok haar ondergoed omhoog, deed haar rok recht en toen ze zich omdraaide zag ze Don naar haar opkijken. Zonder baard had de huid bij zijn hals, zijn kaken en rond zijn mond een bleekroze kleur, de kleur van lakmoes, en ook was de huid iets opgezet, bijna alsof hij water vasthield. Hij zag er inderdaad jonger uit, maar ook kleiner.

'Bedankt dat je bent teruggekomen, ik wist niet zeker of je dat wel zou doen.' Hij knoopte zijn broek dicht, stond op en liep naar de koffer. Kennelijk dacht hij dat hij al gepakt was. Hij spande zijn schouders en zette zijn voeten iets uit elkaar, als een man die iets zwaars wel even zal optillen. Hij pakte het handvat met twee handen vast en tilde de koffer op, maar omdat die bijna geen weerstand bood, duikelde hij even achterover op zijn hielen en kwam toen weer naar voren, waarbij hij de koffer op het bed liet vallen. Het duurde even voor het tot hem doordrong. Ze zag het gebeuren. Maar hij moest het zién, dus ritste hij de ouderwetse koffer langs de vier afgeronde hoeken open. Hij tilde het deksel omhoog. De voering was goudkleurig.

Kate kon niet slapen. Tot haar verrassing en teleurstelling kon ze de leefgemeenschap niet van zich af zetten en piekerde ze erover of de grote dag van de afsluiting van het stroomnet wel een succes was geworden. Ze had zich zelfs verlaagd tot het sturen van een sms aan haar vader om het te vragen, maar ze had geen antwoord gekregen.

Om twee uur 's nachts hoorde ze de vleermuispiep van de tv en besloot naar beneden te gaan voor een glas water.

Ze haalde iets te drinken uit de keuken en liep toen naar de voorkamer, waar Mervyn naar zijn geluidloze nieuws keek. Ze zwaaide naar hem en hij zwaaide terug. Ze dronk in één teug, ademde luidruchtig uit en zette de mok met een klap op de glazen salontafel.

'Dorst,' zei ze, en ze veegde haar mond af met de rug van haar hand.

'Je hebt het net gemist,' fluisterde hij. 'Humanitaire hulp voor Gazza.'

Ze liet zich op de bank zakken en trok haar T-shirt omlaag.

'Alles goed?' zei hij zonder haar aan te kijken.

'Prima.'

'Zit je iets dwars?'

Haar blote benen waren bruin van het in de tuin zitten. 'Nee.'

Ze wist dat het een cliché was, maar ze deed het toch. Ze haalde haar benen van elkaar en deed ze toen weer over elkaar.

Hij knipperde drie keer, maar keek nog steeds niet.

Ze vond het een leuk tijdverdrijf.

Op de tv verscheen de zin: 'Eerste Britse manschappen keren terug naar huis.'

Toen ze helemaal losgekoppeld waren van het stroomnet, ontwikkelde Don een nieuw systeem voor stroomgebruik. Er waren apparaten van de eerste categorie – wasmachine, schuurmachine, lintzaag, computer/modem/scanner – waarvan er volgens hem altijd maar één tegelijk gebruikt mocht worden, en alleen maar als de accu helemaal opgeladen was. Hij ging de gemeenschap langs en markeerde alle apparaten van deze categorie met een rode sticker. Aan de zijkant van de stroomregelaar bevestigde Don net zo'n rood vlaggetje als op hun Amerikaanse brievenbus, en dat werd dan omhooggeklapt als een van deze apparaten werd gebruikt. Apparaten van de tweede categorie (die een gele sticker kregen), waaronder de tv, de dvd-speler en de geluidsinstallatie, konden vrijelijk en gelijktijdig gebruikt worden als de opladingsgraad van de accu minimaal 95 procent was, maar daaronder alleen 'in noodgevallen'. Hij zei dat hij nog nader zou bepalen wat een noodgeval was.

Dons nieuwe regime zorgde voor nieuwe gedragspatronen. Het smoothieapparaat draaide maar één keer op een ochtend. Toast laten verbranden werd niet meer als een vergeeflijke fout gezien. Elektrische dekens waren iets uit een ver verleden. Het was een kunst om precies genoeg water in de waterkoker te doen. Als Janet haar haar had geföhnd, verborg ze het onder een onopvallend hoedje. Ondanks protesten van Arlo werden de thermostaten van de koelkast en de vrieskist drie graden hoger gezet. Je moest op je beurt wachten om naar de opwindradio te luisteren.

De pasgetrouwden, Erin en Varghese, wilden de gemeenschap beslist niet tot last zijn en waren in de koepel van Patrick getrokken, waar ze op een gasbrander theezetten. Bij kaarslicht, zwak, verkouden en verliefder dan ooit tevoren. Varghese, de reus, maakte een video van hun huwelijksreis. Hij had zijn camera in de tuin gezet, gericht op het huis, en maakte 's nachts time-lapse-opnamen. Hij was heel tevreden over een opname waarop je zag hoe het licht aanging als iemand een ruimte betrad en weer uitging als hij of zij vertrok. Grote drukte tussen half vier en vier uur 's nachts toonde aan dat een aantal bewoners om dezelfde tijd moest plassen. In één slaapkamer bleef het licht de hele nacht aan, en Varghese overwoog al om dit aan Don te melden toen hij besefte wiens slaapkamer het was.

Kate en Geraint zaten op het schaduwrijke gras en Mervyn lag in een ligstoel op het terras, in zijn zwembroek, met *The Times* aan de ene, en *The Sun* aan de andere kant, als hoofdgerecht en toetje. In het weekend lag hij de hele middag een beetje te suffen. Door de open tuindeuren kon je Liz de keukenmachine horen bedienen, want ze maakte inmiddels vegetarische gerechten die geen imitaties van vlees meer waren. Kate en Geraint waren allebei in zwemkleding en onderbraken hun schoolwerk af en toe om even af te koelen in het zwembad. Haar witte bikini met strikjes bij haar schouders en heupen was voor haar gekocht toen ze een dagje waren gaan shoppen in MacArthur Glen Retail Park. Ze had ook nog kousen gekregen. Haar benen 'verdienden' die, volgens Liz.

Ongelijke stapels boeken vormden een skyline langs de wanden van het rondhuis. De meeste andere spullen van Freya zaten nog in opgestapelde kartonnen dozen met doorgestreepte etiketten in onbekende handschriften: ~~*Breekbaar*~~, ~~*Sportspullen*~~, ~~*Video's*~~. Om aan te geven dat de situatie permanent was geworden, had ze een matras meegenomen uit het grote huis. Dat was zo oud en had zoveel communaal gebruik gekend, dat hij bedekt was met een bloeiend veld van gele, narcisvormige vlekken.

Ze kon tegenover Don moeilijk ontkennen dat haar experiment was mislukt; Albert was nu fanatieker dan ooit tevoren. Er werd dus overeengekomen dat hun zoon doordeweeks in de gemeenschap zou verblijven, waar hij zijn schoolwerk kon doen. De weekenden zou hij bij zijn moeder doorbrengen. Het andere nieuws was dat Isaac niet meer naar het rondhuis mocht. Dat verbood Marina hem botweg. Volgens Albert gaf ze als verklaring dat ze Freya en Albert meer tijd met elkaar gunde. Maar Freya had zeeën van tijd om te speculeren over wat ze daar nu eigenlijk mee bedoelde.

Dus als Albert kwam logeren, waren ze met zijn tweeën, wat Freya prettig vond, ook al ritsten ze hun slaapzakken niet meer aan elkaar. Op een zondag waren ze bij eb op Whiteford Burrows gaan wandelen, naar de roestende en afbladderende gietijzeren vuurtoren die, zoals Albert opmerkte, goed als bunker zou kunnen dienen. Ze probeerde de tijd die hij wel bij haar doorbracht zo leuk mogelijk te maken: ze bakten samen brood, oogstten mierikswortel en maakten uienmarmelade. Hij kreeg de opwindradio, wat boeken en schriften, een elektrische kampeerlamp, een echt kussen en een Japans kamerscherm dat hem een kwartcirkel privacy bood.

Van de weekdagen die Albert in de gemeenschap doorbracht, sliep hij om de nacht op een kampeerbed in de werkplaats bij Marina en Isaac. Hij had dus drie overnachtingsplaatsen.

Freya besefte dat hij toe was aan een hele nieuwe omgeving, maar omdat ze zo weinig contacten buiten de gemeenschap had, waren haar opties beperkt. Ze kende eigenlijk maar één iemand die haar kon helpen.

Don stond op een kruk in de hal en verdween met zijn rechterhand in het houten vlechtwerk van de lampenkap. Hij verving de spaarlampen door andere, nog energiezuinigere exemplaren.

'Ik waardeer je steun voor dit project,' zei Don.

Arlo keek toe vanuit de deuropening van de keuken en kauwde op geïmporteerde biltong. Door de jaren heen had Don bij zijn projecten (het joertendorp en het reclamefilter, bijvoorbeeld) vrijwel altijd op zijn steun kunnen rekenen, mits ze geen betrekking hadden op de keuken.

'Nu we het daar toch over hebben,' begon Arlo, en hij drukte op de lichtschakelaar om het nieuwe lampje te testen. De lampenkap lichtte nauwelijks zichtbaar op. 'Het is mooi dat je de zaken zo voortvarend aanpakt, Don, maar ik vraag me wel af of dit echt nodig is.'

'Ik maak alleen maar af waar Freya en ik ooit aan begonnen zijn,' zei Don terwijl hij nog een minilampje uit zijn doosje haalde en in de wc onder de trap verdween, waar zijn stem gedempt begon te klinken.

'Wie het niet kan opbrengen, hoort hier niet thuis.'

'Je klinkt net als Albert.'

Don liep de keuken in, gevolgd door Arlo, en ze keken naar de lampen boven het aanrecht.

'O nee, geen sprake van,' zei Arlo.

'Iedereen moet offers brengen.'

'Ja, maar ik moet wel zíén wat ik snijd. Of wil je dat ik mijn vingers offer?'

'Dat is waar ook,' zei Don. 'Ik wilde het nog even over de catering voor het feest hebben.'

'Goed.'

Don keek nog steeds naar de lampen. 'Ik zit aan een paar ongewone speciale gerechten te denken.'

'O-ké,' zei Arlo met een frons op zijn voorhoofd. 'Ik vind het best. Als ik maar goed licht op mijn werkplek heb.'

'Afgesproken,' zei Don en hij liep door naar de bijkeuken. Hij pakte een melkkrat, ging erop staan, stak zijn arm omhoog en draaide het peertje los. Arlo volgde hem en sloot de deur achter zich.

'Ik begrijp wel waarom je dit doet,' zei Arlo met gedempte stem, 'maar misschien moeten jij en Freya eerst een keer met elkaar praten.'

'Het gaat erom wat voor de gemeenschap het beste is,' zei Don en schroefde het nieuwe lampje vast.

Arlo drukte op de lichtschakelaar om de lamp te testen. Buiten scheen de zon en er veranderde niets aan het licht in het vertrek.

Kate zat in de huiskamer, op de zwarte leren bank, met een jurkje over haar bikini en op haar hoofd de *Dallas*-zonnebril van Liz die ze eerst bij wijze van grap had opgezet, maar inmiddels niet meer kwijt wilde, en ze was net de examenstof over de Heaven's Gate-sekte aan het doornemen toen ze een donker silhouet voor het raam zag staan. Haar moeder stond in de voortuin en klopte niet, maar zwaaide.

Ze had haar ouders al zes weken niet meer gezien. Ze vroeg zich vaak af wat ze van haar nieuwe leefstijl zouden vinden, van dat luie rondhangen met geföhnd haar. Kate gaf haar moeder geen teken van herkenning, maar genoot van haar stilzwijgende afkeuring.

Na een tijdje stond Kate op van de bank en liep naar de vestibule, opende de kunststofvoordeur, negeerde de figuur die daar stond, sloot zachtjes de deur achter zich en liep over het trottoir de straat in tot waar ze niet meer gezien kon worden. Ze hield halt op een grasperk tussen de stoep en de brede straat. Toen ze haar moeder op zich af zag komen, viel het haar op hoe treurig haar kleren oogden in deze buurt – somber, afhangend, gewassen op lage temperaturen. Ze leek de schaduw van het bos met zich mee te dragen.

'Hoe heb je me gevonden?'

'Ik ben zo blij je te zien.' Kate stond toe dat ze haar omhelsde. 'Ik heb je school gebeld.'

Freya stond met haar rug naar de zon, het licht benadrukte de wat wildere buitenste lokken van haar donkere haar, dat tot aan haar oksels kwam en op haar schouders uiteenviel. Licht leek op haar geen vat te krijgen; Kate kon haar gelaatsuitdrukking niet goed zien.

'Je ziet er goed uit,' zei Freya.

'Dank je.'

'Hoe zijn de ouders van Geraint?'

'Die zijn normaal.'

'Je draagt een zonnebril,' zei haar moeder, en dat leek haar echt plezier te doen. 'Hoe gáát het met je? Ik heb je gemíst.'

'Goed, prima. Leren voor het examen.'

'In een heel luxueuze omgeving.'

'Dit is geen "omgeving". Zo ziet een normale straat eruit. Wat doe je hier?'

'O, is dít een normale straat. Natuurlijk. Het is ook al zo lang geleden.'

Haar moeder probeerde grappig en aardig te zijn, als een goede vriendin, maar Kate gaf geen sjoege. Freya lachte haar tanden bloot, en Kate zag dat ze wel gepoetst, maar niet wit waren. Haar moeder keek om zich heen en leek het geweldig te vinden om op een door de plantsoenendienst onderhouden grasperk te staan. Aan een lantaarnpaal hing een gefotokopieerde poster met daarop in de hanenpoten van een kind: *Dit gras is geen wc, neem uw hondenpoep dus mee.* Freya vertoonde de nieuwsgierigheid van iemand die de set van een langlopende soap bezoekt. Kate zag dat ze uitgenodigd wilde worden.

'Hoe ben je hier gekomen?' vroeg Kate.

'Ik ben gelift.'

'Je bent te oud om te liften.'

Haar moeder keek eens goed naar haar. 'Eet je vlees?'

'Wát?'

'Op de een of andere manier heb je iets vleesetends over je.'

Freya wreef over de blote bovenarmen van haar dochter, opende haar mond, maar zei niets.

'Mam, is er iets gebeurd?'

'Schat. Het spijt me. Ik wilde met je praten.'

Kate zette haar zonnebril af en knipperde met haar ogen. 'Ik heb hier geen tijd voor. Ik moet studeren.'

'Ik wilde je spreken. Je bent mijn beste vriendin.'

'Het is niet gezond dat we beste vriendinnen zijn.'

Ze zag haar moeder van de ene voet op de andere wippen.

'Is het gras heet of zo?'

'Nee, niks aan de hand. Ik ben gewoon blij je te zien.'

'Mam, wat is er? Moet je plassen?'

Kate keek om zich heen met haar hand boven haar ogen, om te zien of ze bekeken werden.

'Dus,' zei Freya. 'Kan ik met ze kennismaken?'

'Nee.'

'Ik zal heel relaxed doen.'

'Ga alsjeblíéft niet relaxed doen.'

Kate nam haar moeder eens goed op. 'Waarom ben je zo dik gekleed? Zweet je niet?' Ze boog zich naar voren en rook aan de hals van haar moeder, en toen aan haar oksel.

Freya zei: 'Als ik niet zoveel van je hield, zou ik dit vernederend vinden.'

De voordeur zat niet op slot. Ze liepen door de stille, met tapijt beklede gang naar de woonkamer.

'Oké, mam. Geen details.'

Achter in de tuin zagen ze de losse hoofden van Mervyn en Liz bewegen in het opstaande zwembad. Een zwembad laten ingraven was duurder, wist Kate. Twee afgehakte, ronddobberende hoofden. Liz deed de schoolslag en had haar haar opgestoken met een krabkleurige klem. Kate probeerde te zien wat haar moeder dacht.

Toen Freya door de openstaande schuifdeuren het terras op stapte, brandde de zon met volle kracht, maar ze smolt niet.

Geraint hield op het overschaduwde gras een bal hoog met zijn knieën. Iedere keer dat de bal boven zijn hoofd kwam, weerkaatste hij even het felle zonlicht en viel toen weer terug in de schaduw. Hij maakte onbewust kleine kreungeluidjes. De bal raakte zijn scheen en rolde in het bloemperk. Hij keek op naar de trol die op het terras naast zijn vriendin stond.

Hij zei: 'Mam. Pap.'

Kate wachtte tot de afgehakte hoofden hadden gezien dat ze een dakloze in huis had gehaald. De twee hoofden glimlachten.

'Jongens, ik wil jullie voorstellen aan Freya, mijn moeder.'

De trol zwaaide.

Ze zaten op het zonovergoten terras, op tuinstoelen die in een halve cirkel waren opgesteld. De moeders dronken Pimm's met limonade uit een gewoon glas, Geraint en Kate kregen allebei een klein flesje Bière D'Alsace en Mervyn, topless en met een gave huid, dronk cherry Coca-Cola uit een blikje. Liz had een turquoise badjas met een brede kraag omgedaan. Kate hield haar zonnebril op, probeerde niet naar haar moeder te kijken en hoorde alles met live ondertiteling.

'Je hebt een mooi huis, Liz.'

Wat ben jij een walgelijke materialist, Liz.

'Dank je, Freya.'

'Ik hoop dat mijn dochter zich een beetje gedraagt,' zei Freya.

‘Ze is fantastisch!’ zei Liz. ‘Ik wou dat we haar konden houden!’

Geraint boog zich naar voren. ‘Ze heeft pap zelfs aan de polenta gekregen.’

‘Klopt!’ zei Mervyn, en hij hief zijn blikje. ‘Ik dacht dat het kalfsvlees was.’

Freya en Liz lachten allebei. Kate vroeg zich af hoe lang ze dit nog zou volhouden.

‘Nou, we zijn heel blij dat we eindelijk een keer kennis kunnen maken,’ zei Liz. ‘En hoe gaat het met... Don, is het toch? Is hij niet meegekomen?’

‘Het gaat goed met hem. Ik wou Kate net vertellen dat we wat problemen... ’

‘O... ’ zei Liz en leunde naar voren.

‘Nou ja, ik ben in elk geval blij dat Katie nu een tijdje bij jullie zit.’

‘Och, kind,’ zei Liz, en ze legde haar hand op Freya’s knie en liet die daar liggen. ‘Gaat het wel goed?’

Kate verstopte zich achter haar zonnebril en probeerde niets te voelen.

‘Nou nee, Kates vader en ik zijn niet meer samen.’

‘Ach jee!’ riep Liz uit, en ze stond op en sloeg haar armen om Freya heen, waarbij ze Freya’s glas omgooide en de Pimm’s met limonade wegstroomde tussen de planken van het terras. Freya zei dat het goed was zo en dat niemand zich zorgen hoefde te maken.

‘Mijn hemel, je kunt wel iets sterkers gebruiken,’ zei Liz met een blik op Mervyn, die in het huis verdween.

‘Als we ook maar íéts voor je kunnen doen.’

Toen knielde Geraint naast Kate neer en pakte haar zonnebril van haar neus. Hij omhelsde haar en door het zonlicht zag ze niet veel.

Haar moeder zei: 'Kate zal wel woest op me zijn dat ik zo'n toestand maak.'

'Dit is geen toestand!' zei Liz. 'Merv, is dit een toestand?'

'Absoluut niet,' kwam de stem van binnen. 'Ik heb heel wat toestanden meegemaakt, maar dat is dit zeker niet.'

Kate stond aan de rand van North Gower Road en stak haar duim omhoog.

'Ik kan het gewoon niet geloven, verdomme. Waarom moest je dat vertellen?'

'Het was niet de bedoeling. Ze leken me aardig.'

'Het is een ander soort mensen dan jij. Daar moet jij geen vrienden mee worden.'

Op het land zagen ze koeien baden in een modderige poel, als op de Afrikaanse savannen. Een grote gezinsauto met een fietsdrager vol fietsen reed voorbij in een wolk van stof. Freya en Kate knipperden met hun ogen.

'Ik ben opgegroeid in zo'n huis, hoor,' zei Freya.

'Hadden jullie een zwembad?'

'Nou... '

Haar moeder was een beetje aangeschoten en dat was echt héél irritant. Ze had een papiertje in haar hand met het telefoonnummer van Howard Ley, de rector van de middelbare school in Bishopston. Freya had aan Liz en Mervyn verteld dat ze van plan was om Albert daar in september op school te doen, en toen had Mervyn meteen zijn zwarte boekje gepakt. Hij had allerlei nuttige contacten, zei hij, en hij beloofde een goed woordje te doen.

Een rood busje van restauratiebedrijf M. Hare minderde geen vaart.

'Mam, je kent ze niet. Ze zien eruit als normale mensen, maar dat zijn ze niet. Mervyn lijdt aan slapeloosheid en ik denk dat hij een drankverleden heeft. En Liz is gewoon te aardig. Ze blijft maar kleren voor me kopen die mij volgens haar aantrekkelijker maken.'

Twee kleine auto's reden voorbij, gevolgd door een bromfietskoerier. Kate stak haar hand zo ver mogelijk uit om nog meer op te vallen.

'Uitgerekend jij zou toch wat toleranter moeten zijn, Kate. Jij bent met mensen van allerlei pluimage opgegroeid,' zei Freya, die met haar vrije hand haar dochter over haar onderrug aaide. 'Hoeveel mensen zijn er die eerst alle hoeken van de deurpost moeten aanraken en dan met hun tong de corresponderende hoeken van hun mond, voordat ze door kunnen lopen?'

'Eentje, Alan Medlicott.'

'Liz ís echt aardig. Niet alles is het topje van een ijsberg,' zei Freya. 'Soms is het gewoon... een ronddrijvend stukje ijs.'

Kate schudde haar hoofd. Haar moeder was dronken, het was niet te harden.

'Waarom doe je zo?'

'Hoe? Tolerant?'

'Ja. Het is stuitend.'

Een auto met jongens met surfplanken op het dak minderde vaart en stopte. Ze lieten de alarmlichten knipperen.

'Goed mam, ga nu maar.'

06/07/12

Aanwezige leden: Don (voorzitter), Arlo, Marina, Janet, Albert, Isaac

Gasten: Varghese, Erin

Afwezige leden: Kate, Patrick, Freya

Albert mocht nu geen notulen meer maken. Don keek de tafel rond. Janet had een gelinieerd notitieblok voor zich liggen en zat met haar balpen in de aanslag, gespeeld verwachtingsvol, had hij het idee. Er konden alleen beslissingen worden genomen als de helft van de vaste leden bij de tafelronde aanwezig was. Kinderen telden voor de helft, en dat betekende dat Isaac, die technisch gesproken niet aan, maar onder de tafel zat, de doorslag gaf. Freya kwam niet meer op vergaderingen, maar het was haar niet gelukt om Albert ook zover te krijgen. Het pasgetrouwde stel begon aan het gemeenschapsleven te wennen en ze bleven elkaar gezellig aansteken. Hij hoestte, zij had een loopneus.

'Eerst even oren wassen,' zei Don, en hij richtte zich tot zijn zoon. 'Het is mij duidelijk geworden dat de jongeheer heeft gesproken met een productiebedrijf van de tv. Hij heeft ze zelfs vervalste toestemmingsverklaringen toegestuurd. Heb je nog iets ter verdediging aan te voeren?'

Albert speelde met zijn onderlip. Hij trok hem omlaag tot je aan de binnenkant de gevorkte blauwe aderen kon zien. Hij liet hem weer terugschieten.

'Ik zeg het maar even, dan weten jullie ervan.'

Don keek naar Marina, die met haar vingers een tipi maakte. Janet fronste en schreef iets op.

'Goed dan,' zei Don. 'Volgende punt.'

Hij deelde kopieën uit van een document. Het was een compilatie van commentaren op de gemeenschap die afkomstig waren van het forum van LiveWild.co.uk. Een van de opvallendste bijdragen was die van 'Coastnut', die een ver doorgevoerde metafoor gebruikte waarin hij Patrick vergeleek met een 'honingpotmier' – in feite een levende voedselopslag – die ze tientallen jaren hadden vetgemest/uitgemolken. Firepoi88 schreef dat ze had gehoord dat de kinderen analfabeet zijn en dat 'een paar van die andere beschuldigingen' bij de sociale dienst gemeld zouden moeten worden – en dat afgesloten met een geschokt kijkende emoticon. Callum09 schreef: 'Ik ben net terug van een week wwoofen daar: GEEN AANRADER.'

Don keek om zich heen en zag hoe ze het document aan het lezen waren. Sommige commentaren waren al tien jaar oud, maar hij vond het niet nodig om dat te melden. Hij verstrengelde zijn vingers.

'Het aantal aanvragen om lid te worden is nog maar een kwart van wat het drie jaar geleden was, en we hebben pas drie gasten die geboekt hebben voor de volgende open dag,' zei hij. 'Maar het positieve nieuws is dat we echt een stap hebben gezet door alleen nog maar zelfopgewekte stroom te gebruiken. We moeten de buitenwereld attent maken op deze grote verandering.'

Rond de tafel werd er gefronst en onderstreept.

En nu richtte Don zich tot Varghese, de reusachtige helft van het bruidspaar die, zo had Don nog maar pas ontdekt, jarenlang voor een reclamebureau in Chicago had gewerkt. Varghese, die aan Don te kennen had gegeven dat hij het als een eer beschouwde om 'handen en voeten te geven aan de herpositionering van het merk', schoof wat met een stapel papieren, grafieken en inspirerend materiaal en stond klaar om het woord te nemen.

Mervyn begon zich af te vragen of Kate het erom deed, want altijd als hij een overhemd uit de tweede klerenkast op de overloop aan het uitkiezen was, kwam Kate uit de douche stappen met nat haar, rode vlekken op haar schouders en een omgeknoopte handdoek. Elke doordeweekse dag was het raak. Hij probeerde een natuurlijke balans te vinden tussen volkomen negeren, wat op een bepaalde manier ook een teken van interesse was, en aangapen. Hij zei 'morgen', maakte oogcontact, maar bleef niet dralen om te genieten van de geur die bleef hangen als ze zich zo nodig langs hem moest wringen op weg naar de kamer van Geraint, waar ze nu sliep. Liz had gezegd dat het tijd was om haar 'uit quarantaine te laten komen'.

Hij moest in deze moeilijke periode een baken van normaalheid voor haar zijn, wist hij. Het laatste waar ze behoefte aan had was seksueel lastiggevallen worden door de volwassenen die ze probeerde te vertrouwen.

Aan het begin van zijn huwelijk had Mervyn Liz bedrogen met een oudere vrouw die hij had geïnterviewd over de zelfmoord van haar volwassen zoon. Hij had haar ondervraagd in de verduisterde achterkamer van haar huis. Ze was imker en had witte rum uit Martinique gedronken. Ze beantwoordde zijn vragen door haar kousen uit te trekken. Ze had rode bulten op haar enkels. Ze deden het twee keer met elkaar en Mervyn liet niets meer van zich horen.

De dag na de begrafenis van de zoon van de vrouw kwam hij thuis van zijn werk en zag haar in zijn achtertuin zeer geanimeerd praten met Liz, die al op het punt stond om een bijenkorf te bestellen. Daarna gebruikte de imker chantage om hem te dwingen tot – toegegeven – hele spannende seks met haar. Voor Mervyn was dat het begin van zijn slaapproblemen. Onderwijl las zijn vrouw alles over bijen. *Samen maken zij honing, maar geen van de bijen begrijpt hoe het werkt.*

Toen legde de bank beslag op het huis van de imker. Liz wilde haar de logeerkamer aanbieden tot ze iets anders gevonden had. Mervyn vond dat geen goed idee. Hij loog en vertelde dat zij vergeefs had geprobeerd om hem te verleiden, waarbij hij de details van de kousen en de rode bulten op haar enkels gebruikte. Liz geloofde hem meteen, verbrak alle contact met de imker en mag sinds die tijd graag aan goede vrienden het verhaal opdissen van die gekke vrouw die 'haar man aan de angel probeerde te slaan' – en elke keer dat ze het vertelt, haalt Mervyn grinnikend zijn schouders op.

Maar al die tijd bleef de vrouw hem bedreigen. Ze woonde in een sociale huurwoning in Clase. Ze waarschuwde dat ze zijn penis zo kon beschrijven dat zijn vrouw direct zou weten dat het klopte. De kleur, zei ze. Een echte oplossing was er nooit gekomen – alleen maar haar eisen, eerst seks en later geld, en dat met steeds grotere tussenpozen. Hij had al jaren niks meer van haar vernomen, maar dat betekende niet dat het voorbij was. Omdat hij het probleem had veroorzaakt, vond Mervyn dat hij ook gebukt moest gaan onder de zorg dat ze altijd weer kon opduiken als ze een keer dronken, bedroefd, jaloers of rancuneus was.

Omdat Mervyn bij de *Evening Post* de man was die het verhaal van vaak hevig geëmotioneerde slachtoffers moest optekenen, had hij wel vaker aan verleidingen blootgestaan. Zijn post-imkermethode was om de tijd te nemen om zich een voorstelling te maken van hoe het werkelijk zou zijn om iets met die persoon te hebben: iets romantisch omvormen tot journalistiek. Het ongepaste gevoel erkennen en dan net zo lang details toevoegen tot de realiteit zijn sloperswerk deed.

Dus stelde hij zich het lichaam van Kate voor als hij 's middags op zijn werk in de wc stond. In zijn fantasie was ze superlenig. Als hij was klaargekomen in een papieren doekje, dat in zijn fantasie haar roodgevlekte borst was, bleef hij doorfantaseren over hoe ze achter in de jeep huilde en haar nagels in haar handpalmen drukte en met grote speekseldraden aan haar mond riep dat ze van hem hield. Hij bleef het verhaal uitbreiden: een nachtelijke relatie tussen hem en Kate, stille orgasmes voor het geluidloze nieuwskanaal. En Kate die hem na een paar weken overhaalt om ervandoor te gaan in de jeep – ze laat doorschemeren dat ze zich anders misschien van kant maakt, zo ziet Mervyn het voor zich. Een tweepersoons schuimrubber matras achter in de jeep en dan door het Ierse laagland rijden, wat in het begin geweldig is, maar na de vierde dag wordt al duidelijk, ondanks de goede verstandhouding en de fijne hypermobiele seks, dat een langdurige relatie er niet in zit omdat de verschillen toch te groot zijn – en door de muggenbeten zwellen haar kuiten en enkels op een vreemde, waterige manier op. En dan, op een morgen, is Kate verdwenen, ergens in de buurt van de heuvels en de zelfmoordvriendelijke kliffen ten zuiden van Galway, waarna Mervyn nog drie dagen naar haar zoekt en dan terugkeert om Kates familie het droeve nieuws te vertellen – en dan blijkt ze al bij hen terug te zijn.

Nu ze een kamer deelden, voelden Kate en Geraint zich gedwongen om zich als een echt stel te gedragen. Dat betekende bedseks, wat eigenlijk niet paste bij de huidige status van hun relatie en veel dichter bij het huwelijk en dus de dood stond dan jeep-, bos-, of zwembadseks. Al snel vervielen ze in een routine, een vaste kant van het bed, een vaste slaappositie ('het tourniquet') en koosnaampjes die hier niet vermeld zullen worden.

Geraint was aan het veranderen. Hij had zichzelf op een wachtlijst gezet voor een volkstuintje. Hij had op de computer gelezen over Blaen-y-llyn en leverde regelmatig een bijdrage aan de discussie: 'Ik zie het nut van een dorp met duurzame woningen wel in.' Hij bleef maar vragen wanneer ze een keer bij haar moeder gingen eten. Hij had Freya Riley gegoogeld en was op een paar dodelijke stukken over 'De verloren stam van Gower' gestuit. Toen Kate Geraint betrapte op het uitzetten van op standby staande apparaten, voelde ze hoe er een ijzeren gordijn tussen hen neerdaalde.

Ze begon steeds meer te verlangen naar de spanning van haar geheime nachtelijke bezoekjes aan de zitkamer, naar de bank met de slapeloze Mervyn. Dat ze voorzichtig moest zijn om Geraint niet te wekken als ze uit bed stapte, maakte het alleen maar leuker.

Ze legde haar benen op de bank, met kippenvel en al, en trok haar 'Het leven begint bij veertig'-T-shirt, dat door de wastemperaturen van Liz was gekrompen, niet meer omlaag.

Ze keek naar de tv. Er stond: '... schol schorst vijftig spijbelaars...'

Mervyn zag het niet. Hij bleef naar het scherm kijken.

Ze ademde. Hij draaide zijn hoofd naar haar toe, ze maakten oogcontact en zij glimlachte. Hij keek vriendelijk en zij stelde zich voor dat hij ook zo keek als hij de mensen interviewde die net een dierbare hadden verloren.

Hoewel ze al van het stroomnet af waren, was het volgens Varghese belangrijk om er op internet nog wat mee te doen, iets visueels, zodat de mensen een beeld zouden hebben van de dramatische verandering. Daarom maakten ze een korte film van het gezamenlijk omhakken van de elektriciteitspaal onder aan de tuin, hoewel daar al geen stroom meer op stond. Varghese filmde diverse mensen die de paal omschreven als 'een crucifix', 'een opgestoken middelvinger' of 'het lemmet van een mes'. Isaac zei dat elektriciteit 'een soort waterval van vuur in de muren van het huis was'. Hij zag er wat verward en onwaarschijnlijk schattig uit. De camera volgde Arlo en Don terwijl ze naast elkaar het pad naar de elektriciteitspaal af liepen. Arlo had een bijl over zijn schouder en Don droeg een snoeischaar. Aan de manier waarop ze liepen kon je zien dat ze hun eigen filmmuziek in hun hoofd hadden. Nadat Don in de paal was geklommen en de kabels had doorgeknipt, zat hij daarboven met toegeknepen ogen naar de camera onder hem te kijken, met achter hem alleen maar lucht. Hij leek wel een vreemde, veroordelende vogel.

Iedereen mocht even hakken, en toen het hout begon te kraken renden ze naar achteren en keken toe. De paal viel traag en sloeg tegen de grond als een knock-out in de laatste ronde, een overwinning voor de kansloos geachte vedergewicht. Varghese vroeg iedereen elkaar bij de hand te pakken en de armen in de lucht te steken, en daarna liet hij ze dat nog een keer doen, met beter licht. Hij liet Isaac een lei ophouden met in krijt het volgende bericht:

Eindexamenfeest 2012
Iedereen welkom
Plaats: Blaen-y-llyn ('het Rave-huis'), North Gower

De appelboom in de tuin was geplant op de huwelijksdag van Don en Freya. Onder invloed van de mondprikkelende cider die het fruit van de boom opleverde hadden ze op luidruchtige wijze Kate verwekt op hun van pallets gemaakte bed. De geboorte van hun dochter had invloed gehad op de hele leefgemeenschap: het was goed voor het moreel geweest en had op den duur jonge gezinnen aangetrokken. Daardoor kon de zorg voor de kinderen gedeeld worden, wat Freya en Don meer tijd voor elkaar had gegeven. En ga zo maar door. Don wist dat de relatie tussen zijn huwelijk en de gemeenschap symbiotisch was. Ze voedden elkaar.

Hij stond in de hal bij de telefoon en bladerde door de Gouden Gids. Hij zag dat er gaten in zaten die hij niet eerder had gezien – het leken wel kogelgaten. Hij zocht bij de letter P en toetste zorgvuldig het nummer in.

'Hallo. Ik wil graag een geluidsinstallatie huren.'

Don hoopte met dit zomerfeest de gemeenschap weer op de kaart te zetten, net zoals dat was gebeurd bij Kates vijftiende verjaardag, toen de reputatie van het 'Rave-huis' was gevestigd. Door het te afficheren als een eindexamenfeest, hoopte hij zich te verzekeren van de aanwezigheid van zijn dochter.

'Voor buiten.'

Het zou een ander beeld van de gemeenschap creëren, het zou nieuwe, jongere leden aantrekken, en Freya zou weer weten waarom ze er ooit aan begonnen waren.

'Ongeveer driehonderd man.'

Hij had met Arlo overlegd over speciale gerechten die vroegen om de speciale slagerstalenten van Freya, zodat ze bij de voorbereidingen betrokken zou raken. Arlo wilde wel helpen.

'Uiteraard. Hoeveel?'

Hij hield de telefoon een eindje van zijn oor, alsof hij heet was. Er volgde een lange stilte en toen haalde Don zijn zelden gebruikte creditcard tevoorschijn en las hij dapper, met twee cijfers per keer, het lange nummer voor.

Kate had bij haar laatste vak twee minuten over en keek haar werk nog een keer na op spelfouten. Het licht kwam binnen door de hoge ramen van de gymzaal.

Ze vond het bijna jammer dat het voorbij was. Het had wel iets om zo'n examenblad om te slaan. Het was net alsof je tarotkaarten raadpleegde: een hele gymzaal vol mensen die keken of het lot hun gunstig gezind was. Kate had bij allebei de onderdelen haar specialisaties getroffen: de Franse Revolutie en het Duitse verzet, en dat gaf haar de kans om nog een opmerking te maken over de noodzaak om de schuld van het hedendaagse Duitsland met iets andere ogen te bezien.

Ze vond geen spelfouten.

Buiten bleef ze boven aan de trap staan die naar het parkeerterrein leidde en liet de andere scholieren passeren. Geraint stond onder aan de trap met zes ballonnen in de kleuren rood, geel en groen, van iedere kleur twee. Hij had al drie dagen geleden zijn afsluitende examen aardrijkskunde gedaan en had dus de tijd gehad om uitgebreid te zonnen. Daardoor zag hij er goed uit.

Ze holde de trap af en toen ze elkaar zoenden botsten en knerpten de zes gekleurde ballonnen.

'Hoe ging het?'

'Ik heb vernietigend toegeslagen,' antwoordde ze.

Hij glimlachte bewonderend en zij stelde zich voor hoe de wind onder de ballonnen zou komen en hij langzaam van het parkeerterrein zou opstijgen en uit het zicht verdwijnen.

Iemand riep haar naam. Ze keek om zich heen en zag Patrick op een van de diagonale parkeervakken staan, naast een gloednieuwe Mini Cooper. Op het portier van de bestuurder stond reclame voor *John Burn's Gym*, en op de motorkap *Walkabout Bar*. Hij zwaaide met beide armen.

Ze zaten op de waterkering en aten vanille-ijsjes met chocoladesaus die Patrick voor ze had gekocht. Kate zat in het midden. Patrick droeg een wit overhemd met een rode krijtstreep dat nog zo stijf was dat hij het hooguit één keer eerder gedragen kon hebben.

'Waar woon je nu, Pat?' vroeg ze.

'Ik kijk uit op zee. Ik kan bijna naar mijn voordeur zwemmen.' Hij had er schik in en zoog op het rode lepeltje.

'Is dat jouw manier om te zeggen dat je dakloos bent?' zei ze.

'Je kunt mijn huis van hieruit zien,' zei hij en wees in de richting van het fietspad.

'Woon je in het schuurtje waar ze de Pitch & Putt-stokken bewaren? Dat heb je goed geregeld.'

Patrick lachte. 'En dit,' zei hij, wijzend op het pad langs de kust, 'is de weg naar mijn werk. Deze jongen is de oudste croupier van Mumbles Pier! Jullie zouden eens langs moeten komen, dan mag je een keer gratis Bowlingo spelen.'

'Bedankt, dat zullen we zeker doen,' zei Geraint. Hij leunde naar voren om doelbewust oogcontact met Patrick te maken en zei toen: 'Mag ik je iets vragen?'

Toen ze naar het huis van Kit Lintel in Llanmadoc reden, bleef Geraint het maar over de gemeenschap hebben. Hoewel Patrick zich over het gemeenschapsleven had uitgelaten in bewoordingen als 'de langste winter van mijn leven' en 'het bedrog van verwantschap', had dat de nieuwsgierigheid van Geraint alleen maar geprikkeld. Kate probeerde hem uit te leggen dat Patrick alleen maar zo'n tevreden indruk had gemaakt omdat hij eindelijk aan de gemeenschap was ontsnapt. Het was aan dovemansoren gericht.

Het huisje van de ouders van Kit keek uit over het zoutmoeras. Het had een grote tuin met een schommel. Geraint had voorgesteld om iets bijzonders te doen om het eind van de examentijd te vieren. Omdat Kit de hele alternatieve scene van hun school vertegenwoordigde, was de keus op hem gevallen.

Kit zette een gietijzeren pan op de eettafel. Zijn zwarte

haar neigde naar dreadlocks, maar leek op dit moment nog het meest op een vogelspin die uit een nest aan het klimmen was. De geur die uit de pan opsteeg was ranzig, als oude kleren, en bleef achter in hun keel hangen. De paddenstoelen zagen er belachelijk fallisch uit, twintig afgehakte pikken die over de bodem van de pan glibberden. Geraint glimlachte zenuwachtig toen hij het op afwaswater lijkende vocht in drie bekers goot. Ze rook aan die van haar en trok haar neus op. Kit hield zijn beker omhoog om te proosten.

Geraint dronk de zijne in één teug leeg en veegde zijn mond af met de rug van zijn hand. Kit volgde zijn voorbeeld en pakte een slijmerige, hele paddenstoel uit de pan, deed of hij hem pijpte en kauwde er toen op. Kate deed of ze van haar beker dronk, maar hield haar mond gesloten. Ze had geen geestverruimende middelen nodig. Haar geest was wijd en diep genoeg.

'Die van mij is te heet,' zei ze en liep naar het aanrecht. Ze liet de kraan lopen en hield haar vinger onder de straal. Met haar andere hand goot ze haar beker discreet leeg en vulde hem voor de helft met water.

Ze draaide zich weer om naar de jongens en speelde dat ze de temperatuur testte.

'Beter,' zei ze en sloeg de beker achterover.

Toen het donker werd, liepen ze, bijgelicht door een heldere maan, naar het zoutmoeras van de riviermond, waar je volgens Kit helemaal uit je dak kon gaan van alle sponzige dingen die daar te vinden waren, zoals schuim, luchtbedden of stressballetjes. Ze liepen erdoorheen, warm aangekleed maar met blote voeten, zodat hun voetafdrukken achterbleven in de smurrie. Kate pakte flink uit, draaide met uitgestrekte armen om haar as en keek omhoog naar de hemel – 'ik zie daar allerlei gasten gitaarsolo's spelen' – en al snel noemden ze de maan een aspirientje, een glas melk, een douchekop waar sterren uit stroomden, een zoeklicht van een concentratiekamp ('Verduister me niet, Kate, alsjeblieft... '), en Geraint verkondigde dat waden door een smal, zanderig stroompje 'echt het allervetste was wat er bestond', en Kate keek hoe Kit niet al te elegant kopjeduikelde en vermaakte zich kostelijk – het gevoel stiekem niet mee te doen – en ze liep hand in hand met Geraint en ze lachten en hij vroeg: 'Lach jij om hetzelfde als ik?', en Kit moest even gaan zitten en ze vroegen of het wel goed met hem ging, en hij zei: 'Geef me even de tijd', en even later besloot hij naar binnen te gaan om naar een cassettebandje met door Stephen Fry voorgelezen Griekse mythen te luisteren, zodat de twee overblijvers op een rond bankje rond de es in de tuin van Kit bleven zitten. Hij zei: 'Ik hou van je, Kate', en zij had niet de behoefte om te antwoorden.

Toen ze naar binnen gingen, zagen ze Kit Lintel sinaasappelsap in de laptop van Kit Lintels vader gieten.

'Ik voel me fantastisch,' zei hij.

Een dag later lagen ze onder het dekbed in de onderste helft van het stapelbed. Kate had zijn geruite pyjama aan. Geraint was naakt en begon nu pas weer een beetje normaal te worden.

'Denk je dat we samen blijven als jij gaat studeren?'

Zij lag op haar rug, hij op zijn zij.

'Natuurlijk,' zei ze. 'Als *wij* gaan studeren!' *Filosofisch gesproken blijft iedereen samen met iedereen, als we het menselijk bewustzijn zien als een doorlaatbaar membraan en tijd als een illusie die je kunt indrukken en uittrekken als een accordeon.*

'Ik zal wel moeten afwachten of ik geplaatst word. Ik wil je niet kwijt.'

'Je raakt me niet kwijt.'

'Ik voel me beroerd, ik heb dit nog nooit eerder gehad,' zei hij, en hij zoog zijn lippen naar binnen.

'Ach, liefje toch.'

Geraint, ik vond je leuker toen je nog vlees at.

Zijn huid knapte op nu hij hetzelfde at als zij. Ze miste de ontstoken poriën rond zijn nek.

'Ik heb dit ook nog nooit eerder gehad,' zei ze.

'Weet je, ik wil heel graag een keer naar de leefgemeenschap. Ik heb het gevoel dat ik er klaar voor ben.'

Hij noemde het niet meer 'het Rave-huis' of 'de commune'.

'Ik wil graag zien waar je vandaan komt,' zei hij. 'Wie je bent.'

'Er is niks spannends aan.'

Ik wil bij je weg kunnen gaan zonder me rot te voelen.

'Het hoeft niet spannend te zijn. Het is een deel van jou. Dat is de reden. Ik wil je wortels zien. Je lievelingsgeit ontmoeten. Bellamy?'

'Lief van je,' zei ze.

Toen boog hij zich voorover en kuste hij haar zachtjes – dodelijk – op haar voorhoofd.

Ik ben hier alleen maar omdat ik mijn eindexamen goed wilde maken. Ik ben alleen bij jou omdat je anders leek dan wat ik gewend was. Ik ga zo snel mogelijk weg uit Wales. Ik zal de brief waarin ik het met je uitmaak al geschreven hebben als ik aankom op de universiteit. In Cambridge, Edinburgh, of heel misschien Leeds, zal ik in het najaarszonnetje direct naar de brievenbus lopen en nooit meer aan je denken.

5

Stroomstoring

De ruiten van het klaslokaal rammelden van de hagel en natte sneeuw die de wind ertegenaan blies. Iedereen stond om de stroomregelaar heen en keek toe hoe de water- en windmeters opklommen. De nieuwste wwoofers, vier Nederlanders die een alternatief vrijgezellenfeest hielden, hadden hun armen om elkaars schouders geslagen als songfestivaldeelnemers in afwachting van hun score. Eerder die ochtend had Arlo onder een dreigende wolkenlucht met de opwindradio over het terrein gelopen om de weerswaarschuwing te laten horen: 'Zwaar weer voorspeld voor Wales en het westen van het land!'

'Pap, zit hij al vol?' vroeg Albert.

Don tuurde naar de meters. De wind in de schoorsteen klonk als een akkoord in mineur.

'Oké,' zei Don. 'Hij zit vol.'

Dat was het signaal. De gemeenschap kwam in actie. Het was een morele plicht om elektrische apparaten te gebruiken. Om overbelasting van de installatie te voorkomen moest er verbruikt worden. Het was een zonde als Albert géén föhn gebruikte, geen cd met Harry Belafontes 'Jump in the Line' opzette of geen filmpje maakte van een op en neer springende Isaac met zijn meisjesachtige blonde haar. Ongewassen kleren werden gewassen en daarna gedroogd in de magnetron.

Don liep rond. Het stelde hem teleur dat zoveel vertrouwelingen stiekem apparaten met stekkers bleken te bezitten. In de keuken maakte Arlo met een mixer frambozenmeringues en duwde hij wortels en gember in de blender. Op de tafel lag een elektrisch vleesmes. In de pottenbakkerij vulde Marina de elektrische oven met nieuw werk. Op het bankje naast haar lag een laptop die hij nooit eerder gezien had.

Aan het eind van de dag was iedereen in het klaslokaal aan het stijldansen. De muziek stond zo hard dat hij vervormde en sloeg iedere keer over als Isaac kwam langsrennen als een vliegtuig dat door het slechte weer nog maar één motor had. Marina danste met Arlo, die Albert op zijn schouders had, de vrijgezellenclub danste twee aan twee en de jonggehuwden draaiden rondjes. Janet was alweer weg met haar vriend. Om de twee horizontale plafondbalken waren feestelijke lichtsnoeren gewikkeld en op de platenspeler lag de *Kupelwieser Waltz* van Schubert. Ze dansten en luisterden hoe de donder steeds dichter op de bliksem volgde. Om de zoveel tijd lichtten de ramen op en verbleekte het lokaal. Don stond in de deuropening en vond iedereen te blij en te opgelucht – het verraadde hun ware behoeften. Hij leunde tegen de deurpost en zag ze langzaam draaien, op elkaars tenen staan, daarom lachen, elkaar grapjes toefluisteren en vasthouden aan een wereld die ze beweerden niet te missen.

Don dacht aan het geplande feest. Varghese was het publiek op internet al warm aan het maken door het imago van 'het Rave-huis' nog eens te benadrukken. Op het forum van dogsonacid.com had hij de 'tech specs' van de geluidsinstallatie gezet, naast een rijtje emoticons die gekke bekken trokken. Don had tegen Varghese gezegd dat hij bang was dat het feest te verspillend zou zijn en dat dat in strijd was met de waarden die de gemeenschap wilde uitdragen. Varghese had uitgelegd dat voor een deel van de hedendaagse jongeren een bescheiden feest en een cool feest onverenigbare grootheden waren. Het was of het een, of het ander. Verantwoord bezig zijn of vrijheid. Maar, zo betoogde Varghese, als je die jongeren een topavond bezorgde, kon je ze aan de gemeenschap binden en zouden ze op den duur interesse krijgen in duurzaam leven. Daarom was het zo belangrijk om ze binnen te halen als ze de uitslag van het eindexamen kregen. Dan stonden ze open voor alles en waren ze bereid om bindingen aan te gaan die ze hun leven lang zouden koesteren. Het meeste werk zouden ze zelf doen. De gemeenschap hoefde alleen maar een hele sterke eerste indruk te maken.

Varghese raadde Don aan om duurzaamheid te zien als een gênante oom die wel voor het feest was uitgenodigd, maar toch het beste uit het zicht gehouden kon worden. Jonge mensen voelden haarfijn aan wanneer ze gemanipuleerd werden om verantwoord gedrag te vertonen, zei hij. *Knal je groene glas hier maar in, gast!* Dat werkte niet. Een generator die op gebruikte plantaardige olie en afbreekbare bekers en borden liep, dat was wel een beetje de grens.

Don snufte. Hij keek naar het stijldansen en miste zijn dochter en zijn vrouw. Normaal liet hij alleen 's nachts, op zijn kamer, dit soort gevoelens toe. Hij liep de gang op. Terwijl hij zijn jas aantrok hoorde hij laarzen bonken in de wasmachine, als een hartslag. Hij pakte een lantaarn uit de bijkeuken en ging door de achterdeur naar buiten, de regen in. Daar hoorde hij het *voep-voep-voep* van de driebladige windturbine en het piepen van het metalen onderstel.

Toen hij zich aan het eind van de tuin omdraaide zag hij het uitbundig verlichte huis en de bewegende silhouetten achter de ruiten van het klaslokaal. Hij hoorde de verre crescendo's van swingjazz overstemd worden door de bigband van regen en wind. Het licht stroomde naar buiten door een bonte verzameling ramen: erker, daklichten, patrijspoorten, het glas-in-lood boven aan de trap – de neerslag van twintig jaar samenwerking, niet één koers, maar een lappendeken van visies. Het leek wel of het grote huis op ontploffen stond, alsof de kern was gesmolten en het steeds heter werd.

Varghese had Don verteld over een discotheek in Rotterdam met een piëzo-elektrische dansvloer die de energie van het dansen en springen kon omzetten in stroom voor de laserlichten die er op hun beurt voor zorgden dat er nog ferventer gedanst werd, waardoor, zo vermoedde Don, uiteindelijk de hele discotheek de lucht in ging.

Het eerste wat door de tochtgordijnen van het rondhuis kwam was een opgestoken hand, gevolgd door Don zelf, die zonder danspartner binnen kwam walsen en donkere spatten op de vloermat achterliet van de regen die van zijn jas droop. Hij draaide een paar rondjes en hield toen op.

'Iedereen is blij met het weer,' zei hij. 'Ze dansen in het klaslokaal. Heb je geen zin om mee te doen?'

Freya glimlachte en zat op een kruk bij de tot houtkachel omgebouwde melkbus die aan de randen oranje opgloeide. Ze was aan het opdrogen – de stoom sloeg van haar armen en bovenbenen, alsof ze aan het verdampen was.

'Je bent een en al glamour,' zei ze. 'Hoe gaat het ermee?'

'Het gaat ge-wel-dig,' zei hij. Hij opende zijn ogen wijd en begon weer te dansen. 'En alle elektrische apparaten staan op standby.'

'Nou, die zul je misschien wel snel moeten gaan gebruiken,' zei ze.

'Precies!'

Ze zag hem vertragen, tot stilstand komen en zijn handen

omlaagdoen. Het vocht was in zijn laarzen gekropen en er zat modder op zijn broek.

'Heb je geen zin om mee te gaan naar het grote huis?' vroeg hij.

Hij wachtte op een antwoord en toen dat niet kwam, draaide hij zich om en begon om zich heen te kijken, eerst naar het bed van Freya met de Keltische knoop van donker haar op haar kussen, en toen naar de kwartcirkel van Albert. Zijn opgemaakte bed werd afgeschermd door het Japanse kamerscherm met afbeeldingen van wolken en niet-Welshe draken.

'Ik hoorde Albert over zichzelf zeggen dat hij "geen vaste woon- of verblijfplaats" had,' zei Don.

Freya keek naar hem. Er klonk gedonder en de patrijspoort lichtte wit op.

'Ik heb iemand gesproken,' zei ze. 'De rector van de school in Bishopston. Hij zegt dat Albert daar in september terecht kan.'

Don draaide zich naar haar om. 'Daar heb je nooit iets over gezegd.'

'Dat doe ik nu.'

'Daar moeten we het dan wel over hebben.' Hij trok zijn broek bij zijn bovenbenen op en ging op een kruk tegenover haar zitten. 'We waren het er toch over eens dat het kind aangeeft wat het wil leren? Kijk wat Kate heeft bereikt. Ze ligt ver voor op haar leeftijdgenoten.'

'Voor haar was het anders. Albert heeft niemand om mee op te trekken. Daarbij ben ik bang dat hij zonder contact met leeftijdgenoten te... vreemd wordt.'

'Op dit moment is hij aan het stijldansen op de schouders van een gewezen chef-kok. Hoe denk je dat dat op die school in Bishopston valt?'

'Ik zeg alleen maar dat een beetje groepsdwang hem misschien goed zal doen. Hij zal vrienden maken. Dat doet hij altijd.'

'Hij wordt vast dikke maatjes met de schoolpsycholoog.'

Don vond dat wel een geslaagde opmerking, zag ze. Haar sokken droogden op de houtkachel. Ze keerde ze en ze sputterden als plakjes ontbijtspek.

'Weet je,' zei hij, 'sinds Varghese voor ons op het internet bezig is, hebben we van zowel scholieren als hun ouders talloze e-mails ontvangen waarin ze zich beklagen over het schoolsysteem. In september zullen we overspoeld worden door jonge mensen die op zoek zijn naar een goede school. We zullen ze van ons af moeten slaan.' Don hield op met praten toen de lucht gromde, maar er kwam geen bliksem. Hij ging door: 'En hoe moet het dan met de dingen die de school Albert niet kan leren?'

'Zoals?'

'Zoals talloze dingen. Hoe hij zijn eigen huis moet bouwen, met andere mensen moet samenwonen, zijn eigen voedsel moet verbouwen, zijn eigen voedsel moet slåchten – nu jij er niet meer bent, kan niemand die kennis meer overdragen. Weer een vaardigheid die verloren gaat voor de volgende generatie.'

'Laat iemand zich er dan in bekwamen. Doe het zelf.'

Ze keek naar hem. Don staarde naar de kachel.

'Je weet dat ik daar niet geschikt voor ben.'

Ze deed haar mond al open om iets gemeens te zeggen, maar besloot het te laten passeren.

'Zo wil Arlo bijvoorbeeld heel graag een traditioneel Sardijns gerecht maken voor het feest,' zei hij. 'Hij is er helemaal vol van – *sanguinaccio*! Bloedsoep, eigenlijk. Maar zonder jou gaat dat niet lukken.'

'Breng de geit naar een abattoir, Don. Ik maak geen deel meer uit van de gemeenschap. Ik ga geen dieren voor je slachten.'

'Nee, dat begrijp ik,' zei hij. Hij stond op van zijn kruk en begon weer om zich heen te kijken. 'Maar het geeft wel aan hoe vaardigheden en tradities langzamerhand verloren gaan.'

Ze ademde door haar mond. Hij bestudeerde de zelfdragende dakconstructie van uitwaaierende balken. Hij stak zijn armen omhoog om er een te testen en gromde toen hij zich optrok.

'Maar het punt is, Freya, dat het abattoir helemaal in Cardiff ligt en het bloed vers moet zijn. Arlo zegt dat het "zo uitte die keel en inne die pan moet".'

'Laat hem iets anders maken.'

'Vergeet het maar. Heb je Arlo wel eens ontmoet?' zei Don met een gek stemmetje.

'Doe het dan zélf. Jezus.'

'Je kent me toch?' zei hij.

Je kent me toch. Dat was de druppel voor Freya.

'Ik laat me niet voor je karretje spannen. Doe jíj het maar. Jíj moet het doen.' Haar stem klonk opeens luid. 'Dan gaan de "vaardigheden" en de "tradities" niet verloren, als jij het godverdomme doet.'

Ze ademde zwaar. Don keek glazig. Ze keerde de sokken nog een keer. Deze keer sisten ze niet. Ze had dezelfde neiging als daarnet, maar nu gaf ze eraan toe.

'Ik heb Kate opgezocht,' zei ze.

'Wát?'

'Ik heb Kate opgezocht, waar ze woont.'

'Waarom heb je dat niet verteld? Wat is het adres?'

'Weet ik niet meer.'

'Wat is de naam van de straat?'

'Ben ik vergeten.'

'Ze belt me nooit terug. Ik zou graag weten waar ze zit, voor mijn eigen gemoedsrust.'

Ze schudde haar hoofd.

'Ik ben haar vader, Frey.'

Toen ze het deurtje van de kachel opende, laaiden de vlammen op door de extra zuurstof. Hij liep een heel rondje langs de rand van het kleed.

'Je doet dit alleen maar om me te pesten,' zei hij.

'Klopt,' zei ze.

'Oké, nou, goed dan. Goed. Dan weet ik waar ik aan toe ben.' Hij sloeg met zijn hand tegen de balk boven zijn hoofd. 'Vertel eens, hoe wil je me nog meer laten lijden?'

Patrick keek naar het onweer door de manshoge ramen van de Mumbles Pier Arcade. Hij zat in zijn hokje. Door het slechte weer waren de vaste gasten niet komen opdagen en was de enige bezoeker Karl Orland, vroeger zijn dealer en nu af en toe zijn disgenoot, die soms aan het eind van Patricks dienst langskwam. Karl speelde Cash Invader en zakte door zijn knieën om onder de rollen te kijken.

Officieel heette Patrick croupier. Maar zelf noemde hij zich 'menselijke geldwisselmachine'. Behalve dat hij stapels muntjes over de toonbank schoof, lamineerde hij soms pamfletten over geestelijke bijstand van de Proclaimers Church. Het was niet zijn droombaan, maar hij had dan ook een cv dat, ondanks zijn vroege succes als zakenman en huisbaas, na zijn twintig jaar bij de leefgemeenschap niet al te solide meer was. Hypotheekverstrekkers zagen hem niet meer als een 'verantwoord risico', en terecht.

Hij huurde een kleine tweekamerwoning met uitzicht op

zee en een achtertuintje dat uitkwam op het fietspad. Dat betaalde hij van de huur die hij ontving van zijn studentenhuis in Norwich, waar volgens het verhuurbedrijf nog steeds wel 'enige belangstelling' voor bestond. Hij had geen zin om daar ooit nog naartoe te gaan of om erachter te komen hoe erg hij door het verhuurbedrijf genaaid werd. Hij wist alleen maar dat hij, met het geld dat iedere maand binnenkwam en het hongerloontje dat zijn baantje als menselijke geldwisselmachine hem opleverde, kon leven als een koning, als je het vergeleek met de omstandigheden in zijn koepel.

Karl gaf met zijn knokkels een tik op de knop die de rollen deed draaien en bleef met een frons wachten tot het muziekje stopte en de lichtjes begonnen te tollen. Patrick had ontdekt waarom Karl destijds nooit was komen opdagen. Hij was opgeroepen om bij een rechtszaak deel uit te maken van de jury. Patrick kon er niet over uit – de lange arm van de democratische bureaucratie die hem weer in het gareel had getrokken.

Het was vrijdag. Normaal gesproken zou de speelhal vol moeten zitten met gokkers die de effecten van bier op hun gokresultaten aan het onderzoeken waren, maar deze avond, met dit weer, besloot Patrick vroeg te sluiten. Hij deed de voordeur en de zijdeuren op slot en zette de geldkist in de kluis.

Hij en Karl liepen naar buiten, naar het kleine rokersgedeelte, en gingen op het bankje zitten dat uitkeek over zee. Achter hen de geluiden en de lichtpatronen van de machines – het rad van fortuin, slangen, lichtbundels, zonnestralen, bouwblokken – en voor hen de baai en de lichtjes van de boulevard.

Patrick hoestte geduldig tot er iets bovenkwam en dat spuugde hij in het water. Karl klopte Patrick op zijn rug. Hij was het soort drugsdealer dat klanten steunde als ze probeerden te stoppen.

Het weerlichtte boven zee; aan een stukje van de hemel werden grijze wolken zichtbaar die meteen weer werden teruggezogen in de zwarte longen van de nacht. De donder volgde.

'De hemel moet ook hoesten,' zei Karl, en hij was ingenomen met zijn vergelijking.

Het geluid van dronkenlappen die over de boulevard liepen klonk eigenaardig eenvormig en geruststellend. Meiden gilden, van het lachen of van afschuw. Jongens in strakke witte T-shirts en Italiaanse spijkerbroeken slenterden als wandelende paspoppen naar de pier. De eerste keer dat Patrick uit Londen naar Swansea was gekomen, had hij dat gezien als het bewijs dat er hier een hele openlijke en bruisende homoscene bestond: gebruinde mannen in mouwloze hemdjes die met hun bodybuildersarmen om elkaars schouders rondliepen en elkaar openlijk keurden.

Het bliksemde opnieuw en de stad lachte zijn smerige tanden bloot.

'Dat was een mooie,' zei Karl, en hij haalde van achter zijn oor een joint tevoorschijn. 'Heb je bezwaar?'

Patrick schudde zijn hoofd. Het trok hem totaal niet meer. Opeens was er het tegenovergestelde van geluid en doofden de lichtjes in de stad en ook in de speelhal achter ze. Alle machines met hun tollende, stromende kleurrivieren en kermisgeluiden waren opeens leeg en stil. Swansea was verdwenen. Het was een stroomstoring of het einde der tijden. In het donker zag je alleen nog het puntje van Karls joint en de vlammen van de schoorstenen van de hoogovens aan de andere kant van de baai.

Om twaalf uur 's nachts reed Don met de radio aan door het noodweer. In ruil voor het adres waar zijn dochter verbleef – in Three Crosses – had Don beloofd om onder supervisie van Freya de geit voor het feest te slachten. In zijn ogen was die supervisie alleen maar toegezegd omdat ze hem wilde zien lijden. Hij had haar nogmaals proberen uit te leggen dat moorden niks voor hem was en dat ze dat misschien als iets positiefs moest zien, maar dat was niet zo goed gevallen. Ze had altijd gedacht dat zijn angst om dieren te slachten aanstellerij was en eerlijk gezegd had hij het ook wel een beetje aangedikt, maar, zo had hij haar gevraagd, is het feit dat iemand iets wil aandikken niet het bewijs dat hij echt een probleem heeft? Ze had niet geantwoord.

Het positieve was wel dat ze de ochtend van het feest een paar uur in de gemeenschap zou doorbrengen. Als hij ervoor kon zorgen dat ze zich een beetje vermaakte, een paar oude vrienden tegenkwam, een glaasje meedronk, dan was er hoop.

De ruitenwissers dirigeerden even Dvořák en raakten toen de maat weer kwijt. Ter voorbereiding op het feest deed Don pogingen om van muziek te genieten. Een voorbeeld van zijn bereidheid om zichzelf te ontwikkelen, om te veranderen.

Hij reed Three Crosses in. Toen pas merkte hij dat alle straatlantaarns uit waren.

Geraint had het idee gehad om 'samen van de stroomstoring te genieten'. Ze zaten rug aan rug in de van dubbel glas voorziene serre naar het onweer te kijken, als superhelden die door de vijand waren omsingeld. Kate droeg een hemdjurkje van gingang dat Liz voor haar gekocht had. Tot haar eigen afschuw vond ze het nog een leuk ding ook. De regen *takkatakkatakte* lekker op het kunststof glas. Het bliksemde. Mervyn lachte, Liz gilde overdreven en Geraint zei tegen zijn moeder dat ze zich niet zo moest aanstellen. Het voelde alsof ze als gezin de elementen trotseerden. Ze hielden achter hun rug heel ongedwongen elkaars handen vast, en zij voelde aan het formaat en aan de ruwe huid rond de knokkels dat een van de handen van Mervyn was. De grond trilde en in de bliksemflits dacht Kate iemand op het overbemeste gazon te zien staan. Ze zei niets. Misschien had ze het zich verbeeld. De moordenaar die in de buitenwijken brave gezinnetjes komt martelen als door een stroomstoring het inbraakalarm niet meer werkt. Op dat moment begon haar telefoon te zoemen. Ze haalde hem tevoorschijn en las het bericht.

> Dag schat, mam vertelde me dat je in Three Crosses woont. Sjiek hoor! Ik kom net uit de stad en zie dat er een stroomstoring is. Alles goed bij jullie? xxxx

Ze borg direct de telefoon op en hoopte vurig dat de man op het gazon een seriemoordenaar was en niet haar vader. Haar rug verstijfde en ze greep Mervyns hand stevig vast.

Er was weer een bliksemflits en dit keer zag Geraint het.

'O mijn god, er staat een man in onze achtertuin.'

Mervyn legde zijn handen op het glas en keek naar buiten.

'Misschien wil hij een zaklantaarn lenen,' zei Mervyn.

'Waarom klopt hij dan niet op de deur?' zei Liz. 'Het is vast een plunderaar.'

'Het is mijn vader.'

Ze liet die mededeling even tot ze doordringen en las toen het sms'je voor. Ze had haar vader al vanaf het begin afgeschilderd als een idioot, en nu maakte hij die reputatie waar.

Liz zei dat Kate het volste recht had om de politie te bellen. Mervyn en Geraint zeiden dat ze graag namens haar een hartig woordje met hem wilden spreken. Haar nieuwe familie maakte haar dapper. Ze belde zijn nummer. In het duister van de achtertuin zagen ze een lichtje aanfloepen. Ze zette haar telefoon op luidspreker en legde hem op de van rotan en glas gemaakte salontafel.

'Kate!' klonk de vervormde stem van haar vader. 'Wat ben ik blij dat je belt.'

Ze hoorde zijn stem zowel buiten als binnen.

'Pap, wat ben je in godsnaam aan het doen? Ik kan je zíén.'

'Dus ik ben aan het juiste adres! Ik wilde alleen maar even kijken of alles in orde met je was, vanwege die stroomstoring.'

'Je staat in onze achtertuin.'

'Ik kon in het donker de huisnummers niet zien, maar ik wist dat er een zwembad bij moest zijn. Heb ik je ooit verteld dat ik je moeder in een zwembad heb versierd?'

'Je staat op de luidspreker. Zeg maar even hallo tegen de mensen bij wie je zomaar de tuin in bent komen lopen.'

Ze zagen de blauwbeschenen zijkant van zijn gezicht in de regen. Kate had het idee dat iets aan hem was veranderd.

'Hallo?' zei hij.

Haar nieuwe familie zei niets terug, en dat waardeerde Kate zeer.

'Ik wilde alleen maar even zeggen dat jullie welkom zijn om de nacht bij ons door te brengen – tot jullie weer stroom hebben. We hebben ruimte zat. Er is muziek, verlichting en salsadansen' – hij probeerde te lachen, maar door het lullige speakertje van de telefoon klonk het als een robot – 'en we vermaken ons kostelijk, dus jullie zijn van harte welkom om mee te doen.'

Ze zagen het lichtje van de telefoon groter worden omdat Don in de richting van de serre liep. Ze zag wat er veranderd was. Niemand had haar verteld over zijn baard. Ze hoorden het metalige kraken van zijn adem door het speakertje.

'Pap, je moet terug naar huis.'

Het zwevende telefoonlichtje naderde.

'Ja, maar misschien kan ik...'

Ze beëindigde het gesprek. Het bleekblauwe lichtje kwam dichter bij het glas, leek te zwaaien. Ze konden niet zien wat hij zei. Toen floepte het lichtje uit.

Tijdens de rit naar huis deed Don erg zijn best om van de radio te genieten omdat hij wist hoe goed dat bij sommige mensen werkte als emotionele uitlaatklep.

Liz en Kate waren boven in de grote, met tapijt beklede badkamer. Er stonden twee geurkaarsen op de vensterbank te branden. Kate hield de glazen vast en Liz draaide de fles wijn open.

'Na zoiets hebben we wel een glaasje verdiend.'

Ze zaten naast elkaar op de trede die naar het ronde tweepersoonsbad leidde.

'Het komt heus wel goed,' zei Liz.

'Ik hoop het.'

Ze proostten.

'En ik wil nog wel even zeggen...'

Kate vroeg zich af wat Liz zou gaan zeggen: *Mijn man zei je naam in bed; als je mijn zoon ongelukkig maakt, maak ik je af.*

'... dat je nu al een tijdje bij ons woont en dat dat waarschijnlijk heel zwaar voor je is, maar dat je goed moet beseffen dat je wat ons betreft echt bij het gezin hoort. Het klinkt misschien gek, maar we zijn nog nooit zo gelukkig geweest. Vooral Mervyn...'

Kate hield haar wijnglas voor haar mond.

'Door jou beseffen we hoe goed we het hebben. Ik hoop dat jij het ook fijn bij ons vindt.'

Kate knikte, nam een slok en slikte.

'Goed zo,' zei Liz en nam zelf ook een flinke teug.

Kate stelde zich voor dat ze Liz zou vertellen dat ze haar enige zoon tussen de originele bankjes van hun antieke 4x4 had ontmaagd. Liz greep achter zich en pakte uit het lege bad een papieren tasje van de Topshop. Ze gaf het aan Kate.

'Verrassing! Mervyn is naïef, maar ik niet, nu jij en Geraint een kamer delen. Ik ben hier te oud voor, maar jij kan het hebben.'

Toen Kate niet direct in het tasje keek, trok Liz de twee kledingstukken er zelf maar uit – een hoog opgesneden, zwart kanten onderbroekje met kraaltjesversiering en een bijpassende bustier met gevulde cups – en hield ze lachend voor haar eigen lichaam. Kate hoopte dat de verbijstering op haar gezicht voor blijde verrassing kon doorgaan.

Liz legde de kledingstukken bij Kate op schoot.

'Doe ze maar aan als je wilt. En hou de rest van de fles ook maar. Weet je waar een stroomstoring goed voor is? Voor kaarslicht.' Liz knipoogde. 'En trouwens, Ger heeft me verteld wat jullie achter in de jeep hebben uitgespookt.' Liz klapte in haar handen. 'Kostelijk! Maar laat Merv het niet horen!'

Geraint lag in bed te lezen bij een zaklantaarn. Hij richtte hem op Kate toen ze binnenkwam.

'Wie daar?'

'Ik.'

'Hallo, ik.'

Ze liep naar het bed toe en ging op de rand zitten. 'Wat lees je?'

'Dat wil je niet weten. Ik ben een sukkel.'

Ze tilde het grote gebonden boek op. *Het nieuwe handboek voor de zelfvoorzienende mens.*

'Ik weet nu echt álles over chutney,' zei hij en sloot het boek. Zoals ze daar op de rand van zijn bed zat, voelde ze zich net zijn moeder.

'Gaat het wel?' vroeg hij.

'Ja hoor.'

'Wil je erover praten?'

'Nee.'

'Kom je in bed?'

Ze schudde haar hoofd.

'Ik ga nog even naar beneden,' zei ze, en omdat ze een beetje met hem te doen had, en ook met zichzelf, wreef ze hem nog even over zijn rug voordat ze de kamer uit ging.

Beneden zat ze met twee glazen wijn in de donkere zitkamer. Mervyn was niet wakker en dat irriteerde haar. De laatste paar dagen zat er geen regelmaat meer in zijn slapeloosheid. Ze dacht aan de woorden 'we zijn nog nooit zo gelukkig geweest'.

Kate dronk wijn uit allebei de glazen en knoeide op haar gingang hemdjurkje. Ze keek met een kaars in de hand of ze nog slakken op het tapijt zag, maar trof niets aan. Iets dramatisch, misschien een brandje zonder doden, zou nu wel gepast zijn. Ze probeerde door geestkracht Mervyn op te roepen, en toen hij niet kwam, probeerde ze het met Patrick, en daarna zelfs met haar vader, tot ze uiteindelijk in slaap viel.

Ze werd alleen maar wakker omdat de schelpvormige wandlampen waren gaan branden, en ook het licht op de gang en het rode ledlampje van de tv. Er was weer stroom. Buiten regende het alleen nog maar. De kaars was gesmolten. Ze blies hem uit. Ze voelde het zachtjes bonken achter haar ogen en op de salontafel stonden twee lege glazen wijn. Naast de glazen stond de fles, waar nog een bodempje in zat. Ze zette de tv aan en keek traditiegetrouw zonder geluid naar het nieuws met ondertitels. 'Noodweer veroorzaakt stroomstoringen in het zuidwesten' met archiefbeelden van bliksem.

Ze bestreed haar hoofdpijn door het laatste restje wijn in te schenken en achterover te slaan. Ze begon te zappen en stopte bij een tekenfilm. Zij en Albert hadden vroeger niet vaak naar tekenfilms mogen kijken. Haar vader vond dat ze oorzaak en gevolg van elkaar loskoppelden. Maar dit was een van de weinige films die ze juist wel had mogen zien – *Steamboat Willie*, de eerste Mickey Mouse-tekenfilm met geluid – omdat hij 'bepalend was voor de ontwikkeling van de cinematografie'. De scène die op haar als achtjarige grote indruk had gemaakt – en terugkeerde in haar nachtmerries – was die waarin Mickey voor straf benedendeks aardappelen moest schillen. Links van hem een berg aardappelen en rechts een lege teil. Hij pakte een aardappel van de berg, schilde hem met een paar snelle bewegingen van zijn mes en gooide hem over zijn schouder in de teil. Pakken, *schil-schil*, gooien. Maar de berg aardappelen werd maar niet kleiner en de teil kwam nooit vol. Omdat aardappelen schillen een van de weinige keukenklusjes was die een achtjarige zelfstandig kon doen, vond ze de film doodeng.

Ze hoorde Mervyn niet de trap af komen. Ze zag alleen dat het ganglicht werd uitgeknipt en dat er een schaduw langs de geribbelde glastegels schoof. Hij ging naar de keuken, deed daar het licht uit en liep terug naar de zitkamer en duwde de deur open. Zijn gezicht was nog dik van de slaap. Hij leek verrast haar te zien.

'Heb je niet geslapen?'

'Ik denk van wel.'

Hij deed de deur achter zich dicht en slofte op zijn blote voeten naar de bank en ging, gekleed in een joggingbroek en een wit T-shirt, naast haar zitten. De rollen waren omgedraaid.

'Wil je ergens over praten?'

'Niet echt,' zei ze.

Hij bekeek haar gezicht. 'Ik maak me zorgen over je.'

'Hoeft niet.'

Ze had geen slaap.

'Liz heeft me een cadeautje gegeven,' zei Kate.

Ze haalde het ondergoed tevoorschijn en legde het tussen hen in op de bank.

'Heel charmant.'

'Ik heb het nog niet gepast.'

Ze bleef hem aankijken en hield de bustier voor haar borst. Haar nieuwe familie behandelde haar soms alsof ze beschadigd was, en soms was het makkelijker om mee te spelen.

'Denk je dat het bij me past?' zei ze. Ze wist dat het goedkoop was, maar ze was ongeduldig. Hij keek.

'O, absoluut,' zei hij en grinnikte op een manier die een beetje geforceerd aandeed.

Ze ging verzitten, waardoor de bank kraakte alsof er een deur werd geopend.

'Wat vind je hier van?' zei ze en hield het onderbroekje omhoog.

Ze bleef hem aankijken en was niet van plan haar ogen neer te slaan. Hij brak de spanning door een beetje te lachen, en toen hij lachte, sloeg hij zijn ogen neer en zag hij haar benen, en toen hij haar benen zag, hield hij op met lachen. Toen gingen de lichten en de tv weer uit. Ze zaten daar in stilte in het aardedonker. Het noodweer was nog niet helemaal voorbij.

'Ben je daar nog?' zei ze.

'Jazeker.'

'Blijf je?'

'Natuurlijk. Ik ben bij je. Wil je praten?'

'Ik wil niet praten.'

Ze hoorden de wind loeien om het huis. Het dubbele glas maakte een diep *woeb*-geluid als de wind erop stond. Ze voelde hoe hij maar een halve meter van haar vandaan zat en naar haar keek, of naar het duister waar zij zat, of naar de versie van haar die in zijn fantasie speciaal ondergoed droeg. Geen van beiden zei iets. Ze wachtten tot de ander de stilte zou verbreken, maar zij wist dat zij dat niet zou zijn. Het benoemen zou alles bederven. Ze hoorde hem ademen. De bank kraakte en ze vroeg zich af of hij dichterbij kwam zitten. Leer was handig, want het maakte iedere gewichtsverplaatsing hoorbaar.

Ze probeerde wat zwaarder en hitsiger te gaan ademen.

Ze hoorde hem hetzelfde doen.

Ook de wind deed mee.

Ze bleven het doen tot hun adem gelijk op ging. Ze voelde zich ver van zichzelf verwijderd. Terwijl ze langzaam in zijn richting opschoof, liet ze haar hand op onderzoek gaan. Zijn ademen klonk als een geluidsopname van ademen.

Hij had beslóten om naar beneden te komen. Om naast haar te gaan zitten. Zijn besluit woog zwaarder dan het hare. Drie keer zo oud als zij, getrouwd, kinderen: dat was geen kattenpis. Ze luisterde naar de aandrang om te handelen. Haar blote knieën raakten zijn linkerbeen aan. Hij gaf geen krimp, maar hield zijn adem in. Het voelde als een stroomdraad die contact maakte; het enige aangesloten apparaat in een wereld zonder stroom.

Ze wist hoe hij zat, benen gespreid in een hoek van vijfendertig graden, met een staander in zijn broek. Ze hoefde alleen maar haar hand uit te steken en hem op de juiste plek te laten zakken. Daar kon ze op navigeren – een referentiepunt, een moreel kompas. Ze maakte zich een voorstelling van hem aan de hand van wat ze voelde van zijn been, de stand van de kussens van de bank en het geluid van zijn adem, die een beetje vrouwelijk was gaan klinken. Het impliceerde dat hij het niet zelf kon doen; het was aan haar om het initiatief te nemen en de koe bij de hoorns te vatten.

Ze strekte haar hand uit, door het duister. Het hielp om haar lichaam te zien als iets wat op afstand bestuurd werd. *Uitstrekken, laten zakken, vastpakken.*

De hand maakte contact met kleding. Hij ademde scherp in. Zijn kruis zou de waarheid over zijn gezin onthullen. Dat kon niet liegen. Haar hand bleef daar liggen en even gebeurde er niets. Ze vroeg zich af of dit misschien toch niet zo'n goed idee was, zelfs niet goed-slecht, zelfs niet 'slecht maar leerzaam op moreel gebied', maar gewoon slecht. Eerst klonk er een zoemgeluid, iets onderaards, een zacht gebrom dat nauwelijks te onderscheiden was van de wind en de regen. Het was automatisch. Straatlantaarns begonnen weer te branden. In het licht daarvan zag ze de motregen voor het raam van de erker, en in het kleine beetje licht dat tot in de zitkamer reikte, kon ze net van opzij de omtrekken van Mervyn onderscheiden, zijn hoofd achterover en zijn mond licht geopend.

De schelpvormige wandlampen gingen weer aan. Kate liet haar hand waar hij was. Mervyn had zijn ogen dicht en zijn adamsappel stak naar voren. Misschien was hij in de greep van een precair genot.

Of het was het gezicht van een man die zichzelf zijn fouten uit het verleden vergeven had en op de gekste momenten in slaap viel: bij volstrekte duisternis en niet te veel lawaai. Kate had het idee dat ze hem de gelegenheid had gegeven om zijn betrouwbaarheid als vader en echtgenoot te tonen, en dat hij nu droomde van slakken die over zijn lijf kropen, maar die waren niet angstaanjagend of nachtmerrieachtig, integendeel, hij vond hun voortgang rustgevend.

Ze voelde iets trillen tegen haar dijbeen. Ze haalde haar hand weg bij Mervyn en pakte haar telefoon; sms'en van haar vader pulseerden in haar hand. Ze werd misselijk. Buiten klonk nog meer onweer en daarna het onmiskenbare gesnurk van Mervyn.

Freya werd wakker van haar blaas. Het puntje van haar neus was nat. Het onweer was voorbij en ze hoorde het geluid van druppels die van de bladeren vielen. Ze leunde uit bed, opende het deurtje en pookte de kolen op met een halve tafelpoot. Ze gluurde even om het Japanse kamerscherm, maar kon Albert niet zien. Toen ze opstond om nog eens beter te kijken, zag ze hem nog steeds niet. Ze sloeg het dekbed open. Haar kei sliep, opgerold, armen om zich heen geslagen, handen in zijn oksels. Hij was hier komen slapen omdat hij het in het grote huis te lawaaierig vond. Ze had gevraagd waarom hij dan niet bij Marina in de werkplaats ging slapen en had aan de ongemakkelijke trek op zijn gezicht gezien dat hij zich betrapt voelde op het missen van zijn moeder.

Ze trok haar kamerjas aan over haar groene nachthemd en liep naar buiten. De kou beet in haar enkels, polsen, hals. Het onweer was voorbij en had de warmte met zich meegenomen. Ze moest eigenlijk naar de latrine, maar had geen zin meer. Haar blaas deed pijn. Ze hield zich vast aan een boom, opende haar kamerjas, trok haar nachthemd op en plaste. Ze zag de damp tussen haar benen opstijgen, hoorde haar straal ritselen als gloeiende kooltjes, rook de geur van haar vitamine C-pillen en voelde dat ze bekeken werd. Ze keek over haar schouder – het bewijs dat ze bekeken werd.

Patrick lag in bed en probeerde uit alle macht te geloven dat het geluid van een gewapende indringer in zijn huis een auditieve hallucinatie was. Hoewel het een tegenvaller zou zijn om na drie drugsvrije maanden weer een aanval van paranoia te krijgen, was dat verre te verkiezen boven een echte inbreker onder aan de trap.

Gevoed door angst creëert de verbeelding werkelijkheid, dacht hij, terwijl hij luisterde naar de verbluffend levensechte voetstappen die in het stereobeeld van links naar rechts liepen. Hij hoopte dat het een interne inbreker was. Hij hoorde een kreunend geluid dat heel erg leek op het openen van de keukendeur. Of het was het geluid van een inbreker die – nadat hij was ontmaskerd als denkbeeldig – langzaam de geest gaf op het terras van Patricks geest.

Volgens Patrick was het wetenschappelijk gezien beslist geen onzin om te veronderstellen dat als in de hersenen na een lange cannabisverslaving bepaalde neurale verbindingen en afgesloten gedeelten van het geheugen weer in gebruik werden genomen, er zich nog indringers in de interne keuken konden ophouden. Die moest je hun gang laten gaan en dan zouden ze met lege handen afdruipen om nooit meer terug te keren.

Sinds zijn ongeluk had hij moeite om zijn hoofd weer een beetje op orde te krijgen. Zijn grootste angst was dat zijn geest slap en kneedbaar was. Paranoia over zijn gevoeligheid voor paranoia. Terugkijkend op zijn kennismaking met Don, Janet en Freya, voelde hij zich de grote sukkel, de man van het geld met de slechte smaak, de rijke mecenas die het idee moest krijgen dat hij de kunst 'begreep', terwijl het kunstwerk in feite een rechtstreekse aanval was op alles waar die mecenas voor stond.

Als dit een denkbeeldige inbreker was, dan zou Patrick hem of haar bij de kraag kunnen grijpen door gewoon aan iets anders te denken. Daarom dacht hij terug aan Kim, de sociaal-verpleegkundige die hij in het ziekenhuis had ontmoet, een jonge christelijke vrouw met ronde tanden. Toen hij weer een beetje op de been, of eigenlijk op de krukken was, had zij de suggestie gedaan haar kerk een keer te bezoeken. 'Ik zie religie als het tegenovergestelde van geestelijke gezondheid,' had hij tegen haar gezegd, en daar had ze hartelijk om gelachen.

Toen hij ontslagen werd, had hij de artsen verzekerd dat hij terug naar de leefgemeenschap ging en dat hij daar opgevangen zou worden. In werkelijkheid liep hij de deur van het ziekenhuis uit, hobbelde met zijn blauwe gipspoot het parkeerterrein af, passeerde de arbeidershuisjes en kwam bij de dubbele deuren van de onopvallende, uit rode baksteen opgetrokken Proclaimers Church. Op een poster aan de muur stond: *God is een dj. Heb je verzoeknummers?* Als hij een kneedbaar brein had, had Patrick gedacht, dan zou hij dat snel genoeg merken als hij zich blootstelde aan Kims oprechte enthousiasme.

De kerk beschikte over een logeerkamer die ook als opslagruimte werd gebruikt. Er lagen een octopuskostuum, kerststalletjes, oude flipperkasten en in één hoek een matras, een slaapzak en een nachtlampje. Hij kreeg een kop fantastische erwtensoep met ham. Hij had weken niet meer gerookt; zijn smaakpapillen waren als nieuw.

Die eerste avond had de kerk een feest voor de plaatselijke jeugd georganiseerd. Ook Patrick werd uitgenodigd. Met drie keer de aanbevolen dosis codeïne achter zijn kiezen en met pinnen in zijn enkel die door bepaalde frequenties in trilling werden gebracht, ging hij op de dansvloer helemaal los met zijn krukken en zijn gipsen poot. Hij herinnerde zich weer dat hij graag wat van zijn levenservaring wilde overbrengen op de nieuwe generatie. Hij werd omringd door feestelijk geklede jongeren die elke keer hun duim omhoog staken als hij weer een nieuwe beweging probeerde. Achter de dj werden op een videoscherm beelden afkomstig van de Chandra-ruimtetelescoop vertoond. Toen hij ging slapen gaven ze hem oordoppen van fluorescerend schuim. Patrick was bijna zestig. Om twaalf uur precies stopte de muziek.

In de week die hij in de kelder van de nieuwbouwkerk doorbracht, was zijn stoelgang nog zo verstoord door de morfine dat het voelde alsof hij op kiezels sliep. Terwijl aantrekkelijke mannen en vrouwen hem glazen pruimensap brachten, probeerde hij zijn gevoelens voor Janet te amputeren. De metafoor die hij in het ziekenhuis had bedacht en die nog sporen vertoonde van de door morfine opgewekte bloemrijkheid van zijn fantasie, was dat Janet relaties aanging als een stuntpiloot. Ze vloog zo dicht mogelijk langs de toeschouwers zonder ze aan te raken. Patrick zag zichzelf als een toeschouwer – een van de vele – die met een domme grijns op zijn gezicht juichte en zijn handen in de lucht stak in de hoop haar lange sjaal te kunnen pakken als ze langsvloog.

Ergens zag hij het als een zegen dat de schade aan zijn enkel hem de ogen had geopend voor de gevoelens van Janet: toen ze de verwonding had gezien, was ze helemaal onder de indruk geweest, wanhopig, bereid tot alles, en aan de manier waarop ze hem haar lichaamswarmte had geschonken zou je zeggen dat ze verliefd was. Maar toen ze de kans had gekregen om in het ziekenhuis twee dagen naast zijn bed te zitten en te luisteren naar zijn onappetijtelijke ademhalingsgeluiden – wat een bewijs zou zijn geweest van een diepe band tussen hen – had ze bedankt.

In veel opzichten was die keer in de koepel, lang geleden, toen ze bijna seks hadden gehad, haar meest brutale stunt geweest: ze was zo dicht bij hem gekomen als maar kon en had een maximum aan aandacht en liefde weten binnen te halen zonder iets van zichzelf terug te geven.

En toen, op een gedenkwaardige ochtend die voor Patrick een religieuze openbaring van de eerste orde was, had het pruimensap eindelijk het gewenste effect. Kim bood aan zijn beddengoed te verschonen. Zo'n engelachtige gastvrijheid zou iemand die niet al te sterk in zijn schoenen stond toch zeker over de streep hebben moeten trekken, meende Patrick. Maar tot zijn opluchting beschikte hij nog steeds over zijn rationele afkeer, en hoewel hij op de enthousiaste jongelui gesteld was, had zijn verblijf in de kelder hem een nieuw levensdoel bezorgd: de rest van zijn leven in niet-kerkelijke hopeloosheid doorbrengen en Janet nooit meer zien.

Patrick hoorde duidelijk dat er beneden zachtjes laden werden opengeschoven. Hij kon daar geen psychologische verklaring voor bedenken; het klonk als een echte inbraak, iemand die op zoek was naar sieraden. Hij duwde het dekbed van zich af en ging in zijn boxershort op de rand van het bed zitten. Hij leunde voorover naar de kachel en pakte de kolenschep.

Patrick ging langzaam de trap af met de schep als een honkbalknuppel in zijn hand. Door de adrenaline kon hij elke tree nemen zonder in elkaar te krimpen van de pijn. Zijn dunne blauwe boxershort was van het soort dat opbolt bij het elastiek.

Hij was inmiddels onder aan de trap en keek naar de kunststofvoordeur, op zoek naar sporen van braak. Hij was op slot en onbeschadigd. De deur naar de kamer zat dicht en hij duwde hem met zijn goede voet open, waarbij zijn slechte enkel kraakte onder zijn gewicht. Het was stil in de kamer. Hij liep langzaam door het huis en controleerde in het voorbijgaan of de deur naar de kelder op slot zat. Toen hij de keuken binnenkwam, met de schep in de aanslag, keek hij snel achter de deur, maar daar stond niemand.

Hij begon zich te realiseren dat een psychologische inbreker eigenlijk erger was dan een echte. Van een echte inbreker had je maar één keer last; van een interne je hele leven.

Maar toen hij om zich heen keek, ontdekte hij dat de achterdeur op een kier stond. Hij knipte de tuinlamp aan en tuurde door het grote raam boven het aanrecht. Het enige wat leefde was de miniatuurpalm aan het eind van het terras.

Hij duwde de deur open en liep naar buiten met de schep boven zijn hoofd. Zijn enkel stak en verkrampte. Een grote mot vloog tegen de tuinlamp aan. Op het dunne laagje condensvocht op de terrastegels waren donkere, onregelmatig geplaatste voetstappen te zien. Ze liepen naar de dubbele deuren aan de achterkant van de garage. Die stonden wijd open, maar er scheen geen licht door. Hij zette een paar kleine stapjes waarbij hij zijn voeten nauwelijks optilde. Binnen hoorde hij snuifgeluiden, ademen door de neus, geknaag, als een varken dat zich te goed doet aan menselijke resten. Hij wachtte en verstevigde zijn greep op de kolenschep. Hij wilde dat dit echt was. Hij liep naar binnen.

Een vierkant bleek licht zweefde in het duister. Een poort.

Er hing een geur van knoflook en kip. Hij knipte de twee

tl-buizen aan die na elkaar wakker knipperden.

Kate stond achter de vleeskast, gebogen over een kom Indonesische kipgelei, een schaal gegrilde aubergine met knoflook en een linzensalade. Ze gebruikte haar mobieltje als zaklantaarn en in haar andere hand hield ze een kippenpootje. Op haar gezicht en haar armen zaten zwarte vegen en op haar jurk strepen gekruide gelei. Ze at vlees. *Ze at vlees.* Ze droeg een gingang hemdjurkje. *Ze droeg een gingang hemdjurkje.* Dit was niet de Kate die hij kende. Ze had haar mond halfvol en was aan het kauwen. In het sneeuwbolmoment van de tl-buizen stopte ze daarmee.

Of hij was kampioen bodybuilden, of hij droeg de moeder aller gewatteerde jassen. Die was zwart, kwam tot aan zijn knieën, en had een kraag en een met bont afgezette capuchon.

Freya keek hem met toegeknepen ogen aan terwijl ze met haar straal nog damp aan het produceren was.

'Sorry. Ik ben het, Geraint. Er is iets met Kate gebeurd.'

Ze keek hem een tijdlang over haar schouder aan. Zijn ogen waren opgezet en half gesloten. Hij had een driehoekje tandpasta in zijn mondhoek.

'Ik wacht hier wel,' zei hij en trok zich terug achter de kromming van het rondhuis om te wachten tot ze klaar was met haar bericht in morsecode. Het begon net licht te worden. Ze stond op en deed haar kamerjas goed.

'Het is oké,' zei ze. 'Kom maar binnen. Albert slaapt nog.'

Ze wachtte tot hij klaar was met het uittrekken van zijn ingewikkelde wandelschoenen en glipte toen met hem door de tochtgordijnen naar binnen. Ze deed een paar stukken hout van een kapotte pallet bij de kolen en ging met hem om de houtkachel zitten, allebei op een kruk. Geraint hield zijn volumineuze jas aan. Zijn spitse neus stak uit zijn capuchon.

'Ze is weg. Ik heb de leefgemeenschap gebeld. Niemand heeft haar gezien. Ik heb haar mobiel geprobeerd. Mijn vader rijdt rond om haar te zoeken. Hij heeft me hier afgezet. We dachten dat ze misschien bij u was.'

Hij ademde gejaagd. Het vuur maakte lawaai en Geraint wierp een blik op de onder het dekbed verscholen Albert. Hij wist niet beter dan dat Albert hem nog steeds wilde vermoorden.

'Is ze misschien bij een vriend of vriendin?' vroeg Freya.

'Ik zou niet weten wie,' zei Geraint met zijn hand op zijn buik.

Toen klonk er een stem van onder het dekbed. 'Ik zou me geen zorgen maken,' zei de stem. 'Hoogstwaarschijnlijk is ze al dood.'

Kate werd wakker in een vreemde slaapkamer en had het gevoel dat haar hersenmassa te groot of haar schedel te klein was geworden – in elk geval paste het niet meer. Ze wreef over haar voorhoofd. Het laatste wat ze zich herinnerde was dat ze een huis was binnengedrongen via de kolenkelder. Vanuit dat beeld redeneerde ze terug. Ze had op een stoepje voor een deur whisky uit een Evian-fles zitten drinken. Het was de deur van Patrick geweest. Ze was daar gekomen door met haar tas met kleren over de paden langs zee te lopen, op zoek naar een cabriolet met reclames. Daarvoor was ze in Blackpill geweest, al dronken, waar ze haar voeten in het zand had laten afkoelen. Die hadden koeling nodig omdat ze een heel stuk langs de oude spoorbaan door Clyne had gelopen, waarbij ze haar angst voor verkrachters en moordenaars had weggedronken door af en toe een slok uit de Evian-fles te nemen. Ze herinnerde zich nu weer dat ze die fles voor haar vertrek had gevuld met Mervyns kostbaar verpakte Oban-whisky (die ze hem nooit had zien drinken). Toen herinnerde ze zich de reden dat ze was weggelopen. Wat ze voelde was erger dan schaamte. Duisternis en de stof van zijn joggingbroek. Twee manieren van zwaar ademen.

De kamer waarin ze zich bevond vulde zich met de geur van de dood: dat was wat ze verdiende.

Toen Kate de keuken binnenkwam, stond Patrick daar in korte broek, T-shirt en teenslippers en hield een metalen spatel vast: een alfamannetje bij een eenpersoonsbarbecue. Ze droeg een met zijde omzoomde kamerjas, nog een cadeautje van Liz, en had vlekken in haar gezicht.

'Aha, kijk eens wie we daar hebben!'

'Pat,' zei ze en slikte.

'Hallo, inbreker.'

Hij legde de spatel neer en liep met zijn armen omhoog op haar af.

'Het spijt me,' zei ze, en ze stond te rillen op de vloertegels. Hij omarmde haar. Ze was vergeten hoe breed hij van boven was. Hij rook naar vochtinbrengende crème.

'Je bent 's ochtends nog steeds niet op je best,' zei hij en liet haar los. 'Of moet ik al middag zeggen?'

'Alsjeblieft.'

'Ik heb de gemeenschap gebeld dat je ongedeerd bent, dan weet je dat alvast.'

'O god.'

Hij liep terug naar het fornuis, haalde een bord uit de oven en zette dat op tafel. Er waren bonen, toast, twee portobello's, gebakken tomaten, een gebakken aardappel en een gepocheerd ei. Ze ging zitten en staarde een tijdje naar het bord. Hij zag haar staren en maakte het geluid van draaiende radertjes.

'Ontbreekt er iets?' vroeg hij.

'Oké Pat.'

'Wat?' zei hij, en hij maakte met zijn spatel in de hand een Charlie Chaplin-dansje, waarbij zijn teenslippers tegen de tegelvloer klikten. Hij droeg een leesdeken. Zijn kapsel kon ermee door.

'Je hebt gewonnen,' zei ze.

'Waar héb je het in hemelsnaam over?'

Hij maakte een pirouette en zijn gewaad waaierde uit. Hij had er echt lol in. Hij deed de ovendeur open en trok het middelste rek eruit.

'Hier heb ik jaren op gewacht,' zei hij en schudde de ovenschaal een beetje heen en weer.

Haar stoel schraapte over de vloer toen ze hem naar achteren duwde om met haar bord naar het fornuis te lopen. Ze pakte met haar vork drie worstjes, twee stukken spek, een stuk of wat aardappelen die in het vleesvet waren gebakken en na enige aarzeling ook nog een stuk bloedworst.

'Wat heeft de doorslag gegeven?' vroeg hij.

Ze ging zitten, schudde haar hoofd en begon met de worstjes. Hij stond naast haar, enigszins door zijn knieën gezakt, met zijn mond bij haar oor.

'Wat trok je over de streep? Knapperig... gebakken... spek? Loempiaatjes met eend? Babi pang-pang?'

Ze keek niet op, bleef gewoon kauwen en schudde toen een kwak ketchup naast het spek. Hij snoof en ging weer tegen het fornuis aan staan en keek hoe haar wangen opbolden van het voedsel in haar mond.

'Ik kan je vertellen dat de worst en het spek van hetzelfde varken zijn,' zei hij. Een Gloucester Old Spot – grootgebracht op een boerderij in Glamorgan.'

Kate haalde haar schouders op en ging door met eten.

Haar lippen glommen van het vet.

'Slagerij R. Yallop,' zei Patrick, en hij staarde uit het raam. 'Een heel blij varkentje.'

Kates haar viel in haar gezicht. Ze sneed een stuk eigeel en de vetrand van het spek af, deed er wat bonen overheen en bracht het naar haar mond. Patrick tikte met zijn goede voet op de tegels.

'En die kip van gisteravond was een *poulet noir*, mocht je dat willen weten. Hij smaakte alsof hij heel wat gescharreld had, vond je ook niet?'

Ze doopte haar toast in het eigeel. Patrick perste zijn lippen op elkaar, het euforische gevoel ebde weg. Kate stak een hele worst in haar mond. Haar kin glom van het bonenvocht.

'Nou, het is mooi dat je vlees eet,' zei hij. 'Dat zal je goeddoen.'

Ze bleef kauwen.

6

Voorbereidingen

Klik.

Don stond voor de stroomregelaar en staarde ernaar.

Klik. Op de teller stond 459.

Hij had alle kamers in het grote huis al gecontroleerd, en ook de werkplaats, de pottenbakkerij, de schuur en de koepel. Hij had een aantal bezoekers ondervraagd en Marina aan een kruisverhoor onderworpen vanwege geruchten over een niet aangemelde printer.

Klik. 458. Dit getal gaf aan hoe vol de accu zat, waarbij 500 helemaal vol was en 000 helemaal leeg. Don had de regelaar zo afgesteld dat als de teller onder de 450 kwam, de hele gemeenschap werd afgesloten van stroom. Dat had hem niet populair gemaakt. Publiekelijk had hij verkondigd dat het een noodzakelijke begrenzing was, bedoeld om de levensduur van de accu te waarborgen. Zijn privémening was dat de gemeenschap te makkelijk was geworden. Sinds het noodweer van een maand geleden, toen ze hadden geproefd van onbeperkte stroom, had iedereen moeite om weer zorgvuldiger met energie om te gaan. Don wilde de gemeenschap nog vóór het feest weer in het gareel hebben. Hij vond het maar niks dat Varghese, die hard bezig was om het evenement te promoten, hardnekkig over een 'megaparty' bleef spreken.

Klik. 457.

Hij begon een band met de stroomregelaar te krijgen. Elke klik klonk als een verwijt: het geluid dat mensen maken in een maar niet opschietende rij voor een postloket.

Klik.

De stroomregelaar en de voorbereidingen voor het feest hielden hem zo bezig, dat er dagen voorbijgingen dat hij amper aan zijn gezin dacht. Dus bleven alleen de oneindig lange nachten over, waarin Don tot de ontdekking kwam dat de boeken waarbij hij vroeger al binnen een hoofdstuk in slaap viel, hem nu de hele nacht wakker konden houden.

Klik.

De enige bewoners van wie Don het elektriciteitsgebruik nog niet gecontroleerd had, waren Isaac en Albert. De gemeenschap had geen officiële schoolkalender, vooral niet nu er nog maar twee leerlingen waren, dus was besloten dat als het microklimaat het toeliet en het een aantal dagen echt lekker warm was, de hele school vrijaf zou krijgen. Sinds het begin van deze 'vakantie' had hij zijn zoon alleen nog maar in het voorbijgaan gezien, als hij met verontrustende voorwerpen als een schroevendraaier of een Gouden Gids over het terrein liep.

Klik.

Don schudde zijn hoofd en liep naar buiten. Hij besloot een rondje om het huis te maken en zag toen een zwart verlengsnoer uit het achterraampje van de keuken komen en de tuin in lopen. Hij versnelde zijn pas en volgde het snoer tot voorbij de vuurkuil, waar het in het groezelige duister onder de douglassparren verdween en uitkwam bij een paar aan elkaar gekoppelde vijfvoudige contactdozen. Don vertraagde zijn pas toen hij een open plek naderde met in het midden een oude, bolle leunstoel die jarenlang achter in de tuin had gestaan en totaal verrot was. Hij zag eruit als een stoel waarin iemand was gestorven, en zo wilde Albert, die op de stoel zat, er ook duidelijk uitzien. Don had gedacht dat zijn zoon onmogelijk nog viezer kon worden dan hij al was, maar hij zag nu dat hij zich had vergist, al had Albert het misschien nog wat aangedikt. Met moddermascara en aangekoekte handen leek het wel of hij een aflevering van *Tales from the Crypt* presenteerde. Hij zag Don niet.

'Begin maar, Ies,' zei Albert.

De ketting van contactdozen leidde naar een camera – die van Varghese – die op een statief voor Albert stond, en naar het Korg Trinity-keyboard van Isaacs moeder, dat op de grond lag. Isaac zat er in kleermakerszit achter en drukte met zijn vinger één toets in. Er klonk een bovennatuurlijke wind, het kraken van een spookschip.

Albert keek met wijd opengesperde ogen in de camera. 'Dames en heren, medemensen, ik heb slecht nieuws. De wereld kan ieder moment vergaan. We zijn in de laatste dagen,'. Hij greep de armleuningen vast als een piloot in een schietstoel. 'Bereid u voor! Grijp de wapens! Ze zijn er bijna!'

En toen stapte Don voor de camera.

Albert trok de stekkers uit de contactdozen, een voor een, onder het toeziend oog van zijn vader. Isaac sleepte met gebogen hoofd het dure keyboard over de grond achter zich aan en droop af door de bomen. Albert gaf zijn vader elke losgehaalde contactdoos aan. De korsten modder op zijn handen braken af terwijl hij bezig was.

'Albert, je weet dat ik het prima vind dat je werk maakt van je interesses.'

'Het is geen interesse.'

'En je weet dat ik het geweldig zou vinden als je je zou verdiepen in films maken.'

'Ik verdiep me niet,' zei Albert. 'Varghese zei dat ik zijn camera mocht gebruiken. Dat heb ik gedaan.'

'En dat is het mooie van thuiseducatie, dat je kunt leren om films te maken. Varghese kan je lesgeven in belichting en montage. En wij kunnen de hedendaagse cinema bestuderen, als je dat leuk vindt. Ik denk dat je volwassen genoeg bent om de meeste films te zien. Op school kan zoiets niet.'

'Oké. Nee, bedankt.'

'Waar je interesse ook ligt, je kunt je erin verdiepen. Dat is de kern van thuiseducatie. Heb je al besloten wat je komend jaar wil gaan doen?'

Albert worstelde met een stekker die heel vast zat. Don had de gelikte brochure van de school in Bishopston op het nachtkastje van zijn zoon zien liggen.

'Nou, bedenk zelf maar wat je wilt. Laat je niet de wet voorschrijven door mij of je moeder. Je zult wel tegen ons in willen gaan, en dat is ook goed. De meeste pubers doen dat. Ik heb het ook gedaan.'

'Ik ben geen puber. Ik ben elf, bijna twaalf.'

Albert was klaar met de vijfvoudige contactdozen. Hij begon een verlengsnoer op de haspel te rollen en liep al draaiend naar voren.

'Heb ik je ooit verteld van die keer dat ik was weggelopen van huis?' zei Don terwijl hij naar zijn zoon keek. 'Ik heb twee maanden in een kraakpand in Londen gezeten. Een waanzinnig oud huis. We hadden een tennisbaan. We speelden tennis.'

Albert schudde zijn hoofd.

'Toen ik daar aankwam, werd ik verliefd op een van de meiden,' zei Don. 'Ze had een geweldige naam. Sheila La Fanu.'

'Hoe oud was je toen?'

'Ze was een schitterende meid – een klimster, klimmershanden, geplette vingers, gescheurde nagels, ken je die beweging?' Don strekte zijn rechterhand en maakte er een steekbeweging in de lucht mee. 'Als een wig?' Bij zo'n rotsspleet waar ze geen grip op hebben, persen ze hun vingers naar binnen. Haar vingers zagen eruit als pastinaken, taps toelopend. Ze klom voor Greenpeace. Zij was degene die 's nachts de elektriciteitscentrale beklom om dat doek met 'Londense kankerfabriek' op te hangen. Toen boog hij zich voorover naar Alberts oor en begon samenzweerderig te fluisteren op een manier die, zo hoopte hij, zijn zoon het idee zou geven dat ze ooit als vrienden met elkaar om zouden gaan. 'Ze had het lijf van een klimster, maar tieten als Alpentoppen.'

Albert draaide de haspel zo snel op als hij kon. Ze passeerden de vuurkuil.

'Zeg dat woord alsjeblieft niet,' zei Albert.

'Ik werd verliefd op haar. Ik was ongeveer jouw leeftijd.'

'Was je elf?'

'Je bent bijna twaalf. Ik was niet zoveel ouder. Zeventien, misschien.'

'Zo oud als Kate,' zei hij. Hij gaf zijn vader een haspel aan en ging door met de volgende.

'Ze nam me mee naar de klimhal – ze was zeven jaar ouder dan ik. Ik genoot van die lessen. Ik zekerde haar en keek omhoog naar haar mechanische dijen terwijl ze de muur beklom. Na elke les zei ze dat ik zo vooruit was gegaan en ik zei dan dat dat aan haar lessen te danken was.'

'Ik weet wat je aan het doen bent. Ik vind dit niet prettig.'

Ze liepen over het getrapte houtsnipperpad door de moestuin omhoog en Albert wisselde bij het opwikkelen van hand omdat zijn rechterarm moe werd. Don ging hem niet helpen.

'Na een maand nam ze me mee naar de Munro's in Schotland – alleen zij en ik – en zei dat we daar gingen kamperen.

Overnachten op een bergrichel, samen met die meid. We klommen de hele dag en mijn rug was zo verbrand dat ik er niet op kon liggen. We hielden halt op een richel. Het was eerder een soort plateau. Ze smeerde me in met aloë vera.'

'Pap, alsjeblieft.'

Ze naderden het keukenraam. Als ze daar waren, kon Albert ontsnappen. Don begon wat sneller te praten.

'Zij moest op haar rug liggen vanwege haar borsten. Ik moest op mijn zij of mijn buik omdat ik zo verbrand was. Het was voorbestemd. Ik dacht: als ik haar nu niet kan vertellen dat ik haar leuk vind, wanneer dan wel? Dus ik zei: "Sheila La Fanu, ik ben verliefd op je." Ik gebruikte haar volledige naam. Sheila La Fanu.'

'Stop nou,' zei Albert met opengesperde neusvleugels. 'Ik weet niet wat je aan het doen bent, maar hou er alsjeblieft mee op.'

Albert was bezig met de laatste haspel en hij draaide zo snel als hij kon. Don had zijn handen vol met verlengsnoeren.

'Ze zei: "Je bent te jong, maar ik vind je wel leuk, dus je mag me zoenen en aan mijn borsten zitten." Dus zoenden we. De wind, haar tong en mijn hand die door haar naar onderen werd geleid. Het was groots.'

Don toonde zijn breedste glimlach. Hij had zijn armen vol met contactdozen en snoerhaspels. Ze kwamen bij het keukenraam.

'Is het zo goed? Kan ik gaan?'

'Echt, een ervaring om nooit te vergeten. En jij gaat dat straks ook meemaken, als je er maar in gelooft. Als de wereld niet vergaat, heb je nog heel veel om naar uit te kijken. Ze kocht een treinkaartje voor me zodat ik terug kon naar huis. Je weet pas wat het is als je het meemaakt. Jij bent bijna volwassen.'

'Niet waar.'

'Je beseft het misschien niet, maar het is wel zo.'

'Als ik volwassen zou zijn, zou je me verantwoordelijkheid geven, maar dat doe je niet.'

'Ik geef je verantwoordelijkheid. Weet je nog waar we het over hadden?'

'Je zei dat ik mag toekijken. Dat is niet hetzelfde. Je moet me de leiding geven.'

'Je bent nog maar elf.'

'Je zei net dat ik feitelijk zeventien ben. Ben ik nu volwassen of niet?'

'Oké, goed. Een compromis.' Don knielde voor zijn zoon neer. 'Als ik jou nu eens verantwoordelijk maak voor de selectie?'

Alberts gezicht klaarde op. 'Echt?'

'Ja, ik laat jou het onderzoek doen.'

'Goed, dat doe ik.'

Hij omhelsde zijn vader, waarbij de snoeren in de weg zaten.

'Vertel eens. Hoe is het met je moeder?'

'Geen idee. Goed, denk ik.'

'Ik mis haar. Weet ze dat wel?'

Zijn vader begon het te kwaad te krijgen.

'Dat weet ze.'

Dons adamsappel bewoog op een manier die aankondigde wat er ging komen.

Albert keek om zich heen om te zien of er mensen keken.

7

Eindexamenuitslag

'Ze ruiken niet naar gezakt zijn,' zei Patrick terwijl hij eerst aan de ene en toen aan de andere envelop rook.

Hij en Kate zaten op een bankje naast het fietspad en keken uit over de baai. Op zee regende het, maar Mumbles lag in de zon.

'Maak ze open,' zei ze.

Twee skaters kwamen met lange slagen langs.

'Wat betekent het als je wordt toegelaten tot Cambridge?'

'Dat word ik toch niet,' zei ze.

Ze had zich de afgelopen twee maanden door haar examenstof heen geworsteld, en als ze niet aan het werk was, stelde ze zich voor hoe Mervyn en Geraint na haar verdwijning nader tot elkaar kwamen door samen te vissen, te spelen met radiografisch bestuurde helikopters en door grote hoeveelheden vlees naar binnen te werken, om de schade in te halen. Ze had een beeld van een huis vol met chorizo, in Coca-Cola gekookte ham, schenkel en T-bonesteaks. Of ze zouden – en dat leek haar nog erger – het ingeslagen pad naar de vegetarische verlichting blijven volgen: walnootolie, een groentepakket en zonnebloempitten in weckflessen. Het was voor haar een grote teleurstelling dat ze in Three Crosses niet de duistere, broeierige onderbuik van de gegoede middenklasse had aangetroffen, maar het buikje van de tevredenheid.

'Verlos me uit mijn lijden,' zei ze. Het elektrische toeristentreintje passeerde tergend langzaam. Patricks brede vingers hadden moeite om de enveloppen open te scheuren.

'Sjongejongejonge,' zei hij.

Kate staarde naar de pier en zag zichzelf met slappe armen en benen van hoog uit de lucht in de blauwgroene zee vallen.

Er was besloten dat Varghese een gefilmd verslag van het feest mocht maken omdat er in de dagen erna nieuwe *content* op internet moest verschijnen. Alleen dan had je impact op de lange termijn. 'Kleefkracht', noemde Varghese het.

Don zei dat hij kon filmen wat hij wilde, maar dat hij tussen half elf en twaalf uur 's ochtends uit het geitenhok moest blijven, al vertelde hij er niet bij waarom.

Vlak na het ontbijt legde Varghese het eerste echte 'moment' van het feest vast. Don en een team van wwoofers waren op het grote veld bezig met het opbouwen van de livemuziekjoert toen er drie jonge jongens kwamen aanlopen met emmers in hun hand. Hoewel was aangekondigd dat het de hele dag feest zou zijn, was Don ervan uitgegaan dat de eerste bezoekers pas na de lunch zouden komen. Deze knullen hadden al vanaf zonsopgang bij laagtij gevist. Ze toonden voor de camera wat ze in hun emmers hadden: aasvisjes, scheermessen en wilde oesters. Ze hielden niet van oesters, dus propte Don er zoveel hij kon in de zakken van zijn tweedjasje. 'Als alle jonge mensen die vandaag komen net zo zijn als jullie,' had Don gezegd, 'dan is onze toekomst in goede handen.' Varghese moest hem nog wel uitleggen dat hij zich niet direct tot de camera moest richten.

Vargheses YouTube-filmpje van het vellen van de elektriciteitspaal was bij de laatste telling 10.000 keer bekeken en had de onvermijdelijke mix van beledigende en onbegrijpelijke commentaren opgeleverd, die, zo verzekerde hij Don, een teken van groei waren, 'als puistjes tijdens de puberteit', en waar je je niets van aan moest trekken. Op het forum van BassMusicWales.co.uk reageerden er op het onderwerp 'hergeboorte van het gratis feest!' inmiddels meer echte ravers dan de diverse avatars van Varghese. En ook het milieubewuste GowerPower.org had ze opgenomen in hun lijstje van plaatselijke activiteiten.

Patrick reed met Kate in zijn gesponsorde Mini Cooper cabriolet en zij zong *If you'll be my bodyguard* en hij zong *I will be your long lost pal*. Haar haar wapperde in de wind als de staart van een komeet en ze riep *Aaaa!*, wat de vier letters waren waarmee haar eindexamenuitslag kon worden samengevat. Toen ze eenmaal op South Gower Road reden, begon Patrick een beetje te slalommen en naar iedereen te toeteren. Ze gingen ergens veel te duur lunchen.

Kate was te druk met het mimen van de bassolo om op te merken dat hij de afslag naar Llanmadoc had gemist. Ze keek pas op toen Patrick de auto helemaal tot stilstand had gebracht. Op een boom zag ze een poster met de tekst: *Hier moet het zijn*.

'Vreemd,' zei ze.

Hij trommelde met zijn vingers op het stuur.

'Ik weet wat je probeert te doen,' zei ze. 'Het is leuk bedacht, maar ik wil niet naar huis. Het is niet zo dat ik het eigenlijk wel wil, maar me er niet toe kan zetten. Laten we gerechten gaan bestellen die we niet kunnen uitspreken.'

Hij zette de muziek uit.

'Je moet in elk geval even bij je ouders langs om ze het nieuws te vertellen.'

'Doe dit nou niet. Hou op met volwassen zijn. Rijden met

die kar.' Ze wees met haar duim over haar schouder. 'Ik stuur ze wel een sms.'

Ze zette de muziek weer aan. '*If you'll be my bodyguard...*'

Patrick zette de motor af en trok de handrem aan.

Kate liet haar hoofd naar voren vallen. 'Echt?'

Hij ontgrendelde centraal haar portier.

'Goed dan, luister. Ik zal pap het nieuws vertellen en een soort goddelijke openbaring krijgen, want daar reken jij kennelijk op, maar no way dat ik daar blijf, dus ik kom terug en dan ben jij hier nog – toch? – en dan gaan we met de hand opgedoken sint-jakobsschelpen eten, begrepen?'

Hij knikte.

'Je liegt,' zei ze, en toen, met uitgestoken hand: 'geef me de sleutels.'

Het was zowel plezierig als teleurstellend dat ze niet herkend werd toen ze voor het eerst in maanden weer rondliep in de gemeenschap. Nadat ze zonder opgemerkt te worden had rondgekeken, zag ze Don in een chill-out-tipi die naast de vuurkuil was neergezet. Door de boogvormige ingang van de tent zag ze hem geknield kussens neerleggen in een ruitvormig patroon.

'Dag vader.'

Hij stopte even, alsof hij schrok, en schudde toen zijn hoofd.

'Dat kan niet,' zei hij zonder om te kijken. 'Dat moet haar geest zijn geweest.' Hij duwde gespeeld weemoedig een zitzak in model, draaide zich om en kroop uit de tent, waarbij hij deed alsof hij haar niet zag.

'Pap.'

'Zó triest,' zei hij terwijl hij met wijd opengesperde ogen opstond, 'dat ik achtervolgd word door de geest van mijn eigen dochter. Zo'n lief kind.'

'Pa-ap. Ik heb nieuws.'

Hij begon hoofdschuddend de ondiepe treden naar het grote huis op te lopen.

'We zullen haar wel missen, denk ik. Ze wilde niet eens naar huis komen voor het feest dat we ter ere van haar hebben georganiseerd.'

Ze stuiterde op hem af en sprong in volle vaart op zijn rug, waarbij ze haar armen om zijn hals sloot en haar benen om zijn middel. Ze schreeuwde *Aaaa!* terwijl hij snoof, haar vastpakte, en in galop de trap weer af ging. Hij wankelde al onder haar gewicht, maar wilde zijn zeventienjarige dochter beslist niet neerzetten voordat ze daar expliciet om vroeg. Hinnikend draafde hij rondjes rond de vuurkuil en het gelach van Kate hotste mee met haar longen. Ze stak haar hand omhoog als bij een rodeo en ging door tot ze een verontrustend geluid in haar vaders longen hoorde. Toen ze uiteindelijk 'oké, oké!' zei, hield hij meteen op en liet zich weinig elegant met zijn knieën op de zachte grond vallen. Zijn gezicht was paars, bijna eikelkleurig aangelopen en het zweet stond op zijn voorhoofd. Zijn tong hing een beetje uit zijn mond. Hij was oud, viel haar op.

Ze knielde voor hem neer met een stralende grijns en zei: 'Ik ben toegelaten tot Cambridge.'

Het uitspreken van die woorden brak voor haar het ijs. Ze zag zijn borst op en neer gaan. Hij hoestte een beetje en het werd duidelijk dat hij iets in zijn mond had. Zelfs dat kon de vlam van haar empathie niet doven. Ze reikte hem een zakdoekje aan. Hij spuugde, waarbij hij zijn hoofd subtiel afwendde. Het was een flinke fluim. Ze kon er nog net een glimp van opvangen. De fluim in het zakdoekje was als een zonsopgang in de mist. Alles was mooi.

'Ik ben heel blij dat je weer terug bent,' zei hij.

Bij de zakken van haar vaders jasje vormden zich twee natte plekken.

'Ik ben niet "terug". Ik kwam het alleen maar even melden.'

Op het terras achter het grote huis zag Kate een lange Zuid-Aziatische man staan met een camera die hij op hen richtte.

'Je bent terug,' zei Don met een blik naar de camera. 'Daar ben je dan. Terug.'

'Ik blijf niet. We gaan exorbitant lunchen.'

'Dit is jouw feestje. Alles wat je ziet, is voor jou neergezet.'

'Dat wil ik niet.'

'Wie is "we", trouwens?'

Patrick zat met zijn handen in zijn schoot, met open dak en open ramen. Hij hoorde ze niet aankomen. Een plechtige voorleesstem begon: 'Bijna een kwart eeuw geleden, in een kantoorgebouw in Lambeth, liet je mij kennismaken met iets wat mijn leven voorgoed veranderde.'

Patrick keek opzij en zag de verteller aan de passagierskant staan, met licht gebogen hoofd en twee geopende oesters, één in elke hand. Van de eerste paar maanden die hij en Don samen in Londen hadden doorgebracht – hun wittebroodsweken – had het meest romantische moment plaatsgevonden op een bankje op Primrose Hill, waar ze een dozijn plaatselijke oesters met een zakmes soldaat hadden gemaakt. Kate, die achter haar vader stond, maakte een verontschuldigend gebaar en vormde met haar mond het woord 'sorry'.

'Hier, ouwe makker, een zoenoffer,' zei Don, en hij bracht zijn handen met de oesters tot in de auto. 'Een uitnodiging voor het feest.'

Patrick drukte op een knop en heel langzaam, tergend langzaam, zo langzaam dat de kinderachtigheid van het gebaar volledig tot zijn recht kwam, werd het exoskelet van de kap uitgevouwen en schoof hij over het hoofd van Patrick en klikte op zijn plaats, wat Don ertoe dwong een stap achteruit te doen. Hij liep voor de auto langs tot bij het raampje aan de bestuurderskant.

'Vers van het strand. Gowers trots.'

'Welke is vergiftigd?' vroeg Patrick, en hij rook aan ze.

De ene was enorm, de andere heel klein. Ze waren allebei verkleurd door de tabasco, wat Patrick de lekkerste manier vond om ze te eten. Hij nam de kleine. Zonder ook maar uit te stappen sloeg hij de schelp achterover, kauwde een paar keer en voelde de inhoud naar binnen glijden.

Don had de enorme oester in zijn hand en leek te twijfelen. Patrick maakte een misprijzend geluidje waarvan hij wist dat het precies genoeg was.

'Goed dan,' zei Don, en hij bracht de onregelmatige rand van de schelp naar zijn mond. Hij was echt diep, die schelp, zo groot als een vuist, duidelijk een wilde oester – een alfamannetje. Patrick overwoog daar nog een sarcastische opmerking over te maken, maar besloot dat dat niet nodig was. Don had het dier in zijn mond en het lukte hem duidelijk niet om het door te slikken.

Patrick zocht Kate om samen te genieten van dit moment. Hij vond haar, maar naast haar stond een enorme man met een donkere huid die een camera op Don gericht hield. Zijn gigantische vinger lag op de zoomknop en het was duidelijk dat Don besefte dat hij gefilmd werd. Er lekte wat vettig vocht uit zijn mondhoeken toen hij eindelijk slikte, een enorme slok waar hij van vooroversloeg, met zijn handen op zijn knieën.

Patrick voelde zich onbedreigd en roekeloos.

'Goed, ik ga,' zei hij.

'Laat me hier niet achter,' zei Kate.

'Het zal niet hetzelfde zijn zonder jou,' zei Don, nog steeds voorovergebogen en met open mond.

Patrick hoorde Don op het feest al tegen iedereen zeggen: 'Ik bood hem een olijftak, maar die ouwe is er nog steeds niet klaar voor'.

'Wil je me echt alleen maar hier achterlaten?' vroeg Kate.

'Ja, echt.'

'Je zult gemist worden,' zei Don met weinig overtuiging.

'Geef me de autosleutels, Kate.'

'Kom ze maar halen,' zei ze en toonde de sleutels op haar open hand.

Hij trok zijn wenkbrauwen op. 'Wil je me dat echt laten doen?'

'Ja, echt,' zei ze.

Patrick schudde zijn hoofd en zuchtte. Hij stapte uit en liep om de motorkap heen. Bij zijn nadering liep ze een paar passen achteruit en liet de sleutels nu aan haar wijsvinger bungelen.

'Dit is niet netjes,' zei hij.

'Kun je een beetje rennen met die enkel?' zei ze.

Hij bleef staan. Achter Kate liep de cameraman naar achteren voor een totaalshot.

Albert hakte in op de compost. 'Ze is terug.'

Isaac stak de mestvork in de dikke smurrie, klom er met beide voeten op en bleef staan, als in een lift, terwijl de vork omlaagzakte.

'Ze komt de boel verkloten,' zei Albert.

Ze hadden iemand *Aaaa!* horen roepen, waren gaan kijken

en hadden Kate op de rug van Don zien rijden. *Sjoeng* deed de houweel in de compost. Albert trok hem los en er sijpelde groengeel pus uit een eierschaal. De stank was niet te harden. Isaac liet de mestvork vallen en rende met allebei zijn handen over zijn neus naar de tunnelkassen. Albert was immuun.

'Maar maak je niet druk, want ik heb alles onder controle,' zei hij.

Na elke zwaai met de houweel wierp hij een blik op het geitenhok. Isaac kwam weer teruglopen, snoof de lucht op en pakte zijn mestvork.

'Kutzooi,' zei Isaac en fronste.

'Zo is dat, Ies.'

Isaac leek verrast dat hij dat soort taal gebruikte. Hij keek omlaag naar zijn modderige handen.

Don had afgesproken met zijn vrouw en had nog steeds zijn slachtkleding niet aan. Kate had gevraagd of hij haar en Patrick wilde rondleiden over het festivalterrein. Gezien het enthousiasme waarmee hij hen welkom had geheten, zou het vreemd zijn geweest om dat te weigeren. Hij wilde zeggen dat het een hele korte rondleiding moest zijn omdat hij Freya voor het eerst in weken weer zou ontmoeten en erop gebrand was dat dat goed zou verlopen, wat zijn dochter wel zou begrijpen. Maar hij kon niet vertellen dat hij ook tijd nodig had voor het aantrekken van kleren die met geitenbloed bespat mochten worden en voor het bereiken van een meditatieve staat van kalmte voor de slacht. Dat zou ze misschien verontrustend vinden. Dus zei hij maar niets.

Ze begonnen aan het eind van het grote veld, bij de joert die aan de zijkanten open was gelaten en waar achterin een laag podium was gebouwd.

'Het livemuziekgebeuren,' zei Don.

'Wie komt er dan optreden?' vroeg Patrick.

'Niemand. Of eigenlijk iedereen. Iederéén komt optreden.'

Don dreef ze een beetje naar het andere eind van het veld, waar de eerste bezoekers uit andere leefgemeenschappen als Teepee Valley, Brithdir Mawr en Holt's Field waren gearriveerd. Ze moesten het looptempo van Patrick aanhouden, en dat was ongeveer het tempo van een begrafenisstoet. Ze kwamen langs een omgebouwd busje van de posterijen, een Honda Civic, een Amerikaanse schoolbus en een badkuip, allemaal schots en scheef door elkaar. Een pony dronk uit de badkuip. Don bleef steeds een paar passen vooruitlopen en wachtte dan tot ze hem inhaalden.

Don bleef op stevige grond in verband met Patricks enkel, in de hoop dat hij dan wat sneller zou gaan, maar dat was niet zo.

'Heb je hulp nodig?' vroeg Don uiteindelijk, en het was echt niet zijn bedoeling om dwingend te klinken, maar oude patronen kunnen heel hardnekkig zijn.

Patrick zei niets, maar begon toch wat sneller te lopen, waardoor hij een klein beetje begon te mankepoten. Hij wilde zich duidelijk niet laten kennen. Kate gaf Patrick een arm om hem te ondersteunen, alsof ze getrouwd waren. Don maakte in zijn hoofd een notitie dat hij Patrick zijn excuses moest maken, later.

Ze hielden stil bij de geiten, en Kate sprong over het hek om ze te begroeten. Ze hoorden hoe ze zich verontschuldigde voor haar vertrek. Don keek om zich heen. Over een paar minuten had hij op deze plaats afgesproken met Freya.

Ze liepen naar de voorkant van het grote huis, waar de geluidsinstallatie werd opgezet onder een groot zevenhoekig, amoebevormig tentzeil. Het overdekte de helft van het erf en was opgehangen tussen de goot boven het klaslokaal, de appelboom en het dak van de werkplaats.

'De Rave Zone,' zei Don met hoorbare hoofdletters en hij wierp een blik op zijn horloge.

Kate zag twee jongemannen – niet veel ouder dan zij – luidsprekerboxen uit een witte bestelbus tillen en neerzetten op een rij pallets. Ze bonden ze aan elkaar met spanbanden. Er waren acht boxen, twee lagen van vier op elkaar. De bovenste zagen er militaristisch uit. Zo te zien was de geluidsinstallatie de grootste investering van haar vader in de toekomst van de gemeenschap geweest, samen met de mobiele toiletten die in een halve cirkel achter de werkplaats waren opgesteld. Op een kunststof schoolbankje naast de boxen stonden cd-spelers, een mengpaneel en een versterker. Een van de jongens opende het portier aan de passagierskant van de bus en kwam weer naar buiten met een cd. Hij hield hem omhoog – de onderkant spiegelde in het zonlicht – en zei: 'Soundcheck.'

'Don, besef je wel dat deze geluidsinstallatie waanzinnig ver draagt?' zei Patrick. 'Goeiemorgen, gepensioneerden van Gower!'

Ze keken om zich heen, maar haar vader was verdwenen. Kennelijk was de rondleiding klaar. Kate was er nog niet achter of zijn nervositeit alleen maar door het feest werd veroorzaakt of dat hij tegenwoordig altijd zo was.

Toen de jongens de apparatuur aanzetten, was er een gevoel van luchtverplaatsing, van latente energie. Het eerste geluid was het landen van een helikopter. Patrick keek zelfs omhoog. Toen kwam de beat. Het was zo hard dat je het geluid voelde, alsof je betast werd. Kate deed haar vingers in haar oren en zag de jongens achter de schoolbank samen op en neer springen en geluidloos meezingen. Het lawaai lokte mensen het huis en de tuin uit. Er verscheen een vrouw met een complexe moedervlek op haar gezicht die haar handen over haar oren hield. Marina kwam tevoorschijn uit haar slaapkamer aan het eind van de werkplaats en maakte het universele gebaar van *zet zachter*. Er kwamen nog meer mensen uit het grote huis: een bleke man van net dertig die rappersgebaren maakte; Arlo die met een keukentang in zijn hand een robot nadeed; Janet met knipperende ogen en een strohoed op; twee nieuwe wwoofers en tot slot Isaac die naast de werkplaats op de grond zandtaarten zat te bakken en op zijn vormpje meetikte op de off-beat.

Iedereen zag Kate en Patrick. Zij zagen iedereen.

'We zijn er weer,' riep Kate amper hoorbaar, met haar beide armen in de lucht.

Patrick stak ook een hand op.

Arlo stak de tang in zijn achterzak, veegde zijn handen af aan zijn schort en leidde de aanval. Janet zette haar hoed af en volgde, waarbij haar geföhnde haar zichtbaar werd. Iedereen stak zijn armen uit – te veel omhelzingen om uit te kiezen – en iedereen lachte en riep hun naam; mensen die Kate nooit eerder gezien had kwamen met uitgestrekte armen op haar af, als zombies. De eerste omhelzing was van Janet, die haar armen om Patricks middel sloeg en haar oor op zijn borst legde; hij hield zijn armen onhandig omhoog, alsof hij door een vijver waadde. Toen kregen ze de rest over zich heen, de een na de ander. Het werd wat donkerder om Kate heen, want ze werd omhelsd en beetgepakt en kreeg te horen dat ze nooit uit hun gedachten was geweest.

Iemand maakte een eind aan de soundcheck. Door de massa hoofden heen zag ze naast de werkplaats Albert staan kijken, achter een klein model kruiwagen vol compost. Het waren niet de omstandigheden waarin ze met hem herenigd had willen worden – zij opeens beroemd en omgeven door groupies. Marina kneep in Kates schouders en fluisterde in haar oor: 'Je broertje heeft je gemist.' Albert liet de kruiwagen los, maakte nadrukkelijk oogcontact met zijn zus, wees in de richting van het huis en rende naar binnen.

De giga-omhelzing viel uit elkaar en alleen Janet en Patrick bleven nog over, waarbij Patrick haar armen probeerde los te pellen. Kate excuseerde zich en zei dat ze naar haar broertje toe moest.

In het klaslokaal was een man met een drankneus lampionnen aan het maken. Een twee-eiige tweeling knipte kleurrijke poppetjes, allemaal hand in hand, uit papieren zakdoekjes, en op elk poppetje tekenden ze een ander gezichtje. Een jongen met een rechte pony vouwde origamikraanvogels. Ze keken naar haar op met die neutrale, enigszins vragende blik die ze zelf ook altijd had gehad als er onbekende personen door het huis liepen.

In de keuken duwde een magere vrouw een blok kaas door de industriële kaasrasp, met als resultaat een blonde pruik in de kom eronder.

Uiteindelijk vond ze Albert in de bijkeuken. Hij had een schort om en waste aardappels bij de wasbak. Het was gek dat hij ze waste, want hij was zelf nog niet gewassen. Zijn huid was een soort van zonnebankbruin. Hij droeg speciale keukenhandschoenen met de letters AARD over de knokkels van zijn rechterhand en APPELS over die van zijn linker. De manier waarop hij met zijn handschoenen over de aardappels wreef, deed Kate denken aan een kwade genius, broedend op een plannetje.

'Hallo broertje. Ik ben terug.'

Hij negeerde haar. Zijn haar leek stijf te staan van het zout, bijna vastgelijmd. Instinctief wilde ze aan hem ruiken, aan zijn nek.

'Vind je het goed als ik even help?'

Ze pakte een dunschiller en begon. Slijmerige strookjes stapelden zich op het werkblad op, de natte kanten glinsterden. Hij bleef broeden. Ze keek hem aan met een halve glimlach die pret beloofde – het soort gezicht dat je trekt als je iemand gaat kietelen.

'Albert, het spijt me dat ik ben weggegaan. Dat was vast niet makkelijk voor je.'

Hij keek strak voor zich uit naar de penselen die in een pot donker water op de vensterbank stonden en wierp toen een blik op de enige wandklok die de gemeenschap rijk was. Het was 10.27 uur. Ze zocht naar iets wat hen verbond.

'Weet je wat ik laatst gezien heb? *Steamboat Willie*. Weet je nog, die tekenfilm waarin hij aardappels schilt? Wat waren wij toen bang.'

Ze deed alsof ze de aardappel over haar schouders gooide en floot het muziekje.

'Waarom zou ik daar bang voor zijn?' zei hij.

'Je kreeg er nachtmerries van,' zei ze en porde hem in zijn zij. 'Wij allebei.'

Hij reageerde met zijn elleboog op haar por, boog zich toen weer voorover en pakte een nieuwe aardappel. Er waren er nog maar tien of elf over. Buiten zag ze Patrick, nu zonder Janet, bezig met zijn ontsnapping. Hij bewoog zich behoedzaam door de moestuin.

Albert pakte weer een aardappel.

'Ik heb je gemist,' zei ze.

'Had je wat, kuttekop?' Zijn stem klonk opeens luid in de betegelde ruimte.

Ze bekeek hem van opzij en had de aanvechting aan haar vinger te likken en iets geestigs op zijn wang te schrijven. 'Ik wil het alleen maar goedmaken, eikel.'

'Je komt niet in mijn buurt. Echt niet.' Hij keek naar de klok. 'En haal het niet in je kop om naar mama te gaan.'

Hij had haar nog steeds niet aangekeken, geen moment. Ze zag dat Patrick ondanks zijn zwakke enkel al helemaal achter in de tuin was en tussen de bomen verdween.

'De laatste twee,' zei ze.

'Óf je bent onderdeel van de oplossing, of van het probleem,' zei hij, 'en Arlo wil aardappels mét schil.'

Modder wervelde de afvoer in. Hij keek naar de klok en gooide de laatste aardappel in het vergiet. Hij draaide zich om, pakte een nieuwe zak ongewassen aardappels en gooide ze met een groots gebaar in de wasbak. Hij trok de handschoenen uit en gaf ze aan zijn zus.

'Dit is het minste wat je kunt doen,' zei hij en was weg.

Het was 10.31 uur en Freya en Don stonden bij het geitenhok. Hij droeg een grijze joggingbroek, een T-shirt van de Phoenix Suns met een basketbal die door de voorkant heen barstte, en een blauwe honkbalpet. Zijn slachtkleding. Ze hoorden hiphop uit de geluidsinstallatie komen, en Don draaide zijn klep opzij. Geen reactie van Freya, want ze gunde hem zijn lolletje niet. Ze hoorden het geklak van hoeven op hout en keken op. Alle zes de geiten stonden op het dak van hun hok, op een kluitje in de zon, alsof ze verlangden naar een hoge rots om op te wonen.

'Ben je er klaar voor?' vroeg ze.

'Ik wacht op mijn assistent.'

'Die heb je niet nodig.'

'Hij is onderweg.'

'Welke geit kies je?'

'Belona.'

'Maar die is al vier. Die zal naar ouwe schoenen smaken.'

'Ik heb de selectieprocedure gedelegeerd. Voordat mijn assistent arriveert wil ik nog wel even zeggen dat hij het fantastisch heeft gedaan. Hij heeft echt werk gemaakt van het onderzoek.'

Freya knipperde met haar ogen. Achter haar klonk een stem. 'Belona zal een heerlijke wildsmaak hebben, ideaal voor stoofpotten en curry's.'

'O nee, Don, alsjeblieft,' zei ze, en ze voelde dunne armpjes rond haar middel.

Kate was klaar met het wassen van de aardappels en verzoende zichzelf met het idee dat haar eigen broer haar niet vertrouwde. Hoewel hij niet kon weten hoe ze zich tegenover Mervyn had gedragen, was ze bang dat Albert instinctief aanvoelde wat voor soort mens ze was geworden. Ze was daarom blij met deze straf, met de schijnbaar eindeloze berg aardappels. Het werk nam behoorlijk veel tijd in beslag, en toen ze klaar was, bracht ze de gewassen aardappels naar de keuken.

Daarna ging ze op het platte dak zitten kijken naar de silhouetten van paragliders die boven de velden hun manoeuvres maakten. Vandaag waren het er meer dan ze ooit gezien had. Het zag eruit als een kindertekening van een zwerm vogels. Ze kon goed zien hoe het feest vorm begon aan te nemen: in de moestuin en in de tunnelkassen was het druk met mensen die ze niet herkende. Ze knielden, hurkten, bogen voorover; langs de snijbonen liep een onbekende die haar bekend voorkwam; tenten hadden zich als een vlek verspreid over het bovenste gedeelte van het grote veld; een piramide van hooibalen, bedoeld als tribune voor de livemuziekjoert, naderde zijn voltooiing. Bij de blinde bocht ontstond een vrolijke file waarbij mensen elkaar de weg wezen, en boven de velden zag ze een paraglider die ofwel aan het neerstorten was, of enorm aan het stunten. Hij verdween achter de heuvel voor ze kon zien hoe het afliep.

De voorovergebogen persoon die haar bekend voorkwam, was nu in de tunnelkas en verdween tussen de planten. Hij bewoog zich met een instinctief gemak door de tomatenplanten, plukte de rijpe exemplaren met een ferme ruk en vulde een slaschaal met rode en gele. Ze zag pas dat het Geraint was, toen hij uit de kas stapte. Hij had zijn hele hoofd gedaan met standje drie op de tondeuse en droeg een wit hemd. Hij was gebruind als een boer en zijn armen hadden de kleur van teakhout. Ze voelde zich duizelig en niet veilig op de rand van het dak. Hij zag haar kijken. Hij bleef staan en kneep zijn ogen samen.

Hij maakte van zijn handen een verrekijker en staarde terug.

Al zolang Freya Don kende, was goed slachten een issue voor hem geweest. Bij vleesmaaltijden nam hij vaak een moment om te visualiseren hoe het dier had geleefd en was gestorven – om zeker te weten dat hij er een goed gevoel over had (wat altijd het geval was) – voordat hij opschepte. Als Freya nu zou weglopen – en instinctief wilde ze niets liever – zou Don de dans weer ontspringen. Ze wilde hem een keer zien dansen. Freya was niet blij met de rol van haar zoon, maar Albert zou waarschijnlijk wel kalmer zijn dan de meeste wwoofers, en zeker kalmer dan zijn vader.

Samen met Albert leidde ze Belona naar een afgelegen plaats, een open plek tussen de bomen achter de schuur. Ze wist dat daar een jonge boom stond met een lage tak die als slachthaak gebruikt kon worden. Belona had twee lijnen om haar nek. Freya hield de ene vast en Albert de andere. Ze stonden aan weerszijden van haar en lieten de touwen voldoende los hangen om haar de kans te geven uit haar voederbak te eten.

'Zal het pijnloos zijn?'

'Het is de meest humane manier.'

Belona probeerde te springen, maar de lijnen hielden haar op de grond. Albert ging op zijn knieën, liet zijn touw los, sloeg zijn armen om haar middel en legde zijn hoofd tegen haar warme flank.

'Ik hoop dat je geniet van je galgenmaal.'

'Maak haar nu niet nerveus, Al.'

Don kwam achter de schuur vandaan met een plastic koffertje met in rode letters het woord *Blitz* erop. Het had de vorm en het formaat van zijn kistje met scheerspullen. De klep van zijn pet wees weer naar voren. Bij zijn nadering maakte Belona een geluid dat uit haar maag leek te komen.

'Albert, wil jij een dankwoord uitspreken?' vroeg Don.

'Don, alsjeblieft.'

'Bedankt voor alles,' zei Albert, die zijn arm nog om Belona's nek had geslagen en in haar oor sprak. 'Hierdoor leer ik hoe ik geiten moet doden. Daardoor kunnen we de eindtijd overleven.'

Freya siste afkeurend. Don knielde, legde het koffertje op het gras en klikte het open. Het schietmasker leek op een estafettestokje, maar dan vernikkeld. Hij pakte het uit het koffertje en woog het in zijn hand. Albert stond op, pakte de lijn weer vast en draaide hem in navolging van zijn moeder twee keer om zijn pols.

Don testte zijn grip – eerst met één hand, toen met twee – op de schiethendel.

'Je moet hem eerst laden,' zei Albert.

'Ik weet het.'

Don draaide de bovenkant van het apparaat los. Hij opende het blikje met 9mm-patronen dat in het koffertje zat, priegelde er eentje uit en liet hem meteen in het gras vallen. Freya moest even diep zuchten toen hij op de tast in het gras naar de patroon aan het zoeken was. Ze wilde niet denken aan de mogelijkheid dat hij het zou verknallen en Belona verschrikkelijk zou lijden. Ze wist dat hij op die zwakheid van haar rekende en erop hoopte dat zij zijn incompetentie niet zou kunnen aanzien en zou ingrijpen.

'Haast je niet,' zei ze.

Uiteindelijk vond hij de patroon, laadde hem en schroefde het bovenstuk weer vast. Belona had inmiddels de helft van haar voer al op. Als ze klaar was met eten, zou ze een stuk moeilijker te hanteren zijn.

'Ze lijkt een beetje nerveus,' zei Albert.

'Niet antropomorfiseren,' zei Don, en hij streelde met zijn vrije hand de lellen bij haar keel. Daarna wreef hij over de plek op haar voorhoofd waar hij moest schieten. Hij vertrok zijn gezicht. Hij stond op, draaide zich om, liep naar een bosje brandnetels en ontdeed zich van overtollig speeksel.

Freya moest weer even diep ademhalen. Dit hoorde bij de show die haar man opvoerde. Ze bleef kalm. Uiteindelijk kwam hij weer terug bij Belona, die nog steeds met haar kop omlaag stond en haar voerbak bijna leeggegeten had. Don hield de staaf met beide handen voor zich uit, als een Italiaanse ober met een pepermolen. Ze had het gevoel dat hij ongeschikt voor de taak wilde lijken.

'Pap, de vuurhendel is nog niet gespannen,' zei Albert.

Don knikte. Hij liet de staaf met één hand los en trok met enige moeite de vergrendeling omhoog.

'Mam, ik geloof niet dat pap dit goed kan.'

'Laat je vader zijn gang gaan.'

'Het lukt wel,' zei Don, en hij liet zich op zijn knieën zakken om er beter bij te kunnen.

'Ik heb geoefend op de Gouden Gids,' zei Albert. 'Ik kan het veel beter dan hij.'

Don schuifelde nog iets dichterbij en Belona liet een korte jank horen. Met haar tong likte ze de laatste restjes van de bodem van haar voerbak. Dons lippen verdwenen. Freya zag dat hij stilletjes aan het aftellen was – 3... 2... 1... – als een kind op de hoge duikplank. Ze zag dat hij in elk geval echt zijn best deed.

'Het past in mijn vorming,' zei Albert.

'Verstoor zijn concentratie niet.'

'Ik móét het doen,' zei Don tegen zichzelf. Hij maakte met zijn twee handen een soort roergebaar met het schietmasker om zich op te peppen.

'Niet nadenken,' zei ze.

'Makkelijker gezegd dan gedaan,' zei hij.

Hij had zijn ogen half gesloten en voor het eerst werd ze zich ervan bewust dat dit wreed was.

'Ik zou veel leren over verantwoordelijkheid en de consequenties van daden,' zei Albert.

Belona was klaar met eten, maakte een keelgeluid en bracht haar kop omhoog om naar Don te kijken. Hij maakte de fout om in haar ogen te kijken, in haar brievenbusvormige pupillen.

Albert zei: 'Laat mij het maar doen.'

'Laat je vader met rust.'

Don had nog steeds oogcontact met de mechanisch kauwende geit.

'Jonge mensen zijn onverschrokken,' zei Albert.

'Don, het gaat prima,' zei ze, en ze verbaasde zich erover dat ze hem gewoon aan het steunen was en dat ze hoopte dat het hem zou lukken. Don merkte het ook en keek op.

'Goed, oké,' zei hij en zijn gezicht verstrakte. 'Ik zál dit doen.'

Omdat zijn stem uitschoot, schopte Belona en trok ze aan haar touwen. Freya en Albert moesten allebei naar achteren stappen en de touwen strak trekken. Nu de geit niet meer werd afgeleid door het voer en haar kop dus niet meer omlaaghield, moest Don opstaan om er beter bij te kunnen. Hij deed een stap naar achteren, alsof een aanloopje zou helpen.

'Ik zou meedogenloos zijn,' zei Albert, die achteroverleunde. Door de touwen hield Belona haar kop nu stil.

Don begon te knikken om zijn wil kracht bij te zetten. Zijn knokkels waren wit en hij leek iets in zichzelf te mompelen. Belona maakte een trillerig geluid en Don vertrok zijn gezicht.

'Ze is nerveus omdat jij dat bent, pap. Ik denk dat ik het beter kan overnemen.'

'Don, dit is je kans.'

Hij kromde zijn rug en tilde het schietmasker op tot boven zijn schouder. Hij bleef in die houding staan, met de glimmende staaf geheven. Doordat zijn handen trilden, drong bij Freya het beeld zich op dat hij een cocktail aan het bereiden was. Hij zag er beslist niet uit als een moordenaar.

Toen zei Albert: 'Het gaat beter zonder jou.'

Don keek alsof hij zichzelf had verrast. Ondanks het jarenlange vermijden had hij stiekem gedacht dat hij dit, als het er echt op aankwam, waarschijnlijk wel zou kunnen volbrengen. Voor Freya was dit waar ze op uit was geweest: het moment van de waarheid. Maar nu het zover was, besefte ze dat het voor hen beiden beter was geweest als ze het niet te weten waren gekomen.

Albert zei: 'Geef toe, ik ben hier gewoon beter geschikt voor.'

Toen gaf Don, nog steeds met die verbaasde uitdrukking op zijn gezicht, de staaf aan zijn zoon.

Geraint was in de kippenren en tilde het deurtje naar het hok open.

'Hoe lang ben je hier al, Ger?'

Kate keek door het kippengaas en zag hoe hij met zijn hand naar binnen ging en een van de hennen aaide.

'Eigenlijk al vanaf de dag van je vertrek. Ik kwam kijken of je hier was, maar besloot toen om hier te komen werken.'

Kate vroeg zich af waarom niemand haar dit verteld had.

'Wat vinden je vader en moeder ervan?' vroeg ze.

'Ze hebben me heel erg gesteund.'

'Weet je al of je geslaagd bent?'

'Ik heb er nog geen tijd voor gehad,' zei hij. 'Misschien brengen Liz en Mervyn de uitslag nog wel langs.'

Hij gebruikte hun voornamen. Hij hield een compact kippetje vast en duwde zijn neus in de veertjes van zijn vleugels.

'Ik neem het mezelf kwalijk dat ik ben weggelopen,' zei ze.

'Hoeft niet.' Het leek of hij tegen de kip praatte. 'Je bent er niet goed mee omgegaan, maar je deed wat je moest doen. Het is uiteindelijk goed gekomen. Het is mijn schuld dat ik het niet zag aankomen.'

Hij zette de hen terug, voelde rond in het stro en vond een klein bleek ei. Hij hield het omhoog en bewonderde het. Er leek niet veel over van hoe hij geweest was en daar voelde zij zich schuldig over.

Toen hoorden ze ergens een knal en zagen ze vogels overvliegen die zich luidkeels beklaagden.

Don werd verrast door het schot en greep met zijn hand naar zijn borst. Hij stond in de hoek van de schuur, op nog geen tien meter van zijn vrouw en zijn zoon, maar uit hun gezichtsveld. Hij had naar hun gedempte stemmen geluisterd en niet goed verstaan wat ze zeiden, dus had hij wat hij niet kon horen zelf ingevuld. Hij droeg nog steeds zijn slachtkleren, maar hij had zijn pet afgezet en leunde met zijn voorhoofd tegen de muur.

Achter hem stonden twee lange tafels met op allebei stapels houten borden en een bestekbak. Op een werkbank waren vier vaten neergezet: mild, donker, perencider en 'cider met droesem op eigen risico'. Hij liep naar de tafel, pakte een herbruikbaar bierglas, hield het onder de tap en keek hoe de troebele, gele vloeistof het glas in liep. Hij moest denken aan Patrick en een gouden ballon. Toen het glas vol was, nam hij een grote slok. In de hoek van de schuur verscheen een rood lichtje.

'Alles goed, baas?'

Varghese kwam tevoorschijn, met zijn camera in de aanslag.

'Ja.'

'Alle gasten arriveren. Gaan we nu die rondleiding doen?'

Het touw schuurde met een *iek-iek-iek*-geluid tegen de tak vanwege de spiertrekkingen die het geitenlichaam nog deden naschokken.

'Hoe voel je je?' zei ze.

'Bedroefd.'

Albert keek naar het bloed dat via het puntje van de sik van Belona naar beneden stroomde. Doordat de emmer zich vulde, veranderde het *taktaktak*-geluid in een zacht gespetter.

'Mam?'

'Ja.'

'Ik maak me zorgen over de overlevingskansen van papa in het volgende stadium. Wat gebeurt er met hem?'

'Misschien past hij zich aan.'

Albert keek naar de emmer. Toen hij halfvol was, de kleur van frambozen, verwisselde Freya hem voor een lege.

'Breng dat maar naar de keuken.'

'Oké.'

'Je hebt het heel goed gedaan,' zei ze en kuste hem op zijn hoofd. 'Wil je me nog helpen met de rest of heb je het wel gehad?'

'Ik heb het wel gehad, geloof ik.'

'Oké.'

Hij hield de emmer voorzichtig vast, met twee handen om het hengsel, en droeg hem over het gras en over het erf. Het licht viel erop: een volle maan.

In de keuken was Arlo met de flair van een ex-chefkok uien aan het snijden. Zijn wangen waren nat, maar hij veegde zijn ogen niet af. Albert zette de emmer hard neer op de tegels.

'Ik brenge die bloed,' zei Albert, maar hij bracht het niet op om zijn mediterrane accent heel dik aan te zetten.

'Mijn jongen! Mijn slager!' zei Arlo. Hij knielde neer en omarmde hem. Albert voelde Arlo's tranen nat tegen zijn wang.

'Oké, zeg me na: co-a-gu-lá-re.'

'Coaguláre,' zei Albert zonder enthousiasme.

'Perfect, Albert. *Benissimo*.'

'Ik zou ook wel willen huilen.'

'Geen probleem,' zei Arlo, en hij tilde hem vanuit zijn omarming omhoog over zijn schouder en hield zijn gezicht boven de uien.

Arlo zat in een tuinstoel met een snijplank op schoot de vetranden van de lever te snijden. In een gietijzeren pan die op een treeft boven het vuur stond, sisten uien, pepers, paddenstoelen, knoflook en verse niertjes. Albert stond bij het vuur met een lange houten pollepel en roerde in de pan. Ze hoorden voetstappen en zagen Kate het pad aflopen en hun kant op komen.

'Ik ruik dood dier,' zei ze.

Toen zijn zus vlakbij was, veegde hij zijn ogen droog met zijn bovenarmen. Hij pakte een kartonnen bord en schepte zichzelf onnodig veel op.

'Het heeft niet geleden,' zei Arlo met rode handen van de lever.

'De kippen voelen het als er iets slechts is gebeurd,' zei ze in de woorden van Geraint. 'Ze zullen vandaag niet meer leggen.'

Ze liet zich bij het vuur op het gras vallen en staarde op haar rug naar de hemel.

'Klasse, broertje. Je eerste moord. Eén kerfje op je beddenpoot.'

Albert bleef stug dooreten.

'Eerst een geit, dan je ouders,' zei ze. 'Hoe voel je je?'

'Je broer is een beetje ontdaan, Kate. Ik denk dat hij zichzelf verbaasd heeft.'

'Niet waar. Ik heb mezelf niet verbaasd,' zei Albert, en hij nam een grote hap. 'Haar doodmaken was makkelijk.'

De pan applaudisseerde toen Arlo er nog wat lever in gooide.

'Háár? Je doodt toch altijd een mannetje?' zei Kate.

'Meestal wel,' zei Arlo.

Kate zuchtte diep. Albert zat te kauwen en liet zijn hoofd nu heen en weer gaan, alsof hij naar een favoriet nummer luisterde. Het vuur knapte en er verschoof wat in het brandende hout.

'Wie heb je dan genomen? Ik hoop niet Belona. Je weet dat zij mijn lieveling is.'

Arlo hield op met snijden en keek in het vuur. Albert maakte tevreden eetgeluiden. Kate richtte zich op een elleboog op. De rook waaide haar kant op.

'Arl?'

Hij bewoog zich niet; hij had een vieze snijplank op schoot. Kate hield haar hand voor haar ogen.

Ze knipperde. Haar ogen werden rood – de rook van het vuur.

Albert had een stuk lever aan zijn vork geprikt. Hij was aan het kauwen. Hij stopte. Hij keek zijn zus aan en glimlachte, met bloed op zijn tanden.

Ze zette het daadwerkelijk op een lopen. Ze rende het bos in, wreef ondertussen in haar ogen en probeerde niet aan de ronddraaiende Belona te denken, aan de rij mensen met kartonnen bordjes, aan het teleurstellend taaie vlees, droog en met een smaak waar je van achteroversloeg, aan het zielige hoopje botten op de composthoop. Daar probeerde ze niet aan te denken. Dat ze nu vlees at, betekende niet dat het geen moord was; het betekende alleen dat ze zelf een moordenaar was geworden.

Toen ze ophield met rennen bleek ze onbewust naar de plek te zijn gelopen waar ze altijd naartoe ging als ze overstuur was: daar waar een stuk hekwerk in de rivier hing waarin onverklaarbare flessen Japans bleekmiddel en stukken blauw touw bleven hangen. Hier zou haar vroegere ik naartoe zijn gegaan om uit te huilen als iemand niet aan haar hoge verwachtingen had voldaan. Maar zij ging verder het bos in, weg van haar speciale plaats, weg van het geluid van het wildrooster dat in de verte ratelde omdat er nog meer mensen arriveerden voor het feest.

Terwijl ze liep, probeerde ze zich te concentreren op de letter A en op wat die voor haar betekende. Ze gebruikte dat deel van haar dat al in Cambridge was en moeilijke romans las op een binnenplein.

Ze liep tot ze het pad niet meer herkende. Na een tijdje zag ze even verderop rook uit het hoge gras komen. Toen ze dichterbij kwam, besefte ze dat de rook uit het dak van het rondhuis kwam.

Het was al jaren geleden dat ze het rondhuis voor het laatst had gezien en het verbaasde haar hoe gezellig het eruitzag: een rek met potten en pannen bij de ingang, laarzen en schoenen aan weerszijden van een deurmat en binnen, zichtbaar door de van een wasmachinedeurtje gemaakte patrijspoort, Patrick die een heel sterke pot chai aan het zetten was en Freya die een koffer open ritste.

Na twee à drie grote glazen cider met droesem had Don een punt bereikt dat hij wel weer voor een camera wilde verschijnen. Varghese filmde hem. Don had nog steeds zijn basketbalshirt en zijn joggingbroek aan, maar zijn pet had hij gelukkig aan iemand anders gegeven. Hij stond midden op het grote veld, riep om de frisbee, ving hem moeizaam en gooide hem weer terug, zo hard als hij kon. Hij zeilde het beeld uit, dus het maakte niet uit waar hij terechtkwam.

Varghese filmde de enige goochelaar van Gower, Herodes de Belangrijke, die maar geen vrijwilliger kon vinden die hem iets waardevols wilde geven, tot Don zijn horloge afstond. Don stond liever voor de lens. Een beetje met het idee dat ook een vreselijke vakantie even wordt opgefleurd door het nemen van een foto. Hij dronk nu perencider door een rietje terwijl hij met Varghese in zijn kielzog langs een groepje muzikanten liep dat voor de achterklep van hun busje op krukjes zat te repeteren. Eén speelde trekzak, een ander mandoline en er was ook nog een harpiste die één hand van haar instrument haalde om naar Don te zwaaien; hij blies een kus terug en probeerde ostentatief af te tellen ('en één, eh twee, en één, twee, drie, vier... ') en dat lukte nog ook, want ze speelden een gelikte two-step terwijl hij zich met rumbabewegingen naar de moestuin bewoog en daar de wwoofers die hij kende begroette met hun naam en de andere gewoon met hallo. Don liep door een tunnelkas en tikte op een hangende komkommer alsof het een richtmicrofoon was – 'staat deze aan?'

Na twee à drie grote mokken chai had Kate een punt bereikt waarop ze bijna niets meer voelde. Dat kwam goed van pas, want in het rondhuis was ze twee dingen te weten gekomen. Ten eerste de ware reden dat haar vader die ochtend zoveel haast had gehad. Ten tweede, en dat hakte er echt in, dat Freya unilateraal had besloten om Albert in september op school te doen. En dat niet alleen, ze had ook nog geregeld dat zij en Albert op schooldagen bij Patrick in Mumbles zouden wonen, want dat was dicht bij school.

Dus nu was Kate aan het helpen met inpakken. Freya vouwde het Japanse kamerscherm op en Kate stopte kleren in een koffer. Het was niet fijn om een bijdrage te leveren aan het ontmantelen van het gezin waarin ze was opgegroeid, maar ze kon niet ontkennen dat haar broertje hulp nodig had. Intussen had Patrick de auto voorgereden zodat ze de boel konden inladen. Kate had opgemerkt dat hij er plezier in leek te hebben. Hij had zelfs aangeboden om nog even bij het feest 'aan te wippen' en het 'aan Don voor te leggen', want Freya had daar geen zin in.

'Goed, ik maak het wel af,' zei Freya. 'Ga jij nou maar weer vieren dat je briljant bent.'

Kate ging door met het opvouwen van een kraagloos hemd.

'Hallo?' zei Freya. 'Ben je daar nog, strebertje?'

'Ik ga niet terug naar het feest.'

Haar moeder fronste haar wenkbrauwen en ze luisterden even naar het verre lawaai van de geluidsinstallatie. 'Je pakt liever koffers in met mij. Wat lief van je.'

'Ik probeer alleen mijn broer te ontwijken.'

Freya bleef lang fronsen. 'Wat heeft Albert tegen je gezegd?'

'Hij zei dat het makkelijk is om een moordenaar te zijn.'

'Aha,' zei Freya. Ze zette het Japanse kamerscherm tegen de muur en kwam op haar knieën bij haar dochter zitten. 'Ik wil je niet teleurstellen, Kate, maar je broer kreeg het niet voor elkaar. Gelukkig is hij niet de psychoot die hij in jouw ogen hoopt te zijn. Hij kreeg het erg te kwaad.'

'Wie heeft het dan gedaan?'

'Je kunt vast wel raden wie de echte moordenaar was.'

Kate besefte dat ze bezig was geweest de vestjes van de moordenaar te vouwen.

Albert en Isaac waren in de badkamer boven en piesten in dezelfde pot. Isaac had zijn gezicht willen laten schminken, maar Albert zei dat ze bij de les moesten blijven.

'We hebben geluk, Isaac.'

'Hoezo?'

'De meeste mensen weten niet eens dat de wereld binnenkort vergaat.'

Door het open raam kwam het geluid van beschonken mensen die zich niets aantrokken van het lot dat hun te wachten stond.

Ze mikten samen op een opgedroogd remspoor in de pot.

'Goed mikken,' zei Albert.

'Probeer ik toch?'

'Jij en ik samen.'

Het spoor begon uiteen te vallen.

'We sproeien heet zuur, jij en ik.'

Albert pakte één velletje wc-papier en gooide het in het spoelwater. Ze keken toe hoe het papier in stukjes uiteenviel en ronddraaide in het water, een geelachtige wolk, een open poort.

'Ik ben klaar,' zei Isaac.

Albert trok zijn rits omhoog en Isaac volgde zijn voorbeeld.

'Goed,' zei Albert, en hij haalde de tandenborstels uit de beker die op de vensterbank stond en nodigde Isaac uit om te ruiken aan het bacteriële residu op de bodem. Isaac schudde zijn hoofd. Albert keek streng en duwde de beker onder zijn neus. Isaac rook en moest kokhalzen.

Ze gingen met hun schoenen aan in het bad zitten om hun plannen door te spreken, met gekruiste benen tegenover elkaar, Albert met zijn rug tegen de kranen.

'Nóg een keer, hoe vergaat de wereld?' vroeg Albert.

'Eh.' Isaac keek om zich heen. 'Het komt omhoog door de afvoerputjes?'

Albert greep met zijn vingers in de afvoer en haalde er een slijmerige pluk haar uit.

'Zoals dit?'

'Zoals dat.'

'Ruik eraan.'

'Ik wil niet.'

'We ruiken samen.'

Albert hield de glibberige dot haar omhoog en gezamenlijk roken ze eraan en kokhalsden ze.

Op dat moment hoorde Albert door het open raam een stem die hij herkende. Hij klom meteen op het wastafelblad, stak zijn hoofd uit het raam en wierp een blik op het terras onder hem.

'Ik dacht dat ik haar verjaagd had, maar nu is ze terug en probeert ze zich te vermommen,' zei hij. 'Mijn zus is slecht.'

'Echt waar?'

'Ja, echt waar. Ze wil ons allemaal dood hebben. We moeten haar kwijtraken, anders ondermijnt ze onze boodschap.'

'Oké.'

'Maar ik denk niet dat we haar moeten vermoorden, als je dat wilde zeggen.'

Varghese toonde Don wat beelden die hij geschoten had. Dat Dons gefilmde hoofd bij elke nieuwe scène een tint roder was, leek bijna een continuïteitsfout. Maar bij het kijken viel het Don niet op. Sterker nog, in zijn ciderroes meende hij dat men op basis van deze korte film een serie zou willen maken – door het geld zouden hun problemen opgelost zijn – en dat de nieuwe leden dan zouden toestromen: slimme, progressieve, kinderrijke mensen – genoeg kinderen om Freya over te halen Albert niet naar school te sturen, en dan zou zijn zoon weer die vertrouwde slimme, hoopvolle jongen worden en zou Freya Don proberen te kussen omdat ze zag hoe natuurlijk hij op film overkwam en hoe hij vooropliep in een wereldwijde groei van wereldlijke maar authentieke leefgemeenschappen.

Toen Kate naar het terras achter het huis was geslopen – nu de plek waar de gasten zich konden schminken en verkleden – was ze van plan geweest om alleen wat smaakvolle oorlogskleuren op haar gezicht aan te brengen om een beetje feestelijk te ogen zonder het echt te zijn. Haar moeder had haar overgehaald om haar broertje te zoeken en nogmaals te proberen contact met hem te maken. Maar toen ze aankwam, had ze iemand haar naam horen roepen – dat was Geraint, of op dit moment de Hulk, die bungelend met zijn groene benen op een schoolbankje zat, omgeven door potjes, blikjes en tubes schmink, jampotjes vol penselen, sponsjes, paletten, doekjes, gescheurde lapjes en de ovale spiegel. Hulk zijn hield in dat hij alleen een afgeknipte spijkerbroek droeg en dat de rest van zijn door het boerenknechtenwerk gestaalde lijf helemaal algengroen geschminkt was. Hij had Kate geroepen en volledige artistieke vrijheid geëist, en nu stond ze voor hem en liet ze hem esthetisch wraak nemen. Het leek haar het minste wat ze kon doen. Omdat iedereen elkaar beschilderde, was er sprake van een soort domino-effect en nam iedereen wraak voor het knoeiwerk van de ander.

Naast hen stond de rieten verkleedmand van zolder, waarvan de leren riemen waren losgemaakt. De mand braakte truitjes, maillots, babypakjes, een baljurk, een strohoed en een oud douchegordijn met strepen uit over het gras. Om hen heen werden mensen omgetoverd in kleurvlakken, ontbijtgerechten, wormen, schedels, X-men, robots, zonnen, munchkins, duivels, Oempa Loempa's, pauwen, leeuwen, olifanten en minstrelen. Alle vormen van leven waren vertegenwoordigd.

Het was bijna donker. Patrick propte de laatste verhuisdozen op de passagiersstoel en sloot de auto af. Hij had hem boven aan het doodlopende nieuwbouwwijkje geparkeerd – de plaats van zijn ongeluk – omdat je daar het dichtst in de buurt van het rondhuis kwam. De huizen waren inmiddels bewoond, er stonden auto's bij een aantal huizen en boven een garage was een basketbalnet opgehangen. Het deed pijn om terug te denken aan de keer dat hij daar uitgeteld op de keercirkel had gelegen. Het was een avond van heftige gewaarwordingen geweest – de pijn, de kou, de totale paranoia – maar wat hem het meest was bijgebleven, zo moest hij tot zijn teleurstelling erkennen, was het gevoel van Janets lichaam tegen zijn rug, en dan met name haar tepels. Ook herinnerde hij zich levendig hoe Don zijn talent om te profiteren van andermans ellende had geëtaleerd door goede sier te maken met zijn kennis van onderkoeling. Dit had Patrick wéér kwaad kunnen maken als hij niet net de spullen van Dons vrouw en zoon in zijn auto had geladen.

Freya was teruggegaan naar het rondhuis in een poging om nog wat te slapen voordat ze morgenochtend zou verhuizen. Patrick had gezegd dat hij weer naar het feest zou gaan om 'de lucht te klaren' tussen hem en Don. Hij maakte het lampje vast op zijn hoofd.

Op het grote veld stond het bovenste gedeelte nu zo vol met tenten dat hij moest zigzaggen om niet over de scheerlijnen te struikelen. Hij liep langs vier grote tipi's die met hun punten in de bijna donkere lucht prikten. In de verte hoorde hij de bassen. Het klonk gastrisch. Onder aan het veld zag hij de piramide van hooibalen en het podium waarop de viermans altfolkformatie Endless End voor het eerst echt de voetjes van de vloer kreeg en het publiek inspireerde tot een soort kruising tussen moshen en volksdansen. Er stonden en zaten zo'n tweehonderd mensen op het gras te roken, te eten of te drinken.

Hij liep tussen hen door en bedacht wat hij zou zeggen als hij Don zou tegenkomen. *Het spel is uit, ouwe.* Of iets realistischer, maar op een beschaafde wijze zeker zo wreed: *Het lijkt misschien of ik jouw territorium schend, maar je moet wel weten dat ik het beste voorheb met Frey en Albert.*

Patrick wierp een blik in de schuur, waar op een lange tafel de grote pan met bloedsoep stond, met het opschrift 'heel erg niet-vegetarisch'. Daar vlakbij was een hondje op een schaal met een hele zalm geklommen. Hij had de kop nog in zijn bek.

Patrick liep langs het rave-terrein en zag de relatief onbezonnen jeugd dansen onder het tentzeil, verlicht door de buitenlampen van het huis en de in de grond gestoken lantaarns. Patrick zag met enig genoegen dat de drie jongens van wie hij vroeger altijd wiet kocht, in een bloembed aan het blowen waren uit een ijspijp. Patrick kreeg de indruk dat het feest in twee kampen uiteen was gevallen: de jongeren hier bij de geluidsinstallatie en de niet-jongeren bij het podium met livemuziek, en de kruisbestuiving vond plaats bij het vuur, bij het eten en drinken en bij de toiletten. De enige uitzondering was Don, die net buiten het bereik van de dansers stond en verkleed was als de zon. Hij had een geelgeverfde, als souvenir gekochte rubberen kroon van het Vrijheidsbeeld op zijn geelgeschminkte hoofd en een geel drankje in zijn hand. Ook de uit zijn T-shirt barstende basketbal was geel. Een geheel blauw meisje kletste hem de oren van het hoofd. Patrick dacht dat ze de hemel moest voorstellen, maar ze was eigenlijk Mystique uit *X-Men*. Dons blik viel op Patrick en hij begon hem meteen te wenken.

Kate was een bedreigde diersoort, met grote witte ogen en zwarte oorwarmers als oren, die Benson & Hedges rookte op een hooipiramide. Iedereen op de brandbare piramide was aan het roken. De sigaret voelde enorm groot aan, bijna als een toverstaf, en ze zoog eraan en blies de rook in het rond terwijl ze haar hoofd van links naar rechts bewoog en in de menigte op zoek was naar haar broer. Ze zag hem niet. Er stonden groepjes van drie of vier man naar de band te kijken. Ze dronken allemaal perencider en verdwenen zo nu en dan om in de brandnetels te piesen. Tot nu toe hadden de bands hun spullen in goede harmonie gedeeld, op wat onvermijdelijk gezeur over snaredrums na.

'Hallo? Bestelling voor Kate.'

Ze keek om zich heen en zag Isaac naast haar staan met een theedoek over zijn arm.

'Van je broer,' zei hij. 'Het spijt hem. Hij stuurt je deze tomatensoep en salade die hij zelf met wat hulp van Arlo heeft gemaakt en die ik helemaal vanuit het grote huis ben komen brengen zonder te knoeien.'

Hij overhandigde het dienblad aan Kate.

'Goed. Waar is mijn broer?'

'Hij heeft in koriander de letter K gemaakt, de eerste letter van je naam.'

'Geweldig. Zeg maar dat ik hem vergeven heb en hem wil spreken. Waar is hij?'

Isaac boog, draaide zich om, klom van de piramide en liep weg. Ze tilde de kom op, rook eraan en voelde zich beter. Geraint, die als een tempelaap de piramide op en af klauterde op zoek naar filters en daarbij vegen groene verf op het hooi achterliet, keerde terug. Hij glimlachte naar de inmiddels donkere hemel en probeerde iets kleins uit de onpraktische zakjes aan de voorkant van zijn spijkerbroek te peuteren.

'Ik heb twee van deze voor je bewaard,' zei Geraint. 'Ze zijn waanzínnig.'

Zijn grote ronde ogen staarden naar de groene pillen in zijn hand als een kind naar een noodstopknop die het niet mag indrukken. Hij legde er een op het puntje van zijn tong en stak die naar haar uit. Ze had er nog nooit een genomen, ook al dacht iedereen dat ze een ervaren gebruikster was. Ze dacht aan Kit Lintel, aan paddenstoelen en aan de avond dat ze gedaan had alsof ze een onvergetelijke ervaring had gehad. Als kind dat in een commune was opgegroeid had ze drugs altijd als iets gênants gezien, als iets van oude mensen, een beetje zoals de meeste jongeren denken over opera.

Zijn ogen versmalden toen zijn tong begon te tintelen van de chemicaliën. Ze keek naar haar soep en was blij dat haar broertje misschien wat minder vijandig was geworden. Het begon erop te lijken dat ze misschien nog wel een leuke avond zou hebben. Geraint legde zijn handen op haar knieen en kwispelde met zijn tong als een hond. Ze zoog de pil eraf met een snelle en krachtige slurp die naar rook en ketchup smaakte, en spoelde hem weg met soep.

Patrick en Don liepen een heel eind door de tuinderij, weg van het lawaai, tot de koepel in zicht kwam. De oude woning van Patrick zag eruit als een testikel met adertjes van sfeerverlichting. Hij was opengesteld voor feestgangers – op een groot lint stond THE THUNDER DOME! – maar er was niemand, wat voor Patrick aantoonde dat deze plek altijd al het verdomhoekje van de gemeenschap was geweest. Ze gingen naar binnen en sloten de deur en de ramen, waardoor alleen nog het dreunen van de bassdrum doordrong, een trilling in hun borstkas die ze het gevoel gaf constant gereanimeerd te worden.

'Pfoeh,' zei Don, en hij ging op de lage futonbank zitten.

'Dat meisje vond je wel leuk, zo te zien,' zei Patrick.
'Ze vond álles leuk.'
Dat de koepel anders was ingericht dan hij hem had achtergelaten, zou Patrick niet hebben mogen verbazen, maar toch stond hij raar te kijken naar de kale, uit driehoeken opgebouwde wanden. De enige decoratie was een foto van de mensen die hier hun intrek hadden genomen, een enorme bruine man en zijn minuscule vriendin, hand in hand in een park. Anticiperend op het moeilijke gesprek dat gevoerd moest worden, keek Patrick instinctief in het kastje waarin hij altijd zijn wiet bewaarde. Er lagen rijen van etiketten voorziene banden en een stapel handbeschreven tekstkaarten. Hij las er een:

*Dag zestien. Band 3/5. 00.00-00.41 alleen geluid – interview met Marina** (meningen over D., F., A. en 'de toekomst'.) 00.42-00.58 alleen geluid – heimelijke opname van gemeenschapsvergadering. 00.59-01.20 long shot van D. in de tuin die wwoofers instrueert over stroomverbruik (geluid niet bruikbaar, maar goed beeld)*

'Ze dacht dat we een sekte waren, Pat. Ze vroeg me hoeveel vrouwen ik had.'
Patrick sloot het kastje en draaide zich om. Don had op beide wangen blauwe vegen van de afscheidskussen van het meisje. Hij vulde twee houten kommetjes met Merlot uit een doos bij zijn voeten. Hij gaf er eentje aan Patrick.
'En hoeveel vrouwen heb je gezegd dat je had?'
Don vond dat niet grappig.
'Heb je Freya nog gezien?' vroeg hij.
'Ja, ze vroeg me haar te verontschuldigen. Ze zei dat ze te moe was. Ze is gaan slapen.'

Don zuchtte diep.

'Ik weet dat je graag iets anders had gehoord,' zei Patrick. 'Maar probeer je toch maar te vermaken. Je hebt hard gewerkt om dit allemaal mogelijk te maken en je verdient het om ervan te genieten.'

Hun relatie was niet gestoeld op vriendelijkheid en Don knipperde niet-begrijpend met zijn ogen. Patrick zag het en probeerde te compenseren met een plaagstootje.

'Ik herinner me iets wat je ooit tegen me gezegd hebt. "Ga ervoor, Pat. Zestig is nog niet te oud." ' Zijn imitatie van Don was dik aangezet. ' "Al die geweldige vrouwen, intelligent, vrij van geest, zeker over hun lichaam." '

'Is dit een advies om te gaan rondneuken?'

'Dat heb ik niet gezegd. Ik zeg alleen maar dat ik een geheimpje weet. Je schroeft deze tafelpoot los,' zei Patrick, en hij tikte de bewuste poot aan met zijn voet, 'en schuift hem in de kapstokhaken aan de achterkant van deze deur. *Et voilà*: privacy.'

'Godsamme,' zei Don, en hij legde zijn hoofd in zijn handen. 'Hoopt Freya daarop? Dat ik met iemand naar bed ga en haar dan vergeet?'

Patrick antwoordde niet; hij was het niet gewend om Don zo kwetsbaar te zien en voelde zich slecht op zijn gemak.

'Weet je dat ze Albert naar school wil sturen?' zei Don.

'Daar wilde ik het juist met je over hebben,' zei Patrick.

Don dronk zijn wijn in één teug op, leunde voorover en tapte bij.

'Ik denk niet dat hij er iets aan heeft. School past niet bij hem. Misschien wel als hij wat ouder is, de leeftijd van Kate. En het is ook een heel eind weg. Het op en neer reizen kost hem de helft van zijn tijd.'

'Daar wilde ik het over hebben, over de afstand,' zei Patrick. Hij wist dat er midden in de kamer een plek was die vanwege de ronde vorm een soort nagalm produceerde. Hij had het altijd een rotgeluid gevonden, maar op dit moment leek het hem goed om met een zekere almacht te spreken. Hij wist de plek instinctief te vinden; hij nam een paar stappen, deed één stap opzij en hief zijn kin: 'Freya zei dat hij minder tijd kwijt zou zijn als zij en Albert dichter bij school zouden wonen.'

'Dat rationele heb je of heb je niet, Pat. Daarom ben ik ook met haar getrouwd.'

Patrick bleef op dezelfde plek staan. Om het effect te krijgen, mocht hij zijn hoofd niet bewegen.

'En ze vroeg me of zij en Albert een tijdje bij mij konden wonen.'

Hij had het idee dat de galm de scherpe kantjes van zijn stem haalde.

'En wat was je antwoord, ouwe jongen?'

'Nou, Don. Ik bedoel. Eerlijk gezegd vond ik het goe... '

Het was een loepzuivere uppercut. Don, die op de lage futonbank had gezeten, had zijn hand tot een vuist gebald, zich opgedrukt en Patrick op het moment dat hij zich in zijn volle lengte oprichtte onder zijn kin geraakt. Zijn vuist had een verticale baan van wel anderhalve meter gemaakt. Precies op het moment dat de tong de tanden raakte om het woord 'goed' af te sluiten, kwam de klap.

Patrick wankelde een paar stappen naar achteren en hield zijn keel vast. Ze wisten allebei dat het geen mokerslag was geweest, maar het kwam wel aan.

'Oké,' zei Patrick met een stem die zijn almacht had verloren.

Zijn tong bloedde. Iets in de niet helemaal overtuigende manier waarop Don hem had geslagen – op ongeveer vijfenzestig procent van zijn kracht – getuigde van een soort berusting. Het was bijna een 'oké, jij wint'. Don zakte terug op de bank en zei: 'Verdomme.'

Het gevoel van triomf viel Patrick een beetje tegen.

Ze had nog nooit dit soort muziek gehoord. Dit was geen gewone dansmuziek. Als Kate haar ogen sloot, zag ze aan de horizon robothonden op haar afkomen. Enorme robothonden. Hun poten waren drumbeats en ze gromden de baslijn – nee, ze achtervolgden de baslijn – de baslijn achtervolgde hen! Ze bleven maar op haar afrennen, maar kwamen nooit dichterbij, net als in *Steamboat Willie*, maar het was absoluut niet angstaanjagend. Een gast zonder schmink danste tegen haar aan. Hij zag er een beetje verwrongen uit, maar dat kon haar niet schelen, dus drukte ze haar kont tegen zijn kruis en lachte over haar schouder. Hij hoorde bij het groepje feestgangers dat om twaalf uur 's nachts was gekomen, gelokt door het feit dat het een gratis feest was. Ze waren makkelijk te herkennen aan de fluorescerende leggings van de meiden en de mouwloze shirtjes van de jongens. Altijd als de muziek even stilviel, hoorde ze ergens het hydraulische gesis van een kleine zelfstandige die lachgas verkocht. Er was iemand die op haar vader leek, maar dan moest hij wel geelzucht hebben en aan de rand van de dansvloer druk in gesprek zijn met een van die blauwgekleurde alienmeisjes met hotpants.

Ze trof de Hulk aan naast de luidsprekers. Hij bekeek zijn eigen handen met aandacht en danste bij een als pauw verkleed meisje. Hij greep in het condoomzakje van zijn afgeknipte spijkerbroek en priegelde er iets uit, nog een pil, die hij in Kates handpalm drukte. Opkijkend naar het amoebevormige tentzeil boven haar, voelde ze zich enorm verbonden met alles, zelfs met de eencellige organismen in haar lichaam. Ze beschouwde even haar eigen binnenkant, haar inwendige ordelijkheid, en werd zich toen bewust van haar blaas. Ze moest ontzettend nodig, merkte ze opeens. Dat vond ze geweldig.

Ze meed de mobiele toiletten en ging naar de wc onder de trap. Ze voelde haar adem in en uit gaan en ze keek naar het plafond en de muren en de wc-borstel en naar de krullerige H en C op de kranen. Ze ging giechelend zitten en las en herlas het papier met de tekst: *Hallo. Als je dit leest, zit je waarschijnlijk op mij. Ik hou van organisch afval (daarmee bedoel ik pies, poep en pleepapier – lekker!). Alle andere dingen lust mijn vriend, señor Vuilnisbak. Groeten, Piet Plee.* Het was briljant en slim. Ze veegde af en zag dat het papiertje rood kleurde. Ze staarde ernaar. Een waterig rood. Ze keek in de pot en zag dat haar plas helemaal rood was. Inwendige bloeding. De pillen.

Goedkope rotpillen, echt weer iets voor mij om te sterven op de dag dat ik ben toegelaten. Dus zo neemt Geraint wraak.

Ze drukte met haar handen op haar maag. Opeens waren de niet-bedreigende robotlegers verdwenen en was er alleen nog maar een langzame, pijnlijke dood in een helverlicht ziekenhuis, en ze dacht aan Patrick, aan de gevorkte haarvaatjes aan de zijkant van zijn neus. Kate besefte dat ze nooit doelgericht de ongelooflijk gecompliceerde annalen van de universiteitsbibliotheek zou raadplegen. Annalen. Geen annalen voor haar. Ze zou nooit oog in oog staan met excentrieke docenten. Al die vlekken op hun truien en al die losse schoenveters zou ze nooit te zien krijgen. Ze zou nooit te hoog grijpen, in de wetenschap en in de liefde, zou nooit verliefd worden op een jongen uit een totaal ander milieu – nog vreemder voor haar dan het milieu van Geraint, misschien de zoon van een vermogende buitenlandse diplomaat – en ze zou zich nooit samen met hem bevrijden van de ketenen van elkaars vooropgezette ideeën over een relatie en ontdekken dat ze uiteindelijk heel veel met elkaar gemeen hadden – allebei op de vlucht voor hun opvoeding, allebei sociale ontdekkingsreizigers – en ze zouden nooit hand in hand in een studiezaal zitten, omringd door zeldzame, kostbare boeken en daar vol kennis uit tevoorschijn komen, en dan niet boekenkennis, maar iets diepers: zelfkennis en kennis over elkaar.

Ze staarde in de pot. Waar was ze ook al weer zo bezorgd over?

O ja, het waterige bloed dat een langzame, pijnlijke dood voorspelde die haar nog uren gaf om na te denken over haar laatste woorden, nog uren om daaraan te schaven. Ze kon niet bedenken wat haar laatste woorden moesten zijn. *Ik hou van jou.* Was dat een vreselijk cliché? Het voelde anders wel echt. Ik hou van jóú. Ik hóú van jou. Ík hou van jou.

'Hallo-o? Ik hou het niet langer,' zei een vrouwenstem.

Kate trok haar onderbroek omhoog en trok door. Ze deed haar zwarte rokje recht en opende de deur. Toen ze naar buiten kwam, schoof er een Pierrot langs haar naar binnen die de deur achter zich dichtgooide. Kate liep naar de keuken, waar een gevecht met rauwe ui had plaatsgevonden. Overal zat ui. Ze voelde haar ogen prikken. Ze snoof en herinnerde zich dat ze doodging. Ze was het vergeten. Ze begon te huilen. Op de snijplank op tafel zat een grote rode vlek. Daar staarde ze naar. Naast de plank lag een stapeltje koppen van bieten.

Ze keek van de snijplank naar de bloedvlek en naar de bieten.

De plank. De bloedvlek.

De bieten.

Ze leek wel een zwakbegaafde rechercheur.

Het duurde misschien elf seconden.

'Bietensalade,' zei ze. 'Ik heb bietensalade gegeten.'

Bij de koelkast stond een jongen die ze niet herkende en die niet verkleed was met zijn vingers van een worteltaart te eten.

'Ik dacht dat ik doodging, maar dat is niet zo!'

Ze haalde de andere pil van Geraint uit haar zak en slikte die door met een glas vruchtensap.

Het laatste wat Patrick van Don had gezien was dat hij met een beangstigende intensiteit de laatste restjes wijn uit de zak perste, alsof hij een konijn de nek omdraaide. Don wilde graag alleen gelaten worden, dus stond Patrick nu bij de joert met livemuziek. Hij bleef de wond op zijn tong expres tegen zijn voortanden drukken, vertrok zijn gezicht dan van pijn en deed het weer opnieuw. De band heette Palindromeda. Toen ze klaar waren met een wel bijzonder vreselijk nummer, hoorde Patrick een stem bij zijn schouder.

'Je ontloopt me.'

Hij wist wie het was. Nu pas, nu hij zijn auto had volgeladen met de spullen van de vrouw van een ander en een dikke tong had, voelde hij zich in staat om haar onder ogen te komen. Hij keek achterom – haar voorhoofd had een kleur gekregen van het dansen en het dragen van een halsdoek – en richtte zijn aandacht toen weer op de band. De zanger zei: 'Dit nummer heet "Heet nummer, dit".'

Ze zei: 'Ik heb je gemist.'

Patrick voelde de rug van haar hand tegen zijn wang.

'Wat is er met je gezicht gebeurd?' zei ze.

Albert liep rond over het terrein, op zoek naar de beste plek voor zijn toespraak. Hij moest kijken waar de meeste mensen zich konden verzamelen, hoe de zichtlijnen waren en in welke positie hij er het voordeligst uitzag. Ze zouden geen last meer hebben van zijn zus, want Albert ging ervan uit dat ze van de soep had geproefd, dat ze had beseft dat ze het bloed van een van haar dierbaarste vriendinnen dronk en nu ergens ver weg in het bos bittere tranen aan het schreien was. Hij liep langs de vuurkuil en zag Zinia, een vrouw die ooit een soort oma voor hem was geweest tot ze jaren geleden was vertrokken naar Christiania. Ze had krullend haar en borsten als Alpentoppen.

'Bertie!' Zo had ze hem altijd genoemd. 'Jongen toch, wat ben jij gegroeid!'

'Ik weet het.'

'*Slask fitte!*'

Hij herhaalde het. 'Wat betekent dat?'

'Heb ik voor jou bewaard. Het is Zweeds. Het betekent iets onbeschrijflijks.'

'Oké, bedankt.'

Boven bij het huis probeerde hij niet te zien hoe zijn vader met een smurf op schoot op een bankje voor het klaslokaal zat. Albert keek of hij het platte dak als podium kon gebruiken. Wegduikend voor zwaaiende ellebogen liep hij terug naar de dansvloer, de herrie weer in, om te kijken of hij van daaruit nog zichtbaar zou zijn. Toen hij zijn naam hoorde roepen, draaide hij zich om en zag hij iemand die op zijn zus leek haar klamme armen om hem heen slaan. Vocht en hitte sloegen van haar nek.

'Broertje!' zei ze. Ze bleef hem maar vasthouden. Haar schmink was doorgelopen en had nu een asgrijze kleur gekregen. Toen ze hem losliet, zaten er zwarte vegen op Alberts voorhoofd. Ze bekeek hem eens goed.

'Wat ben je?' zei ze al dansend. 'Een zeekapitein?'

Hij droeg rubberlaarzen en een blauwe jas van de marine.

De jas, die hij uit de verkleedkist had gevist, moest hem bij zijn toespraak de nodige autoriteit verschaffen en verwees ook al naar de mogelijke overstromingen die eraan zaten te komen.

'Waarom bén je er nog?' zei hij.

'Ik wilde jou spreken!'

Ze wiegde met haar hoofd van links naar rechts. Ze had een bamboestokje in haar hand, de glowstick van een panda, en draaide die rond. Hij voelde de muziek in zijn longen, als trillende lucht. De rookmachine ademde uit, de groene laser ging aan en zijn zus strekte zich om de stralen te onderbreken. Hij moest haar nog meer pijn doen.

'De soep,' zei Albert. 'Die was gemaakt van het bloed van jouw geit. Het bloed van Belona.'

'Cool,' zei ze en ze probeerde hem aan het dansen te krijgen door zijn handen vast te pakken en ze als bij een marionet op en neer te bewegen.

'Het wás cool,' zei hij op overdreven sinistere toon, en wachtte op haar kreet van afgrijzen.

'Wat zei je over Belona?'

Hij maakte van zijn handen een toeter bij haar oor en schreeuwde.

'De soep was gemaakt van haar bloed.'

Ze ging iets langzamer dansen. Alleen haar voeten bewogen nog.

'Ik dacht dat het tomaat was.'

Hij vond het niet erg om in herhalingen te vervallen.

'Je hebt haar bloed gedronken. We hebben het gemengd met tomaat om je te misleiden.'

'Mijn god, wat is dat bizar, zeg.'

Hij zag haar vegerige gezicht openbreken. Haar tanden zweefden in de zwarte schmink. Het was een glimlach, besefte hij. Een onbegrijpelijke reactie. Haar voeten gingen nog steeds heen en weer en haar schouders op en neer.

'Broertje van me,' zei ze terwijl ze hem midden op zijn voorhoofd kuste en haar mond daarna bij zijn oor bracht. 'Als ik vanavond iets heb ontdekt, is het dat ik enorm veel van je hou. En jij zult ook altijd van mij blijven houden. Ik weet waarom je dit allemaal doet. Ik hou van je hele wezen.'

Ze trok zijn hoofd naar zich toe en kuste hem opnieuw, heel hard op zijn kruin. Hij rook haar. Misschien was ze in een shocktoestand en was dat het probleem. Hij moest het tot haar door laten dringen.

'Ik weet wat er gebeurd is. Dat je de trekker niet kon overhalen. Ik heb mama gesproken. Het is geweldig dat je zo gevoelig bent. Verzet je er niet tegen – je bent een van nature goed mens!'

Ze liet hem niet los, kneep in hem, hield zijn armen langs zijn lichaam en bewoog hem heen en weer op de maat van de muziek, alsof ze met een pop aan het dansen was.

'Dat is niet waar,' zei hij.

'Ik ben zo trots op je!'

Ze liet hem los en stak haar handen de lucht in toen de synthesizers begonnen. De bas viel als een betonblok, als een flatgebouw dat wordt opgeblazen.

Toen de rook optrok, keek Albert naar waar zijn vader had gezeten, maar hij was verdwenen.

'Yeeeeeaaah!' schreeuwde ze met schorre stem.

Druppeltjes spuug raakten Albert in zijn gezicht. Ze legde haar hoofd in haar nek en keek omhoog naar het tentzeil. Hij tuurde in haar neusgaten en zag haartjes met kleine bolletjes snot erop, als een minuscuul en onpraktisch telraam. Hij wist niet wie deze persoon was.

'Trek het je niet aan. Ze heeft een goed leven gehad. Beter

dan de meeste andere dieren. Mama zei dat Belona best wel relaxed was, zelfs aan het eind. Kom op, kom dansen, dit is echt waanzinnig,' en ze trok hem dichter naar de luidsprekers. Zijn hielen sleepten over het grind. Hij rukte zijn handen los en deed ze over zijn oren. Hij voelde de bas in zijn maag en hij dacht aan de ingewanden van Belona en hoe die op het gras floepten met een geluid alsof honderden mensen tegelijk hun lippen likten. Hij dacht aan het hart, dat nog bleef pompen nadat de hersenen al tot moes waren geschoten. Hij keek naar de hersendode mensen om hem heen, waaronder zijn zus. Er was een apocalyptische clown, met bloed om zijn mond, een hogehoed en een wandelstokje, die kauwbewegingen maakte die de witte schmink bij zijn kaak deden barsten.

'Je moet denken aan hoe ze doodbloedde en pijn leek te hebben,' zei Albert, hoewel hij onrustig begon te worden.

Ze deed alsof ze met mes en vork een stuk vlees afsneed en maakte kauwbewegingen, allemaal op de maat van de muziek.

'Het geeft niet. Ik hou van je. En jij ook van mij, al besef je dat misschien niet.

Hij knipperde hevig. 'Niet waar.'

Ze deed die beweging waarbij de elektriciteit van de ene arm over de schouders naar de andere arm loopt.

Ze probeerde hem door te geven aan Albert, maar die was verdwenen.

Don was in de koepel. Steunend op één knie duwde hij met zijn schouder de tafel iets omhoog zodat hij een van de poten eraf kon draaien. De Hemel lag op het bed boven hem en bewoog haar blauwe benen in de lucht.

'Wat ga je daarmee doen?' zei ze. 'En krijg ik daar splinters van?'

Hij duwde de tafelpoot in de kapstokhaken en testte de deur om er zeker van te zijn dat hij niet open kon.

'Jij kent alle trucs,' zei ze.

Don had van alles door elkaar gedronken, zijn oren tuitten en hij had tijdens het dansen ook nog eens zijn hamstring iets verrekt. Het stemde hem droef dat hij iets aan het doen was waarop zijn vrouw misschien wel hoopte. Hij beklom de paar treden, steun zoekend bij de van een tak van een iep gemaakte leuning en probeerde te verbergen dat hij met zijn been trok.

Hij kroop op het bed, pakte het glas uit de hand van het meisje, boog zich voorover en stak zijn tong in haar mond. Haar huid was zacht, zelfs met de schmink erop. Hij voelde zich duizelig van de cocktail die hij net nog achterover had geslagen en was bang dat hij misschien wel van de hoogslaper zou vallen.

Ze liet zich achteroverzakken op het matras en hij zat over haar heen gebogen, met zijn armen aan weerszijden van haar bovenlichaam, en ging door met zoenen. Ze betastte zijn kruis. Hij stelde zichzelf een vraag die hij al enige tijd niet meer gesteld had: had hij zijn edele delen wel gewassen? Ja, heel grondig zelfs, want hij had gehoopt dat hij misschien wel met Freya in bed zou belanden.

Ze trok haar topje uit en toonde de delen van haar lichaam die niet beschilderd waren. Hij probeerde nergens aan te denken en betastte en zoende haar. Ze gleed met haar hand naar zijn broekband en trok er onhandig aan.

'Dit is voor jou waarschijnlijk heel normaal,' zei ze. Ze moest stoppen met zoenen om zijn riem te kunnen losmaken. 'Het is wel cool dat seks hier gewoon seks is en niemand zich er druk over maakt.'

Haar woorden maakten hem er weer bewust van hoe jong ze was, dus zoende hij haar om haar de mond te snoeren. Ze trok haar korte spijkerbroek omlaag, samen met haar onderbroek. Hij wilde niet zeggen dat ze te snel ging, maar hij vroeg zich wel af of dit ook een leeftijdskwestie was: dit gíng echt te snel. Ze was van dezelfde generatie als zijn dochter. Vierentwintig, had ze gezegd, net klaar met haar studie. Er waren nu nog meer witte wolken aan de blauwe hemel te zien. Ze had al haar schaamhaar afgeschoren. Hij had dat nog nooit eerder in het echt gezien. Hij vond het behoorlijk afstotend. Hij probeerde tijd te winnen door haar te gaan likken. Ze was geurloos. Dit konden nooit echte geslachtsdelen zijn. Er was zoveel veranderd sinds hij nog jong was.

'Ik ben getrouwd,' zei hij van tussen haar benen. 'Ik heb een vrouw.'

'Ik weet het; ik begrijp het. Wil je me straks nog aan haar voorstellen of zo?'

'Ik bedoel dat ik echt getrouwd ben. Voor de wet.'

'Ik begrijp het.'

'Dat denk ik niet. Ik denk dat ik dit misschien maar beter niet kan doen.'

Ze keek omlaag naar hem.

'Ja,' zei hij, 'ik denk echt dat ik hiermee stop.'

'Bizar.'

'Ik bedenk me net dat ik ook mijn hamstring heb verrekt.'

'*Fuck you.*'

'Het spijt me heel erg.'

'*Whatever.*'

Isaac stond in het duister achter de generator, geeuwend en misselijk van de uitlaatgassen, maar hij wist dat het voortbestaan van de menselijke soort afhing van het feit dat hij daar stond, wakker bleef en misselijk was. Hij keek naar het platte dak van het grote huis en zag daar een schim bewegen. Hij wachtte op het afgesproken teken. Isaac was blij dat er veel andere kinderen op het feest rondliepen. Een paar kende hij nog van vroeger, zoals de drie blonde zusjes uit Tinker's Bubble met wie hij bevriend was geweest toen hij daar nog woonde. Ze droegen alle drie een bruidsmeisjesjurk en waren meteen met hem gaan spelen toen ze hem zagen. Ook zij noemden hem 'Ies', en dat vond hij grappig. Later had hij nog op de rug van Anya, het oudste zusje, gereden, waarbij haar vlechten zo hoog opwipten dat ze zijn oren kietelden. Maar toen had Albert hen gezien en had hij een doodsgezicht getrokken waardoor Isaac zich van haar rug had laten zakken en aan de hand van Albert was meegelopen naar de generator, waar hij nu in het donker stond om het plan ten uitvoer te brengen. Albert had verteld dat zijn zus zich niks van de bloedsoep had aangetrokken. Ze had nu helemaal geen hersens meer, dus konden ze niks meer doen. Isaac dacht aan wat zijn moeder had gezegd, dat ze binnenkort zouden verhuizen naar een nieuwe gemeenschap. Ze zei dat ze uit balans was en dat de energievelden aan het schuiven waren en dat ze voor 15 oktober weg wilde zijn, als Mars langskwam. Ze zei dat het feest een mooie gelegenheid was om mensen uit andere gemeenschappen te ontmoeten. Ze had tegen Isaac gezegd dat hij Albert moest vertellen dat ze misschien wel in de ochtend zouden vertrekken, als ze iemand zouden vinden die hen een lift wilde geven. Zijn moeder vond het maar niks dat het feest werd vastgelegd op foto's en film, want ze geloofde dat foto's en film iets van je wegnamen wat je nooit meer terug kon krijgen. Tegen een achtergrond van avondwolken zag hij de schim op het dak iets rechthoekigs door het dakraam naar buiten tillen. Zijn moeder had heel kleine ogen, ogen die op foto's altijd gesloten leken, ook al waren ze open. Mensen die foto's namen zeiden zo vaak 'nog eentje, want je had net je ogen dicht', dat zij uiteindelijk moest zeggen: 'Zo zien mijn ogen er gewoon uit.' Hij had niet de ogen van zijn moeder. Hij had de ogen van een ander. Om de een of andere reden zorgden de uitlaatgassen ervoor dat Isaac nooit meer spek wilde eten. Isaac had aardig wat foto's van zichzelf gezien en vond ze allemaal even mooi. Door al het andere lawaai viel niemand het lawaai van de generator op. Don noemde de generator soms 'Jenny'. Zijn moeder zei dat Don 'op een heel basaal niveau niet spoorde' en dat iedere gemeenschap die geleid werd door iemand die zo competitief was, in de problemen zou komen. Zijn moeder zei dat ze iets authentiekers moesten zoeken omdat het belangrijk was om in een authentieke omgeving te verkeren, vooral nu. Isaac had Albert niet verteld dat ze misschien al zo snel zouden vertrekken. Hij was bang voor de reactie van Albert. Zijn moeder was uitgenodigd bij een gemeenschap in Northumbria en had foto's geprint, en Isaac moest toegeven dat het er inderdaad wel leuk uitzag, met een groot houten bouwwerk voor de ochtendmeditatie en een koor dat er niet om maalde of je kon zingen. Hij staarde naar het platte dak boven de keuken. Er stonden nu een paar rechthoekige vormen, en de schim was met ze bezig. Hij had het het leukst gehad in Tinker's Bubble, waar hij drie vriendinnetjes had gehad, alle drie zusjes van elkaar, alle drie blond, en soms droegen ze hem rond als een lijk. Er was daar een waterval die van de heuvel af sijpelde en het dure huis beneden had een trampoline in de tuin waarop hij en de meisjes stiekem sprongen totdat er achter een van de ramen licht ging branden en iemand iets riep. Zijn moeder was bevriend geraakt met een aardige man die Daniel heette en naar vochtige houtsnippers rook, wat een lekkere lucht was. Daniel had een nummer over zijn moeder geschreven waarin *Marina* rijmde op *hyena* en *ballerina* en dat heel lang het favoriete nummer van Isaac was geweest totdat zijn moeder zei dat het geen goed nummer meer was. Toen gingen ze naar High Copse Court, waar zijn moeder haar hoop op had gevestigd, maar waar ze werd geweerd omdat hun geest, zo zei ze tegen Isaac, zo dicht zat als een bijenkorf. Daarna waren ze hier gekomen en had Marina tegen Isaac gezegd dat hij extra aardig moest zijn, en dat was hij ook. Hij was blij met Albert en Albert met hem. De schim op het dak bewoog niet meer. Vlakbij hoorde hij een vrouw met een Amerikaans accent zeggen: 'Varghese, je moet snel bij het huis gaan filmen. Albert staat op het dak.' Hierdoor kreeg Isaac het gevoel dat ze iets belangrijks deden. Toen zag hij de lichtsignalen met de zaklantaarn. Kort kort lang. Lang. Kort kort. Het teken. Isaac knielde neer en pakte het dikke kunststof beet, daar waar de stroomkabel vastzat aan de generator. De muziek en de lichten bij de dansvloer zouden uitgaan, maar Albert zou er geen last van hebben, want die was aangesloten op de rivier achter de muren van het grote huis. Nog voor hij de stekker eruit had getrokken, schreeuwde ergens iemand heel luid en heel lang. Isaac pakte de kabel met twee handen vast en zette zich schrap.

Patrick en Janet deden hun schoenen uit bij de deur van haar kamer. Aan het eind van de gang liepen netsnoeren door het raam naar het platte dak. Toen ze naar binnen gingen en Janet de deur achter hen sloot, stopte de muziek. Ze knikte alsof het de normaalste zaak van de wereld was dat zij de buitenwereld het zwijgen op kon leggen. Door de muren heen hoorden ze vaag een versterkte stem en mensen die juichten. Ze zaten op schoolstoelen tegenover elkaar.

'Ik ben blij je te zien.'

'Vast.'

Hun stemmen klonken vertrouwelijk in de plotselinge stilte, en dat zinde Patrick niet. Ze bekeek zijn gezicht bij het licht van een lamp in de vorm van een dubbele helix, die boven hen hing. Ze wreef met haar duimen zijn voorhoofd glad, en daardoor besefte hij dat hij fronste.

'Ik heb je nooit persoonlijk mijn excuses kunnen aanbieden voor het feit dat ik niet ben meegereden met de ambulance. Ik wilde dat heel graag, maar ik was bang dat het alleen maar olie op het vuur zou zijn – want jij had kennelijk het idee dat ik je wilde vermoorden.' Ze speelde afschuw, met wijd opengesperde ogen.

Patrick probeerde wat ze zei niet tot zich door te laten dringen. Ze keek omlaag naar zijn enkel en vroeg of ze even mocht kijken, en dat was nou precies wat hij wilde voorkomen. Hij wilde zeggen: *Nee, dat is niet gepast.* Maar dat zei hij niet. Wat hij deed, in die stille kamer, was zwijgen. Ze legde haar handen op zijn knie om te kijken of hij reageerde, liet zich van haar stoel glijden en knielde voor hem neer, terwijl ze haar handen omlaag liet glijden en door zijn broek heen aan zijn linkerscheenbeen voelde.

Hij pakte de zitting van zijn stoel beet en staarde naar haar werktafel: vier op ijshoorntjes lijkende duivelhoorntjes lagen op een krant te drogen. Onder de tafel lag een berg van bubbeltjesfolie, verzendenveloppen en antiek ogende juwelenkistjes met daarop in schuin schrift de tekst 'Modeplichtig'.

Ze pakte zijn linkervoet en tilde hem op, waardoor zijn been zich strekte. Hij keek naar haar. Ze drukte zijn voetzool tegen haar heup, voelde met haar hand onder zijn broekspijp, vond de rand van zijn dikke sportsok, rolde hem naar beneden en trok hem uit.

Geuren brengen herinneringen boven.

Het was in de eerste week dat ze samen in Blaen-y-llyn woonden. Ze deelden het klaslokaal met zijn achten. Geen stank, zwelling of slechte gewoonte wekte afschuw. Janets hypersone vleermuisscheten 's nachts. Zij en Patrick zochten elkaar soms op in hun slaap en dan werd hij wakker terwijl zij stijf tegen hem aan gedrukt lag.

Buiten klonk nog meer gejuich.

Ze duwde zijn broekspijp omhoog en gleed toen met haar vinger langs zijn scheenbeen omlaag naar de gele huid van zijn enkel waarvan de haren door het gips waren weggesleten. Ze keek hoe hij inademde, hoe zijn borstkas uitzette, die longen. Toen vond ze het, het litteken.

'Wat was de echte reden van je vertrek?' zei ze terwijl ze het op een vierkantsvergelijking lijkende litteken bekeek.

Net onder de huid zag ze twee metalen schroeven zitten. Ze duwde er met haar duim op en Patrick hapte naar adem.

'Don zegt dat mijn verliefdheid op jou de reden is dat ik zo lang gebleven ben, maar mijn verliefdheid op jou was de reden van mijn vertrek,' zei hij.

Ze glimlachte en schoof met haar hand naar zijn knie, net onder zijn broek.

Met haar andere hand hield ze hem onder aan zijn kuit vast. Het voelde alsof ze hem hand voor hand wilde binnenhalen.

'Ben ik echt zo erg?'

'Ik ben bang van wel.'

'Doe ik het nu weer?'

'Nou en of. Absoluut.'

Ze keek omlaag naar haar handen.

'Het spijt me,' zei ze en liet los.

Hij stond op van zijn stoel en bewoog zich moeizaam naar

de deur, gehinderd door een stijve én zijn enkel. Ze gooide hem zijn sok toe. Hij was niet in staat zich voorover te buigen om hem aan te trekken. Ze luisterde naar de mensen buiten. Een paar waren er aan het zingen.

'Je hebt mijn brief nooit beantwoord,' zei ze.

'Welke brief? Ik heb er nooit een gekregen.'

'De brief die ik je gestuurd heb toen je in het ziekenhuis lag. Ik had hem meegegeven aan Don.'

Patrick deed alsof hij het niet gehoord had en leunde tegen de muur waardoor het hem lukte om zijn sok aan te trekken.

'Nou, als je hem niet ontvangen hebt, dan zal ik zeggen wat erin stond. Er stond in dat ik het allemaal heel erg vond en dat ik mee in de ambulance had willen gaan, maar dat ik je niet overstuur wilde maken. Ik schreef waarom ik die avond nog wakker was en te veel gedronken had; dat kwam omdat Stephan en ik problemen hadden. Ik liet mijn gevoel spreken. Ik liet weten hoeveel ik om je geef.'

'Was het een liefdesbrief?'

Hij dacht aan de manier waarop ze haar brieven verzegelde: met roze lak in de vorm van een mannentepel.

Ze keek hem aan. 'Dat nou ook weer niet. Meer een beterschapsbrief, maar dan met wat extra's.'

'Werd de suggestie gewekt dat een seksuele relatie tot de mogelijkheden behoorde?' Zijn stem klonk luid.

Ze glimlachte. 'Niet dat ik me kan herinneren.'

'Dan was het weer een fraai staaltje gelul in de ruimte, als je het mij vraagt.'

'Dus je wilt een seksuele relatie?'

'Ja. En anders niets.'

'Juist.'

Het had hem jaren, nee, tientallen jaren gekost om dat

uit te spreken. Naast andere gevoelens was er duidelijk ook sprake van opluchting. 'Het antwoord is niets, toch?' zei hij.

'Ik denk het wel,' zei ze.

'Goed. Oké. Dat is dan duidelijk. Waar is die Stephan eigenlijk? Ik heb nog gezocht naar zijn Saab,' zei Patrick, 'maar ik zag hem nergens. Ik wilde nog een bericht achterlaten in het lakwerk.'

'Hij is er niet,' zei ze terwijl ze weer op haar stoel ging zitten en naar het plafond keek. 'Hij is terug bij zijn vrouw.'

Patrick voelde zich licht in zijn hoofd. Hij barstte zelfs bijna in lachen uit, maar bedacht toen dat dit misschien een van haar streken was, hoewel haar gelaatsuitdrukking dat tegensprak. Nu hij wist dat ook zij pijn had geleden, was het makkelijker om bepaalde dingen aan te snijden. Patrick streek zijn broek glad. Zijn stijve was verdwenen. Hij voelde zich bevrijd.

'Jij hebt ongelijkheid nodig. Die kan ik je bieden. Wat is er simpeler, puurder dan een relatie tussen een aanbidder en iemand die graag aanbeden wil worden?'

'Juist.'

'Je hoeft me niet eens aantrekkelijk te vinden. Het is zelfs beter van niet!'

'Zo'n relatie noemen we vriendschap. En die wil ik graag weer oppakken, Pat.' Ze keek hem aan. 'Je bent het helemaal voor me, maar ik wil niet met je neuken.'

Het gaf een gevoel van vreugde om die woorden te horen.

'Ik hoop op een vroege menopauze,' zei hij, opeens weer vrolijk. 'Zonder de seks ben ik een hele goeie kandidaat. Au revoir, libido; welkom, Patrick.'

Ze knikte twee keer traag. 'Je geeft het niet op, hè?'

'Ik ben nu twintig jaar bezig, er is geen weg terug. Waarschuw me als de hormonen de aftocht blazen,' zei hij en keek op zijn horloge. 'Hoe oud ben je?'

'Tweeënveertig.'

'En de klok tikt door,' zei hij. 'Je komt nu in de gevarenzone. Hou mijn nummer onder de knop. Je kunt zomaar andere prioriteiten krijgen. Oho, ik wou dat je me dit veel eerder verteld had.'

Ze stond op en liep naar hem toe.

'Ik héb het je verteld. Door nooit met je naar bed te gaan.'

Toen de buitenlichten en de muziek opeens uitgingen, klonk er een massaal boegeroep op van onder het rave-zeil, maar Albert wist dat dit nog maar een miniem voorproefje was van hoe ze zich zouden voelen als hun wereld daadwerkelijk door de industriële kaasrasp zou gaan.

Albert had zichzelf aangesloten op de stroom van het grote huis. Hij had het karaoke-apparaat van zolder gehaald en een microfoon op een standaard gezet. Hij stond op een krukje dat zo dicht bij de rand van het platte dak stond, dat als het voorover kukelde, hij naar zijn inschatting waarschijnlijk in het ziekenhuis zou belanden. Hij was spookachtig aangelicht; onder hem stonden vijf leeslampen in een cirkel, elk met een verboden gloeilamp van 100 watt. Hij zette de megafoon die Marina voor hem gepottenbakt had aan zijn mond en schreeuwde in de microfoon.

'Ik heb jullie iets belangrijks te vertellen!'

De enige lichtjes die beneden op het erf nog brandden waren de muggenlampen. Hij kon de gezichten zien van de mensen die zich omdraaiden en naar hem wezen zoals mensen naar superhelden wijzen. Sommige mensen bleven hard doorpraten en er werd ook nog gelachen.

'Luister naar mij! Dit is belangrijk!'

Omdat hij nooit op school had gezeten, had hij nooit geleerd dat je mensen stil kon krijgen door te zwijgen.

'Luister!' zei hij.

Iemand riep: 'We houden van je, Albert. Niet springen!'

Er klonk applaus en een hydraulisch sisgeluid, en toen werd iedereen stil op een of twee zatlappen na die 'heeeey-ay-baby' zongen, maar Albert vond het wel best dat die mensen bij de paradigmawisseling zouden sterven, dus hij besteedde er geen aandacht aan.

'Ik heb jullie hier allemaal uitgenodigd omdat ik heel slecht nieuws heb.'

Een grotesk *oooh*-geluid van de verzamelde menigte, als bij een poppenkastvoorstelling.

'Onze dagen op deze planeet zijn geteld.'

Het bleef even stil. De aardewerken megafoon deed pijn aan zijn lippen.

'We moeten ons losmaken van het materiële.' Iemand riep iets over Madonna en *material world* wat hij niet begreep. 'Verspreid die boodschap. Als iedereen hier het per dag aan twee mensen doorvertelt en die twee het ook weer aan twee mensen doorvertellen, enzovoort, de rest van de dagen die we nog hebben, dan bereiken we de hele wereldbevolking.'

Hij begon er een beetje in te komen en kreeg bijval van verschillende kanten.

'Als het zover is, moeten we voorbereid zijn. Voordat we het volgende paradigma binnengaan, moeten we het leren herkennen. Sommige mensen zullen jullie leugens op de mouw proberen te spelden.'

Er klonk applaus en het was moeilijk om te zien, maar het leek wel of een deel van het publiek aanbiddingsgebaren maakte, waar hij eigenlijk ook wel op gehoopt had. Misschien was het wel een stadionwave. Er was ook een rood lichtje op hem gericht, als het oog van een robot.

'Wie doet mee?'

Hij had gehoopt dat er een paar natuurlijke leiders zouden opstaan om de mensen te organiseren, maar dat was nog niet gebeurd. Bij de generator zag hij iemand met een zaklantaarn en meteen daarna hoorde hij het suizen van de geluidsinstallatie die het weer deed en zag hij opeens zijn publiek, dat beschenen werd door de feestverlichting in de bomen en de veiligheidslampen in het gras. Misschien zetten ze de geluidsinstallatie wel aan om Alfreds microfoon te kunnen aansluiten zodat zijn boodschap over nog grotere afstand hoorbaar zou zijn. Het rode lichtje was van Vargheses camera. Dat was verstandig, want het was belangrijk om een moment als dit vast te leggen.

'Bedankt voor de aandacht!' riep Albert. 'Ga maar... nu... het is zover!'

Hij liet de megafoon van het dak vallen, en die kwam terecht in een zacht bloemenperk. Geen dramatisch uiteenspatten, maar een breuk in twee stukken.

Iemand in het publiek wees en schreeuwde 'Pas op, achter je!' naar Albert, wat veel enthousiasme losmaakte, meer dan zijn toespraak had gedaan. Hij draaide zich om en zag iets angstaanjagends: mist uit zee. Die kwam heel snel opzetten en was zo dicht dat hij bijna tastbaar was en alles uitvlakte. De ravers keken ademloos toe. Het was heel goed mogelijk dat dit het begin van het einde was, en in dat geval was zijn toespraak te laat gekomen. Dit betekende permanente duisternis. De wereld was aan het krimpen. Albert liep het podium af, iemand zette '1999' van Prince op, en iedereen ging helemaal uit zijn dak.

Rookmachines waren overbodig geworden. Albert kwam uit het grote huis en liep over het erf, dat nu een grijze kamer was geworden. Hij vond Isaac en pakte zijn hand. De dj kon het niet laten om de stroboscoop aan te zetten. Er kwamen steeds mensen uit de mist opduiken om Albert een schouderklopje te geven en dingen te zeggen als 'goed gedaan, gast', 'bedankt voor de tip' en 'de profeet is onder ons', en Albert wierp ze allemaal zijn dodelijke blik toe, maar het had geen effect. Zij doodden hém met hun blik, al leek niemand van hen dat te beseffen.

Isaac was schichtig en zei niets meer. Hij had een uitdrukking op zijn gezicht die Albert niet aanstond. De mist gaf ze het gevoel dat ze binnen bleven, waar ze ook naartoe gingen.

Ze wierpen een blik in de slaapkamer van Isaac en Marina, achter in de werkplaats. Die was leeg, op een stapel kartonnen dozen en koffers na. Daar schrok Isaac van, maar Albert zei dat hij zich niet moest aanstellen.

'Waar is je moeder?' vroeg Albert.

Isaac dook weg, maar Albert greep hem stevig bij zijn pols en liep met hem langs het door kaarsen verlichte pad door de tuinderij om te kijken of ze in de pottenbakkerij was. Toen ze dichterbij kwamen, zagen ze dat daar de tl-balken brandden. Albert wilde Marina vragen wat ze het best konden doen, nu duidelijk was geworden dat de wereld bevolkt werd door idioten die binnenkort dood zouden zijn. Hij trof haar aan terwijl ze op haar knieën een fruitschaal in krantenpapier wikkelde en in een kartonnen doos met andere ingepakte objecten stopte. Bij haar knie stond een blikje Jamaicaans bier op de betonnen vloer en achter haar lag een berg troep: een surfplank zonder neus, een houten gereedschapskist, tentharingen. Hij begreep wat er aan de hand was.

'We vertrekken zeker?' zei hij toen hij voor haar stond. 'Dat is wel verstandig. Ik denk dat het een goed idee is om te vertrekken. Ik zal mijn moeder halen.'

Ze pakte zijn gezicht met beide handen beet en keek hem bewonderend aan.

'We zouden je heel graag meenemen.'

Haar lippen waren vochtig. Hij had haar nooit eerder zien drinken.

'Nou, dan ga ik mijn spullen maar pakken,' zei Albert.

Ze lachte en glimlachte naar hem op een manier die duidelijk moest maken dat ze hem een schat vond. Een schat gevonden worden, daar had Albert een pesthekel aan.

'We kunnen je toch niet weghalen bij je ouders,' zei ze met een steelse blik, 'ook al wil je dat nog zo graag.'

Dat laatste was min of meer grappig bedoeld door de manier waarop ze het zei, maar Albert had geen idee wat ze bedoelde. Isaac was in de deuropening komen staan, wist Albert, want hij hoorde slap gegrien achter zich.

Marina keek even snel naar de deuropening en toen weer naar Albert. Ze had nog steeds haar handen om zijn wangen. 'Heeft Isaac je verteld waar we naartoe gaan?'

Albert voelde zijn gezicht verstrakken. Als er vervelende dingen gebeurden, voelde hij zijn gezicht verstrakken en ging hij soms door zijn mond ademen.

'Waar gaan jullie naartoe?' vroeg Albert.

'Heeft Isaac dat niet verteld? Naar Northumbria. Niet zo ver weg.'

Albert hoorde Isaac achter hem snotteren. Marina had haar handen nu op zijn schouders gelegd. Op het jasje dat hij aanhad zaten epauletten en die stofte zij af. Als ze hem dapper mannetje of soldaatje noemde, zou hij door het lint gaan.

'We komen nog wel eens langs. En jij en Ies kunnen penvrienden worden.'

'Penvrienden,' zei Albert.

Op de een of andere manier was dat woord niet te rijmen met alles wat hij over de toekomst van de planeet wist. Óf ze behandelde hem als een idioot, of ze was zelf gek. Deze avond was Albert nog niemand tegengekomen die zich op intellectueel niveau met hem kon meten.

'Waarom mag ik niet mee?' zei hij.

'Omdat je bij je ouders moet blijven. Zij houden van je en zijn voor jou het belangrijkst.'

Het werd steeds duidelijker dat ze haar prioriteiten niet meer op een rijtje had.

'Jij en Isaac hebben nog even om afscheid van elkaar te nemen. We gaan pas weg als de mist een beetje optrekt.'

'Heb je onze toespraak gehoord?'

'Wat bedoel je?'

'We hebben de mensen het slechte nieuws gebracht.'

Ze keek verrast en trok toen een 'o ja'-gezicht, maar niet erg overtuigend.

'O ja, ik heb wel iets gehoord. Ik was hier aan het inpakken, maar ik heb het wel gehoord. Ik vond het... ja. Het was heel goed. Geweldig.'

'Het was niet geweldig. Niemand luisterde.'

'Maar het klonk alsof iedereen het heel leuk vond.'

Hij had het akelige gevoel dat hij echt niemand kon bedenken die hem níét zwaar teleurstelde. Het was een troost dat zijn eigen moeder in elk geval de hele tijd geslapen had. De mogelijkheden om in haar slaap brokken te maken waren beperkt. Zijn hele jeugd hadden mensen hem al verlaten; zijn beste vrienden gingen altijd weer weg. Hij had er iets op gevonden: de vriendschap beëindigen. Je gebruikte de tijd na de aankondiging van het vertrek om de vriendschap te beëindigen, dan was het vertrek zelf een eitje. Omdat hij niks beters wist te doen, sloeg hij zijn armen om Marina heen. Van dichtbij zag hij dat haar grijze haren een andere textuur hadden dan de niet-grijze. Ze zagen eruit als de haren op een paard of een varken. Hij probeerde te huilen, maar het lukte niet.

Hij zei: ‘Ik wil nu graag afscheid nemen van Isaac.’

Ze gaf hem een kus op zijn wang, nam een doos met dierbare creaties mee en liet Albert en Isaac alleen. De planken langs een van de muren stonden nog steeds vol met de prutswerken van klei die mensen hadden gemaakt. De pottenbakkerij was gebruikt als kluis omdat hij afgelegen lag en op slot kon, dus was hij volgestouwd met spullen die waren weggehaald om ruimte te maken voor het feest: een rode Gibson SG met een vachtje van stof, een draagbare tv, een paar eiken vloerdelen.

Albert liep naar de deur, sloot hem en draaide hem op slot. De pottenbakkerij was smerig en de bespatte ramen hielden het aarzelende eerste licht van de dag tegen. De betonnen vloer was bobbelig van de opgedroogde stukjes klei.

‘Ik zal je missen,’ zei Isaac.

‘Je hebt niet gezegd dat je wegging.’

‘Ik was bang. Het spijt me. Ik wil niet weg.’

‘Hoe lang weet je het al?’

Isaac keek hulpeloos en probeerde op zijn vingers te tellen. Albert vond Isaac er niet schattig uitzien. Albert had niets met schattigheid.

‘Ik laat je niet gaan,’ zei Albert.

‘Goed. Ik wil ook niet weg.’

Albert liet zijn blik over de spullen gaan die de achterwand aan het oog onttrokken.

‘Maar als ik wel ga, dan mogen we van mam echte brieven naar elkaar schrijven en mag jij me opzoeken.’

Een van de planken rammelde toen de bas een octaaf naar beneden gleed.

'We kunnen toch vriendjes blijven, jij en ikke?'

Als Isaac zenuwachtig was, ging hij weer praten als een kleuter.

'Je kan verdomme amper lézen, Ies.' Albert pakte een kant van de surfplank en trok hem weg. Hij was op zoek naar iets. Isaac staarde naar de grond en begon in zijn ogen te wrijven. Van deze afstand klonken de vrouwelijke vocalen gekneveld.

'Kom me opzoeken,' zei Isaac, en hij liep twee stappen vooruit, naar de rug van Albert.

'Ga op de grond liggen.'

'Wat?'

Albert draaide zich om en sloeg hem in zijn nek. Isaac wankelde twee stappen achteruit en ging zitten. Albert draaide zich weer naar de berg troep en trok een plastic doos met metalen kleerhangers omlaag, die op de vloer kletterden.

'Wat zijn we aan het doen?' vroeg Isaac.

Als hij huilde, werd zijn gezicht nog wat pafferiger. Albert trok een nachtkastje weg en draaide een blauwe matras om, wat in het vroege ochtendlicht ontploffingen van stof veroorzaakte. Toen pakte hij een kooktoestel op butagas en sleepte het met een *deng-deng-deng*-geluid over het beton. Daarachter vond hij een koffertje van kunststof met het woord Blitz erop. Normaal gesproken lag dat in de schuur, maar Albert wist dat zijn moeder het hier had opgeborgen om te voorkomen dat een van de feestgangers het zou vinden.

'Waar ik naartoe ga in Northumbria,' zei Isaac, 'is een grote glijbaan.'

'Jij wordt later heel dom.'

Hij pakte het koffertje, legde het op de grond en klikte het open. Er lag een blikje met patronen in, een flesje schoonmaakvloeistof, twee borsteltjes en het schietmasker zelf, dat eruitzag als een lichtzwaard zonder batterijen. Isaac wist wat het was, want ze hadden er samen mee geoefend op de Gouden Gids.

De bassige muziek begon weer eens aan het opbouwen van een climax. Albert begreep niet hoe die debielen steeds weer uit hun dak konden gaan. Iedere keer weer dat moment dat je dacht dat er echt iets ging gebeuren, en dan begon datzelfde zompige gedreun weer.

Albert pakte het schietmasker op en draaide het bovenstuk eraf. Hij pakte een patroon uit het blik, laadde het geroutineerd en draaide het bovenstuk weer vast. Hij trok de vuurpin omhoog. Die zag eruit als het topje van een bidon.

'Wat is het plan, Alb?'

Langs één wand stonden op de onderste plank de meest recente pottenbakcreaties. Een geit van steengoed zag eruit als een vierkante batterij op poten. Albert hield de onderkant van het schietmasker tegen de geit aan en haalde de rode trekker over. De lading explodeerde en de geit spatte op een bevredigende manier uit elkaar, waarbij er scherfjes klei op de vloer vielen. Het leek nu eigenlijk heel makkelijk en hij begreep niet hoe hij bij Belona zo zwak had kunnen zijn. Isaac lachte, per ongeluk. Een rookwolkje dreef door de ruimte. Het stonk behoorlijk. Albert was al aan het herladen.

'Goed gedaan!' zei Isaac, en hij stond op en wees naar een fraai gevormde melkkan. 'Die heeft mijn moeder gemaakt – pak hem!'

Albert trok de pin omhoog, richtte en het ding spatte uit elkaar. Het lawaai weergalmde in de kleine ruimte. Isaac vroeg of hij ook een keer mocht.

'Kop dicht, Isaac,' zei hij, en hij gaf hem een schop tegen zijn knie.

Isaac zat weer en hield zijn been met beide handen vast.

Albert herlaadde, haalde nu met één hand de trekker over en verbrijzelde een behoorlijk goed gelukte kip. Je kon de pin niet in en uit zien gaan – het leek of hij dingen op afroep kon laten exploderen. Albert had pijn in zijn schouder van de terugslag. De rook in de kamer was nog niet zo dik als de mist buiten.

'Wat zijn jullie aan het doen?' klonk de stem van Marina van buiten. Ze probeerde de deurklink. 'Laat me erin.'

'Doe deze,' zei Isaac, die weer was opgestaan en naar een miniatuur van een punkrocker in een leunstoel wees. Albert herlaadde en hield het schietmasker tegen het hoofd van de man. Het lukte hem het hoofd eraf te knallen zonder het lichaam te beschadigen. Het was een harde knal, maar ze waren gewend aan lawaai. 'Je bent geweldig, Albert.'

'Doe onmiddellijk de deur open,' zei Marina. Albert had haar stem nooit eerder zo horen klinken.

'Je bent mijn beste vriend,' zei Isaac.

'Jij gelooft ook alles. We zijn geen vrienden meer.'

'Alb.' Isaac legde zijn hand op Alberts schouder. 'Het stinkt hier!'

'Vertrouw je me?'

'Ja.'

'Doe open, nú!' riep Marina.

'Ga dan liggen.'

'Oké.'

'Ies en Albert! Zo is het wel genoeg!' Ze sloeg met haar vuist op de deur.

Isaac lag op het beton, met zijn benen bij elkaar en zijn armen langs zijn zij, klaar voor de kist. Albert stopte een nieuw patroon in het inmiddels heet geworden schietmasker. Er kwam steeds meer licht door de ramen, en Albert had een schaduw toen hij neerknielde bij Isaacs voeten.

Nog meer gebonk op de deur. Ze rammelde weer met de deurklink, harder nu. Voor het rooster van kleine raampjes in de deur verscheen de omtrek van een hoofd. De raampjes waren te vies om erdoorheen te kunnen kijken. Een hand veegde over het glas, maar kreeg het niet schoon.

'Ik ben bang.'

Albert hield het schietmasker met twee handen vast. De laatste keer dat hij het ding in handen had gehad, had hij het niet kunnen afmaken, en daar baalde hij van.

'Doe je alles wat ik zeg?'

'Ja.'

'Zeg: "Ik ben een stomme idioot." '

'Ik ben een stomme idioot.'

'Zeg: "Ik weet niet wie mijn papa is." '

'Wat zijn jullie aan het doen?' riep Marina.

Hij bewoog met het schietmasker over de zool van Isaacs linkerschoen. Vanaf die plek kon hij in de neus van Isaac kijken. Buiten riep Marina om hulp.

Albert schuifelde rond op zijn knieën. Hij had zijn ene hand over de andere en bewoog het schietmasker over Isaacs tenen, over zijn wreef en vandaar over het linkerscheenbeen naar zijn knieschijf, waar hij pas op de plaats maakte. Hij dacht aan het spel met de ring en de draad die onder stroom staat en dat je dood bent als je de draad aanraakt.

'Laat me erin of ik ram de deur in,' zei Marina, wat Albert niet verontrustte, want ze was niet geloofwaardig meer.

'Zeg hoe het afloopt,' zei Albert.

'Ik weet het niet.'

'Zeg het.'

Het heksenuur begon vroeger altijd rond middernacht, maar volgens Varghese kon een feest tegenwoordig pas om een uur of vier 's nachts mythische proporties krijgen. Het was 04.48 uur, en als het niet zo had gemist, dan zou het in deze tijd van het jaar al helemaal licht zijn geweest. Don stond naast de op biobrandstof lopende generator, op het punt om de stekker eruit te trekken. De generator liep op de plantaardige olie van Paco's Diner, en die rook nog naar duizend van het vet druipende Engelse ontbijten. Het was maar goed dat Don nog steeds niet echt van muziek hield, want wat er gedraaid werd was niet om aan te horen. Hij was de oudste die nog op de been was. Overal op het erf lagen hoopjes glimmende metalen capsules die, zo was hem verteld, het bijproduct waren van lachgas, een drug waar hij nog nooit van gehoord had. Vlak bij hem lag een stel heftig te zoenen. De hand van de jongen duwde geheel zelfstandig haar bloeddoordrenkte bruidsjurk omhoog. Door de mist leek elke plek privé. Varghese liep nog steeds rond om mensen te filmen. Hij leek alleen geïnteresseerd in de treurige gevallen, zoals het meisje met dierenslippers en een fluorescerend veiligheidsvest dat hij nu aansprak. Iemand kwam door de mist aanrennen en riep om hulp. Varghese was er als de kippen bij om de naderende figuur te filmen. Don verwachtte dat hij of zij iets zou roepen in de trant van 'help, help, ik móét een kingsize vloeitje hebben', maar dat gebeurde niet; het was Marina. Varghese had haar in beeld. Ze greep Dons hand.

Toen ze bij de pottenbakkerij kwamen, hoorden ze Isaac huilen, hoog als een fluitketel. Don kon niet door het raam kijken. Hij veegde het schoon met zijn mouw, maar het vuil zat aan de binnenkant. Iets voorovergebogen sprak hij door het roestige slot van de deur.

'Albert, dit is je vader. Alles oké met jou en Isaac?'

Het bleef even stil. Toen Albert eindelijk sprak, deed hij dat zachtjes.

'Ik ben niet oké.'

De sleutel zat niet in het slot. Don gluurde door het sleutelgat. Er gebeurde even niets, en hij luisterde naar een keelgeluid dat van Isaac moest zijn, besefte hij. Hij wist dat hij iets moest zeggen, maar betwijfelde of zijn zoon na wat er 's ochtends gebeurd was, naar hem zou luisteren. Het enige wat Don te bieden had, was dat hij er nu wel bij zou blijven. 'Albert, ik ben er voor je.' Dat was het. Zijn lichamelijke aanwezigheid. Hij hield zijn oor voor het sleutelgat om te horen wat Albert zei.

'Het blijkt dat Marina geen idee heeft wat er gaat gebeuren. Het blijkt dat ze inderdaad een idioot is, zoals je altijd al hebt gezegd.'

Marina zei niets en hurkte alleen maar, met haar oor tegen de latten van de deur. Ze toonde geen reactie. Don moest toegeven dat ze zich waardig gedroeg.

'Pap?'

'Ik ben hier.'

'Ik ben in de war.'

Don kon zijn zoon bijna niet meer horen. 'Ik weet het.'

'Wat ga je doen?' zei Albert enigszins wantrouwend.

'Wat wil je dat ik doe?'

'Ik weet niet. Iets heftigs misschien.'

'Oké, goed dan,' zei Don, en hij wist dat hij iets moest doen wat zijn zoon kon zien en horen, iets blijvends.

'Albert, zal ik een van deze raampjes inslaan met mijn hand?'

Het bleef lang stil en toen klonk er iets wat op goedkeuring leek. Don deed een pas naar achteren en stapte toen zonder aarzeling naar voren, waarbij hij zijn vuist door een van de twaalf ondoorzichtige ruitjes ter grootte van een bierviltje sloeg. Hij koos het ruitje net boven het slot. Hij schaafde de bovenkant van zijn knokkels en begon te bloeden. Het geluid van glasscherven op het beton was mooi. Hij trok zijn hand terug en tuurde door de ingeslagen bek. Het was deze avond al de tweede keer dat rammen de beste optie leek te zijn. Er hing een enorme stank in de kamer. Hij zag dat de sleutel op de grond lag, naast Albert, die een schietmasker tegen de linkerslaap van een jongetje hield, en dat jongetje was Isaac, die geen enkel geluid meer maakte. Albert keek op naar het gezicht van zijn vader voor het ruitje, en Don besefte dat er meer van hem verwacht werd; hij bracht zijn mond naar het kapotte ruitje.

'Albert.'

'Wat?'

'Ik hou van je.'

'Ik weet het.'

'Ik besef dat het verkeerd was dat ik je niet naar school wilde laten gaan. Je moet gewoon naar school.'

Don nuanceerde niet en dat was goed. Het bleef opnieuw stil. Het was goed mogelijk dat Albert verwachtte dat zijn vader meer zou zeggen, maar dat deed hij niet.

'Waarom?' vroeg Albert.

'Je zult het heel leuk vinden en ze zullen fokking blij met je zijn.'

'Geen krachttermen alsjeblieft.'

Dons hand deed pijn. Het hielp hem zich te concentreren.

'Je kunt dan vrienden worden met die jongens. Volgens mij waren ze er vanavond ook.'

'Welke jongens?'

'De jongens met die quads.'

'Die heb ik niet gezien.'

'Ze kwamen je opzoeken. Ze komen nog wel terug.'

'O.'

Don zweeg even en zei toen: 'En je krijgt een eigen quad, dat ook nog.'

Het denkgedeelte van Don, dat hij negeerde, had nog wel wat op te merken over de financiële haalbaarheid van het plan. Het bleef heel lang stil.

'Ik weet wat je aan het doen bent. Je koopt mijn liefde.'

'Klopt helemaal. Die is duur.'

'Oké.'

Don concentreerde zich op zijn bloedende hand.

'Als je naar school gaat, kun je het beste in Mumbles gaan wonen, bij oom Patrick.'

'Wat houdt dat in?'

'Dat houdt in dat je bij hem inwoont als er school is.' Hij strekte en balde de hand. 'Die jongens worden je vrienden. Je woont dan op tien minuten lopen van school, of drie minuten met de quad.'

'En wat ga jij dan doen, pap?'

'Ik blijf hier en begin een jeugdherberg in het grote huis.'

Het was voor hemzelf ook een verrassing. Het klonk wel goed. Marina knipperde met haar ogen.

'En jij en mam?'

'Zij gaat met jou mee.'

'Jullie moeten scheiden.'

'Gaan we ook doen. Ik hou van je.'

'Weet ik.'

Albert stond nu achterin bij de planken en wreef met één vuist in zijn oog en hield het schietmasker in zijn andere hand. Isaac, die nog steeds op zijn rug lag, strekte zijn hand uit, pakte de sleutel en tijgerde naar de deur.

Marina luisterde naar het draaien van de sleutel en toen

ze de klik hoorde, trok ze de deur open, greep haar zoon onder zijn oksels en verdween zonder een woord te zeggen met hem in haar armen in het grijs. Don stapte de pottenbakkerij binnen en deed de deur achter zich dicht, net voor de neus van Varghese, die hen, zoals hij nu pas zag, gevolgd was.

De vloer lag bezaaid met diverse hoofden, benen en fragmenten van bouwwerken. Don liep naar de planken en ging naast zijn zoon staan, die het schietmasker nu op de Eiffeltoren gericht hield.

'Zal alles altijd maar door blijven gaan?'

'Ik denk het wel,' zei Don.

Aan het eind van de plank stond een groepje kleifiguren dat het gezin Riley moest voorstellen. Een paar allang weer vergeten gasten hadden ze gemaakt, als geschenken, totems, voodoopoppetjes. Freya pervers dik, Kate aapachtig en Albert met enorme biceps. Het leek nergens op.

'Dit zijn wij,' zei Don en hij wees, waardoor druppeltjes bloed op het beton vielen.

Het poppetje van zijn vader was nog uit de tijd dat hij een baard had. De kunstenaar had er een soort uitstulping van Dons schedel van gemaakt.

Varghese filmde hen door het kapotte ruitje.

Albert richtte.

Kate liep te zoeken in de mist en bekeek af en toe een lichaam in het gras om te zien of het haar broer was. Nog maar een paar minuten geleden had ze onder de luifel van een tent van een vreemde gezeten en gingen de joints bij haar voortdurend uit omdat ze zoveel praatte. Ze had de wildvreemden op vrolijke toon verteld hoe het huwelijk van haar ouders op de klippen was gelopen, en dat voelde heel gezond en normaal.

De Hulk was er ook bij geweest en die zat te zoenen met een lang meisje dat als pauw verkleed was. En elke keer als ze flink tekeergingen, verloor het meisje een van haar veren. Uiteindelijk waren ze samen verdwenen – en Kate vond dat prima.

Maar toen had iemand anders het over die waanzinnige performance van eerder op de avond gehad: dat jongetje op het dak dat een hilarische toespraak over het einde der tijden had gehouden, precies op het moment dat de mist kwam opzetten en ze dat nummer van Prince draaiden, en hoe vet dat wel niet was. En nu liep Kate buiten naar hem te zoeken.

In de livemuziekjoert was er een man die ofwel een hele luie, unplugged a-capellaversie van 'Help!' van de Beatles zong, of echt om hulp riep. Ze moest de halfstruikelende figuren die uit de mist opdoemden ontwijken. Ze zag de nog overgebleven zware drinkers nog niet opgeven en vervaarlijk wankelen aan de rand van het vuur.

Vader en zoon zaten nu in bed, met hun rug tegen het hoofdbord. Albert had al zijn kleren nog aan en staarde naar de mist die naar binnen loerde. Op de een of andere manier voelde hij zich niet moe. Don had twee kussens onder zijn voet gelegd.

'Isaac vertrekt zodra de mist optrekt. Ik wil niet dat hij weggaat.'

Aan het voeteneind was het dekbed nog steeds viezig warm van de vorige gebruikers, een stel dat zijn vader uit bed had geschopt, maar dat nog steeds hoorbaar bezig was in de kamer van Kate. Ze hoorden de vrouw aanmoedigingen roepen – 'Goed zo, kom op, zo ja' – alsof ze met een hond aan het rennen was. De muziek stond nog voelbaar hard en was ontdaan van alle melodie door de muren van het huis, waar alleen het laag nog doorheen kwam.

'Is de mist aan het optrekken?' vroeg Albert. 'Het lijkt alsof hij optrekt.'

Hij voelde de hand van zijn vader op zijn schouder.

'Albert, ik wilde je nog zeggen hoe trots ik op je ben vanwege Belona – jij hebt gedaan wat mij niet lukte.'

Albert schudde langzaam zijn hoofd en keek naar het raam. 'Ik heb het niet gedaan.' Het duurde even voordat de betekenis van zijn woorden tot Don doordrong.

'Nou, in dat geval ben ik nog trotser op je. Op je menselijkheid. Ik weet dat ik het al een paar keer heb gezegd, maar ik hou heel veel van je.'

Dat vrolijkte Albert niet op. De bas had de trillingsfrequentie van de plafondbalken te pakken en een stofregen daalde op hen neer.

'Je voelt je vast beter als je even geslapen hebt.'

Don trok één velletje wc-papier van de rol op het nachtkastje. Er steeg een stofwolkje op toen het scheurde op de perforatie. Hij vouwde het velletje vijf keer dubbel, spuugde erop, kneedde het met zijn vingers tot het de grootte en de vorm van een zekering van dertien ampère had, draaide zijn lichaam, hield met één hand Alberts hoofd vast en perste de inmiddels grijze plug in zijn oor. Net als de rest van zijn lichaam was Alberts oor smerig, en dat betekende dat de plug op zijn weg naar binnen de nodige viezigheid moest verplaatsen.

Albert klemde zijn kaken op elkaar. Don fabriceerde nog een plug en bevochtigde die met een klodder spuug. Hij hield Alberts hoofd vast als een kapper, draaide het naar zich toe en duwde het geval naar binnen. Don vormde met zijn hand het 'alles oké'-signaal dat ook diepzeeduikers gebruiken. Omdat Albert wist wat zijn vader wilde zien, antwoordde hij met hetzelfde gebaar.

Door de oordoppen kon hij nu zijn eigen hartslag horen. Die ging gelijk op met de bassdrum.

Op het erf zag Kate hoe Varghese een groepsfoto van de overlevers organiseerde door de dronken en doorgetripte overblijvers voor het huis neer te zetten. De enige die nog op de muziek van de dj danste was de dj zelf. De zon begon door de mist heen te branden.

Kit Lintel, die ze nu pas voor het eerst zag, stond op het platte dak en beoefende in het licht van de eerste zonnestralen de edele kunst van het bewegen. Hij bereidde een sprong voor van de rand van de badkuip, al kon ze niet zien waar hij dacht te landen.

In het huis doorzocht ze het klaslokaal en de keuken, maar nog steeds geen spoor van Albert. Boven was zijn kamer leeg. In haar kamer was een stel bezig op haar bed. Het gladde rughaar van de man deed denken aan zeewier bij eb.

Uiteindelijk vond ze haar broer in de kamer van haar vader, rechtop, met kussens in zijn rug en opgetrokken knieën. Hij had oordoppen in die uitstaken als kleine ontploffingen in een stripverhaal. Hij had nog steeds zijn marinejasje aan en staarde naar de optrekkende mist. Naast hem zat haar vader, ook rechtop, maar zonder oordoppen en vast in slaap, met zijn hoofd op zijn borst en zijn ogen nog een klein beetje open, als een hele goede imitatie van een slachtoffer van een afrekening.

Albert keek naar een klein stukje blauwe lucht dat nog net zichtbaar was door het bovenste raam rechts. Buiten klonk het lawaai van eindeloos herhaalde old-skool jungle.

Rondkijkend zag Kate dat haar vader op de plekken waar

de foto's van haar moeder hadden gehangen expres gapende leegtes had achtergelaten – niet-vergeelde rechthoeken muur – en de boekenkast had zonder haar moeders boeken wel iets van een barcode. Eindelijk kreeg iemand de muziek uit en klonk er gejuich en enthousiast gefluit. Ze hoorde maar één teleurgestelde reactie. De stilte leek Albert goed te doen, want voor het eerst keek hij naar haar. Ze zat op de rand van het bed en probeerde te bedenken wat ze konden doen.

Ze kreeg een idee en kroop op haar buik over het dekbed. Dat deden ze vroeger ook. Ze kroop over de schenen van haar vader zonder hem wakker te maken, liet zich aan de andere kant van het bed af glijden, kwam hard op de grond terecht, kroop met naar achteren trappende benen onder het bed door weer terug, kwam met haar hoofd vooruit tevoorschijn aan de kant van Albert en ging weer naast hem op bed zitten. 'Ken je dat spel nog? Zandwormen!'

'Je probeert me op te vrolijken.'

'Inderdaad.'

'Laat dat alsjeblieft.'

Ze wilde hem kietelen, happend met haar mond.

'Klak klak,' zei ze.

Hij schudde zijn hoofd. Ze stopte. Ze probeerde iets anders te bedenken. Haar geest was niet soepel.

'Tik.' Ze had niet verwacht dat ze het zou zeggen.

'Niet doen. Niet nu.' Hij richtte zijn blik weer op het raam en bleef strak voor zich uit kijken, alsof hij voor een kijkrichting had gekozen en daar niet meer van af wilde wijken.

'Tik,' zei ze.

Hij had voor een iets oplopende lijn gekozen, geschikt voor het bekijken van een bord met vertrektijden.

'Tik,' zei ze en strekte haar hand naar hem uit.

In de gemeenschappelijke badkamer kwam zwak zonlicht door het matglas. Op de vensterbank stonden tubes gel en kleine verpakkingen shampoo en 2-in-1. Albert leunde tegen de deur en keek naar het structuurglas aan het andere eind van de badkamer.

'Ik trek dit niet,' zei hij.

Ze zette de douche aan en die begon te sissen. 'Dames en heren, er ís waterdruk.'

Ze wist niet of ze hier wel goed aan deed, maar nu ophouden zou het alleen maar erger maken.

'Wie er het eerst onder staat,' zei ze en trok hinkelend haar gympen uit. 'Ik ga winnen.'

Ze zag zichzelf in de spiegel en besefte dat ze niet meer op een panda leek. Haar pupillen waren zinkgaten en haar schmink barstte langs rimpeltjes die ze eerder nog niet had opgemerkt. De panda was een zombie geworden. Ze liep naar haar broer en maakte de gouden knopen aan de voorkant van zijn vreemde marinejasje los. We zijn kinderen, dacht ze. Niks aan de hand. Ze duwde het jasje over zijn schouders, trok het over zijn armen naar beneden en liet het op de vloer vallen. Hij zag tentakels van stoom uit het douchehok komen die als schuim om de randen van het douchegordijn krulden. Ze bukte zich en maakte zijn schoenen los. Hij liet zijn hoofd naar achteren rollen, tegen de deur. Ze tilde eerst de ene en dan de andere voet op en rukte zijn schoenen uit. Zijn gestreepte sokken waren net een tweede huid; ze pelde ze van zijn voeten af en negeerde de stank. Overal op zijn voeten en zijn enkels zaten stukjes sokkenpluis.

'Kom op. Je wilt toch niet verliezen?' zei ze met weinig overtuiging.

'Ik ben hier te oud voor.'

Kleine, om elkaar heen draaiende deeltjes begonnen de ruimte te vullen. Ze zat op het bankje en trok haar kousen uit. Hij keek naar de door spotjes verlichte stoom.

'We doen alsof dit de geheime doorgang is,' zei ze, wijzend op de douchecabine, 'en als we erin stappen zijn we uitverkoren, jij en ik, en als we er weer uit stappen, is de wereld als nieuw en zijn we voor altijd verbonden, wat er ook gebeurt; wij hebben het overleefd en alle anderen zijn dood, ook als ze het nog niet beseffen, en dan zijn wij tweeën nog over, levend, in een wereld vol zombies, en het spijt me, maar papa en mama moeten ook dood, want als we het hok in stappen, is het jij en ik en verder niks, oké?'

'Ik ben te oud.'

Hij klappertandde, ook al was het niet koud.

'Handen omhoog, motherfucker,' zei ze.

Hij schudde zijn hoofd, maar deed zijn handen toch omhoog.

'Kom, de doorgang is bijna open.'

Ze trok zijn trui met zijn T-shirt over zijn hoofd. Hij was een en al kippenvel en ze kon zijn ribben tellen.

'Schiet nou maar op,' zei ze en ze trok haar eigen T-shirt uit.

Albert liet zich op de vloer zakken en trok zijn knieën op tot aan zijn borst terwijl zij haar zwarte rok begon los te knopen. Haar armen waren zwartgeschminkt als mouwen, maar haar schouders niet, dus ze had een zwarte V van schmink over haar borst. Albert keek naar haar en was blij dat de schmink haar gezicht onherkenbaar maakte. Alleen maar een paar maffe ogen die in een zwartgrijze troep dreven. Hij kroop in de hoek van het vertrek.

Ze vervaagden, werden vlekken.

'We stappen samen naar binnen, jij en ik – de wereld

wordt uit- en weer aangezet, terug naar de fabrieksinstellingen, en als we weer naar buiten komen, doen we alsof alles normaal is, ondanks alle lijken om ons heen.'

Hij keek hoe haar handen de sluiting van haar beha losmaakten, die aan de voorkant zat, midden op haar borst.

'Het uur is gekomen,' zei ze.

Hij legde zijn hoofd op zijn knieschijven en bedekte zijn oren.

'Het is zover,' zei ze. 'Je kunt aan alles een eind maken door naar binnen te stappen. Het is net alsof je door de deur stapt bij de Soundmixshow, alleen veranderen we in deze aflevering in de laatste twee mensen op aarde in een wereld vol lijken, cyborgs en hersendoden.'

'Hou nu maar op. Dat zou het beste zijn.'

'De door-gang gaat di-icht,' zei ze en keerde hem haar rug toe.

Hij zag een beha op de vloer vallen, maar hij maakte zichzelf wijs dat dit niet zijn zus was. Er kwam een naam bovendrijven: Sheila La Fanu.

'Ik voel me prima en heb geen hulp meer nodig,' zei hij.

Buiten begon de zon nu goed door te breken. Hij zag hoe haar voeten zich naar hem toe draaiden. Druppeltjes water hadden elk hoekje van de badkamer bereikt. Ze begonnen uit elkaar te vallen. Ze was aan hem aan het trekken, pakte hem onder zijn oksels, probeerde hem omhoog te krijgen.

'Kom op,' zei ze.

Hij wilde niet. Hij wilde niet. Hij keek op. De starende blik van haar tepels, iets naar boven gericht, net als de onderkaak van zijn vader als hij iets belangrijks ging zeggen.

'Ik ben te oud,' zei hij, en hij stopte zijn hoofd weer tussen zijn knieën die hij zo hard mogelijk tegen zijn slapen drukte. Hij vond het niet fijn wat er met hem gebeurde.

'Ik heb bijna gewonnen,' zei ze, 'en dan ben je dood, een zombie, net als de rest. Wil je een zombie zijn?'

Ze stormde het hokje in onder het uitroepen van 'de verandering, de verandering!'. Ze gooide haar hoofd achterover en draaide rondjes om haar as; het water dat van haar af kwam, had de kleur van intensief gebruikt afwaswater. Ze nam de douchekop in haar hand en richtte de straal op hem, op de plek waar hij zat. Ze bleef hem natspuiten en maakte mitrailleurgeluiden.

'Kom op, schijterd!' zei ze, en ze stapte het hokje uit met een fles shampoo in haar hand. Ze spoot de smokkelwaar op zijn hoofd.

Het water was zo heet dat het pijn deed. Heet water betekende dat de fotovoltaïsche cellen het deden, en dat betekende dat de zon scheen, en dat betekende dat er geen mist was, en dat betekende dat Isaac weg was.

'Welkom in het land der levenden,' zei ze en spoot nog meer shampoo op hem. Ze stond boven hem en gebruikte de douchekop als gieter. 'We hebben het gehaald en ik hou zielsveel van je.'

'Je hebt drugs gebruikt,' zei hij.

Zijn ogen brandden, maar hij voelde zich wakker. Hij wreef hard met zijn handen in zijn gezicht. Na een tijdje had hij schuim gemaakt. Het water stroomde onder de deur door de gang op.

'Je verandert van kleur,' zei ze.

'Weet ik.'

Ze trok de slang strak en gaf hem de douchekop; hij spoot het water recht in zijn gezicht, van dichtbij.

Op blote voeten gingen ze de gang op, waar het water al de trap afliep en alleen werd tegengehouden door het in elkaar gezakte dode lichaam van een man op de overloop. Hij was geschminkt als een uitgebreid Engels ontbijt. Naast hem lag het blauw geworden lijk van een meisje. Albert was de moeheid voorbij en had nu het stadium bereikt dat het lijkt of je naar een film van jezelf kijkt. Zijn zus had een handdoek om haar middel geknoopt en een T-shirt aangetrokken. Door de resten zwarte schmink op haar wangen en kin leek ze een modieus baardje te dragen.

'Kijk of er overlevenden zijn,' zei ze.

Alberts spijkerbroek veroorzaakte vier druipsporen op de vloerbedekking toen hij naar Janets kamer liep en de deur openduwde. De gordijnen waren dicht, maar er sijpelde licht om de randen. Er lagen twee lichamen op het bed, in plaats delict-poses. Hij kon hun gezichten niet onderscheiden. Hij probeerde de lichtschakelaar en daarna de staande lamp, maar het hele huis had geen stroom meer. Van dichtbij zag hij dat het Janet en Patrick waren, die geheel gekleed waren gestorven. Patrick had wel zijn hand onder haar bloes, merkte Albert op.

Hij draaide zich om naar zijn zus op de gang en vormde met zijn lippen het woord 'dood'. Zij keek in de kamer van Don en bevestigde met het gebaar van een vinger langs haar hals dat ook hij de pijp uit was.

Ze controleerden allebei hun eigen slaapkamers. Wat Kate in de hare aantrof, stond haar niet aan. In Alberts kamer lag iemand die hem bekend voorkwam, een jongen met een groen uitgeslagen lijf die door een of ander beest onder het dekbed werd opgegeten; de geluiden die hij in zijn doodsstrijd maakte waren gruwelijk. Naast het bed lagen diverse lange veren die het beest in de worsteling kennelijk verloren had.

Een grote straal licht kwam door het ronde daklicht boven de trap. Ze stapten voorzichtig over de lijken op de overloop en daalden de trap af naar de hal. In het klaslokaal lag een legpuzzel van lijken, amateuristisch gedrapeerd. Sommige in half geopende lijkenzakken, sommige zomaar op de banken, met handen die tot op de vloer hingen. Kinderkleren zaten verstrikt in de tanden van het weefgetouw. Er hing een geur die volgens Albert wel paste bij massale sterfte.

In de keuken lag een bebloede snijplank en vanuit de spoelbak dropen de stinkende resten van iemand die ter plekke was weggerot langs het keukenkastje naar beneden. De ijskast stond open en was geplunderd door lijkeneters. Ook stond er nog iets in de oven, maar Albert durfde niet te kijken.

Buiten op het erf voelde het daglicht massief aan. Op de bank lag een bruidsjurk met rode vlekken. Drie lichamen lagen kop-aan-kont in de schaduw van het tentzeil. Op de steentjes had een van de zombies in bloed IK HEB EEN LELIJKE SNEE IN M'N geschreven, maar hij was gestorven voordat hij de zin had kunnen afmaken. Bij de werkplaats had iemand met behulp van vegetarische worsten een pik met ballen uitgebeeld. Er lagen hoopjes glimmende metalen capsules – waarschijnlijk gebruikte munitie, dacht Albert. Het strijklicht gaf de formatie van mobiele toiletten lange schaduwen. Eentje was omgeduwd en lag op zijn deur. Zo zouden ze duizenden jaren blijven staan. Naast de appelboom was een pan omgekieperd waardoor de grond was vervuild met bloed waarin legers mieren en wormen zich verzamelden. Er klonk gezoem van een snel groeiende vliegenpopulatie. Rottende appels lagen op de grond.

'Alleen jij en ik nog, Albert.'

Kate liep naar de tafel van de dj en hield de allerlaatste

plaat omhoog. Het etiket was onbedrukt, wit, en Albert bedacht dat als het einde van de wereld ook het einde van alle menselijke muziek betekende, hij daar na vanavond wel vrede mee kon hebben. Op dat moment begonnen de kippen geluiden te maken. Het was fijn om te weten dat de dieren het in elk geval overleefd hadden. Ergens in de verte klonken de keelklanken van andere, onbekende dieren. Sluierwolken filterden het zonlicht en er hing een geur van houtvuur. Hij en Kate stonden schouder aan schouder te wachten, midden op het erf, met de zon op hun gesloten oogleden. Op een gegeven ogenblik hoorden ze achter hen voetstappen op het grind. Ze draaiden zich om en zagen hun moeder – of iets wat op hun moeder leek –, nog maar net wakker en met een gezicht dat nog dik was van de slaap. Ze had een halveliterfles sinaasappelsap in haar handen en droeg een mannenshort en een onbekende trui.

'Verroer je niet, broertje,' zei Kate. 'Ik weet dat het net echt lijkt, maar het is haar niet. Het is niet eens een *haar*. Soms blijft het lichaam nog na de dood bewegen.'

Kate liep langzaam naar voren, deed een stap opzij, ging achter het wezen dat op hun moeder leek staan en bedekte de ogen met haar handen.

'We mogen niet sentimenteel zijn,' zei Kate, en ze bracht haar mond naar het oor, zei een paar dingen die Albert niet kon verstaan – waarschijnlijk het sacrament der stervenden – liet het los en stapte achteruit. 'Het is nu snel afgelopen. De laatste stuiptrekkingen.'

Ze had gelijk. Het lichaam zakte meteen op één knie. De glazen fles viel, maar brak niet. De kaak zakte iets en het lichaam viel opzij, waarbij de mond een geluidloze 'oh' maakte toen het hoofd de grond raakte. Het lichaam schokte een beetje, waarbij de voeten de halveliterfles nog een stukje verder weg schopten en het hoofd in het grind leek te wroeten, met open mond en stukjes aarde op de wang, dicht bij een sigarettenpeuk. Een laatste stuiptrekking en het was voorbij, maar de ogen bleven open.

'Het spijt me dat je dat moest zien.' Kate stond met gespreide benen over het lichaam en sprak tot de hemel. 'Onze ouders zijn dood en wij zijn wezen in een onherbergzame, verwoeste wereld.'

Albert kwam naar het lijk kijken. Hij wachtte op een beweging, een spiertrekking of een lachje om de mondhoeken.

'Het is voorbij,' zei Kate. 'Alleen jij en ik zijn over en voorlopig kunnen we onze lol wel op met lijken ruimen. Een hoop compost.'

De modderhanden van het lijk zagen eruit alsof ze al eeuwen dood waren.

'Ik ben bedroefd,' zei Albert.

'Ik ook.'

'Jij niet. Je vindt dit geweldig. Ik ben echt bedroefd.'

'Zouden onze ouders gewild hebben dat hun dood iets treurigs was of juist iets feestelijks?'

'Iets treurigs.'

'Wil jij de ogen sluiten?'

Het lijk had niet geknipperd of zichtbaar geademd en dat was indrukwekkend.

'Niet echt,' zei Albert, maar hij knielde toch. 'Waarom sluiten ze de ogen?'

'Om duidelijk te maken wie leeft en wie niet.'

Hij stak zijn duimen uit en sloot de ogen zachtjes.

Kate tilde een arm van het lijk op en liet hem los. De arm viel met een klap op de grond, dood gewicht. Albert pakte de pols en probeerde vergeefs een hartslag te voelen. Het lijk had niet bewogen of iets anders gedaan, het had er alleen maar al een behoorlijke tijd heel erg dood uitgezien, en dat was niet leuk meer.

Albert hield zijn oor bij de mond en luisterde of hij hoorde ademhalen.

'We hebben geen tijd voor dat sentimentele gedoe, Albert. Pak de benen.'

'Alsjeblieft, mam, hou nu maar op.'

'Je voelt je wel weer beter als het eenmaal op de brandstapel ligt,' zei Kate, en ze pakte het lijk bij beide armen, klaar om het te verslepen.

'Heel leuk. Goeie grap.'

Zijn zus wachtte op hem.

'Hou nu maar op,' zei hij.

Het lijk bewoog niet. Kate stond te wachten. Albert schudde zijn hoofd en keek om zich heen. Toen pakte hij beide benen vast en opende het lijk haar ogen.

Dankwoord

Mijn dank gaat uit naar: Matt Cape, Laura Emmerson, Ally Gipps, Gregg Morgan, Jeane Mowatt en de Amhurst Community; Agnes, Emma, Julian en Reuben Orbach, Paul Mitchell, Laura Stobbart en Brithdir Mawr; Francesca Alberry, Simon Brooke, Ahmed Murad, Alastair O'Shea, Dylan O'Shea en Burbage Farm; Tobias Jones, Francesca Lenzi en de Pilsdon Community; Savannah Lambis, Emily Kitchin, Rob Kraitt, Yasmin McDonald, Linda Shaughnessy en Donald Winchester van A.P. Watt; Matt Clacher, Anna Kelly, Juliette Mitchell, Anna Ridley en Joe Pickering van Penguin; Ryan Doherty van Random House US; Megan Bradbury, Seth Fishman, Joel Stickley en Caroline Pretty; Tim Clare, Chris Hicks, John Osborne, Ross Sutherland, Luke Wright en Homework; Priya en Nick Thirkell; mam, pap, Leah, Anna en Marc Hare. Veel dank: Noah Eaker, Georgia Garrett en Simon Prosser. Veel dank en veel excuses: Martha Orbach. Extra veel dank: Maya Thirkell.

Bij de productie van dit boek is gebruikgemaakt van papier dat het keurmerk Forest Stewardship Council (FSC) draagt. Bij dit papier is het zeker dat de productie niet tot bosvernietiging heeft geleid. Ook is het papier 100% chloor- en zwavelvrij gebleekt.